Joanne Harris

Chocolat

Traduit de l'anglais
par Anouk Neuhoff

Gallimard

Titre original :
CHOCOLAT

Première publication : 1999, Double day,
a Division of Transworld Publishers Ltd.
© *1999, Joanne Harris.*
© *Éditions Charleston, marque des Éditions Leduc.s, 2013,*
pour la traduction française.

Joanne Harris est anglaise, de mère française, et vit dans le Yorkshire. Elle est l'auteur de *Chocolat*, roman qui lui a apporté une réputation mondiale et auquel elle a donné suite avec *Le rocher de Montmartre* et *Des pêches pour Monsieur le curé*. On lui doit également d'autres romans parmi lesquels figurent *Vin de bohème*, *Les cinq quartiers de l'orange*, et *Voleurs de plage*.

En mémoire de mon arrière-grand-mère,
Marie André Sorin
(1892-1968).

1

11 février
MARDI GRAS

Nous sommes arrivées portées par le vent du carnaval. Un vent chaud pour un mois de février, chargé des effluves entêtants et brûlants des crêpes, des saucisses et des gaufres au sucre cuites sur la plaque juste là au bord de la route. Un vent chargé de confettis dégringolant des cols et des manches pour inonder les caniveaux comme un joyeux antidote à l'hiver. Dans la foule qui s'agglutine le long de l'étroite grand-rue, il règne une excitation fébrile, des cous se tendent pour apercevoir le char recouvert de papier crépon avec ses rubans qui traînent et ses rosettes en papier. Plantée entre un panier à provisions et un chien brun aux yeux tristes, Anouk, les yeux écarquillés, observe le spectacle, un ballon jaune dans une main et une trompette d'enfant dans l'autre. Nous avons déjà assisté à des carnavals, elle et moi ; un défilé de deux cent cinquante chars décorés à Paris au dernier mardi gras, cent quatre-vingts à New York, deux douzaines de fanfares à Vienne, des clowns sur des échasses, les grosses têtes en papier mâché descendant la rue en se balançant doucement, des majorettes avec leurs bâtons qui tournoyaient en l'air pour retomber comme des étoiles

11

filantes. Mais à six ans le monde rayonne encore d'un éclat singulier. Une charrette en bois, décorée à la hâte avec du papier doré et du papier crépon et des scènes inspirées de contes de fées. Une tête de dragon sur un bouclier, Rapunzel en perruque de laine, une sirène dotée d'une queue en cellophane, une maison de pain d'épice tout en glaçage et carton doré, une sorcière à la porte, agitant des ongles verts d'une longueur extravagante en direction d'un groupe d'enfants silencieux… À six ans on peut percevoir des subtilités qui, un an plus tard, sont déjà hors de portée. Derrière le papier mâché, le glaçage, le plastique, elle parvient encore à voir la vraie sorcière, la vraie magie. Elle lève son regard vers moi, et ses yeux, qui ont le vert-bleu de la Terre quand on la contemple de très haut, étincellent de plaisir.

« Est-ce qu'on va rester ? Est-ce qu'on va rester ici ? » Je dois lui rappeler de parler français. « Mais dis, on va rester ? Dis, on reste ? » Elle s'agrippe à ma manche. Dans le vent, ses cheveux emmêlés ressemblent à de la barbe à papa.

Je réfléchis. Cet endroit en vaut bien un autre. Lansquenet-sous-Tannes, deux cents habitants tout au plus, petit point à peine discernable sur la voie rapide reliant Toulouse à Bordeaux. Un clin d'œil et il a disparu. Une seule rue principale, une double rangée de maisons à colombages gris-brun frileusement blotties les unes contre les autres, quelques ruelles latérales au parcours parallèle évoquant les dents d'une fourchette tordue. Une église, agressivement blanchie à la chaux, sur une place entourée de petites boutiques. Des fermes éparpillées dans la nature aux aguets. Des vergers, des vignes, des bandes de terre clôturées et réparties en fonction du rigoureux apartheid régissant l'agriculture campagnarde : ici des pommes, là des kiwis, des melons, des endives sous leurs bâches de plastique noir, des vignes malades ou mortes sous le maigre soleil de février mais attendant leur triomphante résurrection au mois de mars… Plus loin, la Tannes, petit affluent de la Garonne, qui se fraie un chemin à travers les pâturages marécageux. Et les gens ? Ils ressemblent beaucoup à tous ceux que nous avons connus ; un peu pâles peut-être sous le soleil inhabituel, un peu ternes. Les foulards et les bérets sont de la couleur des cheveux qu'ils dissimulent, bruns, noirs ou gris. Les visages sont ridés comme les pommes de l'été dernier, les yeux enfoncés dans la chair plissée comme des billes de gosses dans une vieille pâte à pain. Quelques enfants, arborant des rouges, des verts et des jaunes éclatants, semblent appartenir à une race différente. Tandis que le char progresse pesamment dans la rue derrière le vieux tracteur qui le tire, une femme corpulente au visage carré triste serre un manteau écossais autour de ses épaules et crie quelque chose dans un patois local à demi compréhensible ; sur le chariot un Père Noël trapu, qui n'a guère sa place parmi les fées, les sirènes et autres lutins, bombarde la foule de bonbons avec une agressivité à peine contenue. Avec un regard d'excuse polie, un homme d'un certain âge, au visage fin, portant un chapeau de feutre au lieu du béret rond plus répandu dans la région, prend dans ses bras le chien brun à l'air malheureux qui s'est glissé entre mes jambes. Je vois ses doigts minces et graciles effleurer le pelage du chien ; le chien gémit et le visage du maître s'assombrit d'un amour empreint de culpabilité et d'inquiétude. Personne ne nous regarde. Nous pourrions tout aussi bien être invisibles ; nos vêtements indiquent que nous sommes des étrangères, des visiteuses de passage. Les gens sont polis, tellement polis ; personne ne nous regarde fixement. La femme aux cheveux longs rentrés dans le col de son manteau orange, un grand foulard de soie voletant autour de sa gorge ; l'enfant avec ses bottes en caoutchouc jaunes et son imperméable bleu ciel. Les couleurs qu'elles portent les distinguent des autres. Leurs vêtements sont exotiques, leurs visages — sont-ils trop pâles ou trop foncés ? —, leurs cheveux attestent qu'elles sont différentes, comme venues d'ailleurs, douées d'une étrangeté indéfinissable. Les gens de Lansquenet ont appris l'art d'observer sans lever les yeux. Je sens leur regard sur ma nuque, étrangement dénué d'hostilité mais néanmoins empreint de froideur. Nous constituons pour eux une curiosité, un élément du carnaval, une bouffée d'exotisme. Je sens leurs yeux sur nous tandis que je me retourne pour acheter une galette au marchand ambulant. Le papier est brûlant et taché de graisse, la crêpe au sarrasin croustillante sur les bords mais épaisse et onctueuse au milieu. J'en arrache un morceau que je donne à Anouk, essuyant le beurre fondu qui a coulé sur son menton. Le marchand, un petit homme replet au crâne dégarni et aux grosses lunettes, a le visage tout luisant de la vapeur qui s'élève de la tuile à galettes. Il adresse un clin d'œil à Anouk. En même temps il enregistre le moindre détail, sachant qu'il y aura des curiosités à satisfaire plus tard.

« En vacances, madame ? » Le protocole villageois l'autorise à poser la question ; derrière son indifférence de commerçant, je discerne une avidité authentique. Tout le monde se connaît ici ; Agen et Montauban se trouvant à deux pas, les touristes sont rares.

« Pour quelque temps.

— Alors comme ça, vous êtes de Paris ? » Ce doit être nos vêtements. Dans cette province exubérante les gens sont gris. La couleur est un luxe ; elle vieillit

14

mal. À leurs yeux, les fleurs aux couleurs vives sur le bas-côté de la route ne sont que de mauvaises herbes, envahissantes, inutiles.

« Non, non, pas de Paris. »

Le char est presque au bout de la rue. Une petite fanfare — deux fifres, deux trompettes, un trombone et un tambour — le suit, jouant une marche non identifiable. Une douzaine d'enfants trottinent dans son sillage, ramassant les bonbons oubliés. Certains sont déguisés ; je vois le Petit Chaperon Rouge et un individu hirsute qui pourrait être le loup en train de se disputer gentiment une poignée de serpentins.

Une silhouette noire ferme la marche. Je crois d'abord qu'il fait partie du défilé — le Médecin de la Peste, peut-être —, mais, au fur et à mesure qu'il approche, je reconnais la soutane à l'ancienne du curé de campagne. Il a la trentaine passée même si, de loin, son maintien rigide le fait paraître plus âgé. Il se tourne vers moi, et je constate que lui aussi est un étranger, avec ses pommettes hautes, ses yeux pâles du Nord et ses longs doigts de pianiste reposant sur la croix d'argent qui pend à son cou. Peut-être ce fait de venir d'ailleurs lui accorde le droit de me dévisager ; mais je n'aperçois aucune lueur accueillante dans ses yeux froids et clairs. Seulement le regard félin plein de méfiance de celui qui n'est pas sûr de son territoire. Je lui souris ; il détourne les yeux, fait signe aux deux enfants de le rejoindre. D'un geste, il indique les détritus qui jonchent à présent la chaussée ; à contrecœur, les deux enfants entreprennent le nettoyage, rassemblant dans leurs bras serpentins emmêlés et emballages de bonbons pour les jeter dans une poubelle voisine. Encore une fois, tandis que je me détourne, je surprends le prêtre à me dévisager, un regard qui, chez un autre homme, aurait pu être un regard d'appréciation.

Il n'y a pas de poste de police à Lansquenet-sous-Tannes, par conséquent pas de criminalité. J'essaie, comme Anouk, de deviner la vérité qui se cache sous le costume, mais pour l'instant tout est brouillé.

« Dis, on reste ? On reste, maman ? » Elle me tire le bras, insistante. « Ça me plaît ici, ça me plaît bien. Dis, on reste ? »

Je la prends dans mes bras et j'embrasse sa chevelure. Elle sent la fumée, les crêpes qui rissolent et les draps chauds par un matin d'hiver.

Pourquoi pas ? Cet endroit n'est pas plus mal qu'un autre.

« Oui, bien sûr, lui dis-je, ma bouche dans ses cheveux. Bien sûr qu'on reste. »

Ce n'est pas tout à fait un mensonge. Cette fois, il se peut même que ce soit vrai.

Le carnaval est terminé. Une fois par an, le village se pare d'un éclat éphémère, mais déjà la chaleur s'est évanouie, la foule dispersée. Les marchands remballent leurs plaques chauffantes et leurs abris, les enfants se débarrassent de leurs costumes et de leurs fanfreluches. Il reste une légère atmosphère de gêne, de confusion, après cet excès de bruit et de couleur. Comme la pluie en été, la magie s'évapore, elle s'insinue dans la terre fissurée et entre les pierres assoiffées, laissant une trace à peine décelable. Deux heures plus tard, Lansquenet-sous-Tannes est à nouveau invisible, comme un village enchanté qui n'apparaîtrait qu'une fois tous les ans. Sans le carnaval, nous serions passées à côté.

Nous avons le gaz mais pas encore l'électricité. Notre premier soir, à la lumière des bougies, j'ai préparé des crêpes pour Anouk et nous les avons mangées près du feu, un vieux magazine en guise d'assiette, car nos affaires ne pourront être livrées que demain. À l'origine, la boutique était une boulangerie et on voit encore au-dessus de son étroite porte la gerbe de blé sculptée du boulanger ; le sol est enfariné d'une épaisse couche de poussière, et en entrant nous avons navigué avec précaution à travers un océan de prospectus publicitaires. Le bail paraît ridiculement bon marché, habituées comme nous le sommes aux tarifs de la ville ; pourtant j'ai parfaitement remarqué le pénétrant regard de suspicion qu'a posé sur moi la femme de l'agence lorsque j'ai compté un à un les billets. Sur les papiers du bail, je suis Vianne Rocher, ma signature est un hiéroglyphe qui pourrait signifier n'importe quoi. À la lueur de la bougie, nous avons exploré notre nouveau territoire ; les vieux fours encore étonnamment en bon état sous la graisse et la suie, les murs lambrissés de pin, les tommettes noircies. Anouk a retrouvé le vieil auvent de toile bien rangé dans une arrière-salle et nous l'avons déplié ; des araignées se sont échappées en tous sens de dessous la toile décolorée. Notre logement est situé au-dessus de la boutique ; un appartement meublé avec un cabinet de toilette, un balcon d'une taille dérisoire, une jardinière en terre cuite plantée de géraniums morts… Anouk a fait la grimace quand elle a vu tout cela.

« C'est tellement sombre, maman. » Elle avait l'air remplie d'effroi, indécise face à tant de désolation. « Et ça sent tellement triste. »

Elle a raison. Cette odeur, c'est comme si la lumière du jour emprisonnée pendant des années était finalement devenue aigre et rance, comme des relents de crottes de souris et de fantômes de choses oubliées sans le moindre regret. La pièce résonne telle une grotte, la faible chaleur de notre présence ne servant qu'à en accentuer toutes les ombres. Un coup de peinture, du soleil et de l'eau savonneuse viendront à bout de la crasse, mais la tristesse, c'est une autre histoire, cette résonance sinistre d'une maison où personne n'a ri depuis des années. Le visage d'Anouk avait l'air pâle avec des yeux immenses sous l'éclairage de la bougie, et sa main se contracta dans la mienne.

« Sommes-nous obligées de dormir ici ? demanda-t-elle. Pantoufle n'aime pas cet endroit. Il a peur. »

Nous avons allumé une bougie dans chacune des pièces, dorée, rouge, blanche et orange. D'habitude, je préfère fabriquer moi-même mon encens, mais, en cas d'urgence, les bâtons achetés dans le commerce, parfumés à la lavande, au cèdre et à la citronnelle, font tout à fait l'affaire. Tenant l'une et l'autre une bougie, Anouk soufflant dans sa trompette d'enfant et moi frappant une cuillère en métal contre une vieille casserole, nous avons arpenté les différentes pièces pendant dix minutes, criant et chantant à pleins poumons — *Dehors ! Dehors ! Dehors !* — jusqu'à ce que les murs se mettent à trembler et que les fantômes s'enfuient scandalisés, laissant dans leur sillage un léger parfum de brûlé et une bonne dose de débris de plâtre. En regardant derrière la peinture noircie et craquelée, derrière la tristesse des choses abandonnées, on commence à distinguer de vagues contours, comme les reflets que laisse un cierge magique quand on le tient à la main — ici un mur peint dans un doré éblouissant, là un fauteuil, un peu abîmé, mais d'un orange triomphant, le vieil auvent flamboyant brusquement tandis que ses couleurs à demi ensevelies resurgissent sous les couches de saleté. *Dehors ! Dehors ! Dehors !* Anouk et Pantoufle tapent des pieds en chantant et les images indistinctes semblent se faire plus éclatantes — un tabouret rouge à côté du comptoir en vinyle, un rang de clochettes contre la porte d'entrée. Bien sûr, je sais que ce n'est qu'un jeu, des artifices visant à réconforter une enfant effrayée ! Il va falloir travailler, travailler dur, avant que cette vision ne devienne réalité. Toujours est-il que cela suffit à nous persuader que cette maison est heureuse de nous accueillir, comme nous sommes heureuses de l'habiter. Gros sel et miche de pain près du seuil pour se concilier les lares domestiques. Santal sur l'oreiller, pour adoucir nos rêves.

Plus tard Anouk m'annonça que Pantoufle n'avait plus peur, et que donc ça allait. Nous avons dormi ensemble tout habillées, sur le matelas saupoudré de farine dans la chambre où toutes les bougies brûlaient, et, lorsque nous nous sommes réveillées, c'était le matin.

2

12 février
MERCREDI DES CENDRES

En réalité ce furent les cloches qui nous réveillè-rent. Je ne m'étais pas rendu compte à quel point nous étions près de l'église avant de les entendre, un bourdon grave et sonore se changeant sur la fin en guilleret carillon : *dommm fla-di-dadi dommmm*. Je regardai ma montre. Il était six heures. Une lumière vieil or filtrait à travers les persiennes cassées et tom-bait sur le lit. Je me levai et contemplai la place, les pavés humides qui brillaient. Blanc et carré, le clo-cher de l'église se détachait nettement sous le soleil du matin, surgissant d'un magma de devantures sombres : une boulangerie, un fleuriste, une bou-tique vendant des articles de cimetière, des plaques, des anges de pierre, des roses émaillées impéris-sables... Au-dessus de leurs façades aux stores discrè-tement baissés, le clocher blanc se dressait comme un phare, l'horloge arrêtée à six heures vingt pour déconcerter le diable, la Vierge dans son vertigineux nid d'aigle dominant la place avec une expression légèrement écœurée. Sur la pointe de la courte flèche pivotait une girouette — ouest, ouest-nord-ouest —, un homme en robe muni d'une faux. Du balcon aux géraniums morts, j'aperçus les premiers fidèles arrivant à la messe. Je reconnus la femme du carnaval au manteau écossais ; je lui fis signe, mais elle pressa le pas sans me répondre, resserrant son manteau autour de son corps d'un geste protecteur. Derrière elle, l'homme au chapeau de feutre, suivi de son chien brun aux yeux tristes, m'adressa un sourire hésitant. Je le hélai d'un air joyeux, mais manifestement la coutume villageoise n'autorisait pas des comportements aussi désinvoltes, car il ne réagit pas, se hâtant à son tour de pénétrer dans l'église, avec son chien derrière lui.

Après cela, personne ne leva même les yeux vers ma fenêtre : j'eus beau dénombrer plus de soixante têtes — foulards, bérets, chapeaux enfoncés contre un vent invisible —, les villageois affichaient tous une indifférence aussi profonde qu'étrange. Ils avaient des préoccupations importantes, proclamaient leurs épaules voûtées et leurs têtes baissées. Leurs pieds traînaient sur les pavés comme des pieds d'enfants se rendant à l'école. Je devinais que celui-ci avait cessé de fumer aujourd'hui ; celui-là avait renoncé à sa visite hebdomadaire au café, cette autre allait se priver de ses friandises préférées. Cela ne me regardait pas, bien sûr. Mais j'eus l'impression à ce moment-là que, s'il y avait un endroit au monde qui avait besoin d'un peu de magie… Les vieux réflexes ont la vie dure, et quand votre activité a un jour consisté à exaucer les vœux des autres, la manie ne vous en quitte jamais vraiment. D'ailleurs le vent, le vent du carnaval, soufflait toujours, apportant avec lui ce léger parfum de friture, de barbe à papa et de poudre à pétards, ces âcres et brûlantes senteurs du printemps approchant, si bien que les paumes de vos mains vous démangeaient et que votre cœur battait plus fort. Pour quelque temps, donc, nous allions rester. Pour quelque temps. Jusqu'à ce que le vent change.

Nous allâmes chez le droguiste acheter de la peinture, ainsi que des pinceaux, des rouleaux, du savon et des seaux. Nous commençâmes par l'étage et procédâmes vers le bas, décrochant les rideaux et jetant les accessoires cassés sur la pile qui grossissait de plus en plus dans le minuscule jardin de derrière, savonnant les sols et provoquant de tels raz de marée dans l'étroit escalier recouvert de suie que nous nous retrouvâmes toutes deux plusieurs fois trempées jusqu'aux os. La brosse dure d'Anouk devint un sous-marin, et la mienne un navire de guerre qui envoyait dans l'escalier de bruyantes torpilles savonneuses propulsées jusque dans l'entrée. Au milieu de ce grand lavage, j'entendis retentir la sonnette et, savon dans une main, brosse dans l'autre, je levai les yeux sur la haute silhouette du prêtre.

Je m'étais demandé combien de temps il lui faudrait pour frapper à ma porte.

Il nous observa un moment, un sourire aux lèvres. Un sourire réservé, teinté à la fois de morgue et de bienveillance. Le châtelain accueille des fâcheux ! Je le sentais gêné par ma salopette mouillée et tachée, mes cheveux ramassés dans un foulard rouge, mes pieds nus dans leurs sandales dégoulinantes.

« Bonjour. » Un petit ruisseau d'écume faisait route vers sa chaussure noire impeccablement cirée. Je vis ses yeux se braquer un instant sur son pied puis revenir sur moi.

« Francis Reynaud, annonça-t-il en esquissant discrètement un pas de côté. Curé de la paroisse. » Je ne pus m'empêcher de pouffer de rire.

« Ah, c'est donc ça, fis-je avec malice. Je croyais que vous faisiez partie du carnaval. » Rire poli ; hé, hé, hé.

Je lui tendis une main gantée de caoutchouc jaune. « Vianne Rocher. Et le bombardier, là-bas, c'est ma fille Anouk. »

Des échos d'explosions de savon, et la voix d'Anouk en train de se chamailler avec Pantoufle dans l'escalier. Évidemment, le prêtre attendait des détails concernant M. Rocher. Tellement plus facile d'avoir tout écrit sur un morceau de papier, bien officiellement, et d'éviter cette conversation délicate et laborieuse.

« Je suppose que vous êtes très occupées ce matin ? »

Il me fit tout à coup pitié à déployer tellement d'efforts, à se donner tellement de mal pour établir le contact. Une fois encore, le sourire forcé. « Oui, il nous faut vraiment remettre cette maison en état le plus vite possible. Ça va prendre du temps ! Mais nous ne serions pas venues à l'église ce matin de toute façon, monsieur le curé. Nous ne sommes pas pratiquantes, vous savez. » J'avais dit cela par gentillesse, histoire de lui montrer de quoi il retournait, de le rassurer, mais il parut stupéfait, presque insulté.

« Je vois. »

J'avais été trop directe. Il aurait aimé que nous dansions un petit pas de deux, que nous nous tournions autour l'un de l'autre comme des chats méfiants.

« Mais c'est très gentil à vous de nous souhaiter la bienvenue, continuai-je avec gaieté. Vous pourrez peut-être même nous aider à nous faire quelques amis. »

Il ressemblait un peu à un chat, remarquai-je ;

des yeux froids et clairs qui ne soutenaient jamais le regard, une vigilance inquiète, calculée, distante.

« Je ferai tout mon possible. » Il était indifférent maintenant qu'il savait que nous ne compterions pas parmi ses ouailles. Et pourtant sa conscience le poussait à offrir plus qu'il n'était disposé à donner. « Avez-vous quelque chose de précis en tête ?

— Eh bien, un coup de main ne serait pas du luxe, suggérai-je. Pas vous, bien sûr, ajoutai-je à la hâte, comme il s'apprêtait à répondre. Mais peut-être connaissez-vous quelqu'un qui voudrait gagner un peu d'argent ? Un plâtrier, quelqu'un qui serait capable de nous aider pour la décoration ? » Ça, au moins, ça ne m'engageait à rien.

« Je ne vois personne. » Il était sur la réserve, je n'avais jamais rencontré personne qui gardât autant ses distances. « Mais je me renseignerai. » Peut-être le ferait-il. Il connaît le devoir qu'il a envers les nouveaux arrivants. Mais je sais qu'il ne trouvera personne. Il n'est pas du genre à accorder gracieusement des faveurs. Ses yeux méfiants avisèrent la pile de pain et de sel posée près de la porte.

« Pour porter bonheur. » Je souris, mais son visage resta de marbre. Il s'écarta de cette offrande innocente comme si elle l'offensait.

« Maman ? » La tête d'Anouk apparut dans l'encadrement de la porte, les cheveux hérissés en tous sens. « Pantoufle a envie d'aller jouer dehors. On peut ? »

Je fis oui de la tête. « Restez dans le jardin. » J'essuyai une goutte d'eau sale sur son nez. « Tu as l'air d'une vraie sauvageonne. » Je la vis jeter un coup d'œil au prêtre et prévins juste à temps son hilarité. « Voici monsieur Reynaud, Anouk. Pourquoi ne dis-tu pas bonjour ?

— Bonjour ! cria Anouk en se dirigeant vers la porte. Au revoir ! » Une silhouette floue, un pull jaune et une salopette rouge, et elle avait disparu, patinant machinalement sur les tommettes grasses de saleté. Ce n'était pas la première fois : j'étais presque sûre d'avoir aperçu Pantoufle derrière elle, ombre noire contre le linteau sombre.

« Elle n'a que six ans », dis-je en guise d'explication.

Reynaud esquissa un sourire pincé et plein d'aigreur, comme si ce qu'il venait de voir de ma fille confirmait absolument tous les soupçons qu'il nourrissait sur mon compte.

3

Jeudi 13 février

Dieu merci, c'est terminé. Les visites m'exténuent. Je ne parle pas de vous, bien sûr, mon père ; ma visite hebdomadaire auprès de vous est un luxe, on pourrait presque dire mon seul luxe. J'espère que les fleurs vous plaisent. Elles ne paient pas de mine, mais elles ont une odeur merveilleuse. Je vais les poser là, à côté de votre fauteuil, où vous pourrez les voir. Il y a une belle vue d'ici à travers les champs, avec la Tannes là-bas et la Garonne qui miroite au loin. On pourrait presque imaginer que nous sommes seuls. Oh, je ne me plains pas. Pas vraiment. Mais vous savez certainement comme tout cela est lourd à porter. Leurs petits soucis, leurs frustrations, leur sottise, leurs mille problèmes insignifiants… Mardi, c'était le carnaval. N'importe qui les aurait pris pour des sauvages, à danser et à pousser de tels cris. Le cadet de Louis Perrin, Claude, m'a visé avec un pistolet à eau, et son père n'a rien dit sinon que c'était un gamin et qu'il avait besoin de jouer un peu ! Tout ce que je veux, c'est les guider, mon père, les libérer de leurs péchés. Mais ils me résistent à tout instant, comme des enfants refusant une alimentation saine pour continuer à manger ce qui les rend malades. Je sais que vous me comprenez. Pendant cinquante ans, vous avez porté tout cela sur vos épaules avec patience et détermination. Vous avez gagné leur amour. Les temps ont-ils tellement changé ? Ici je suis craint, respecté, mais aimé, non. Leurs visages sont renfrognés, pleins de rancune. Hier ils ont quitté l'office avec de la cendre sur le front et une expression de soulagement coupable. Abandonnés à leurs penchants secrets, à leurs vices solitaires. Ne comprennent-ils pas ? Le Seigneur voit toute chose. *Je* vois toute chose. Paul-Marie Muscat bat sa femme. Il fait pénitence avec dix *Ave* chaque semaine au confessionnal et s'en va pour recommencer exactement de la même façon. Sa femme vole. La semaine dernière, elle est allée au marché et elle a volé des bijoux fantaisie sur le stand d'un marchand. Guillaume Duplessis veut savoir si les bêtes ont une âme, et il pleure quand je lui dis que non. Charlotte Édouard pense que son mari a une maîtresse — je sais qu'il en a trois, mais le confessionnal me force à garder le silence. Quels enfants ils font ! Leurs exigences me laissent ensanglanté et vacillant. Mais je ne peux me permettre de montrer de la faiblesse. Les moutons ne sont pas ces créatures dociles et charmantes de l'idylle pastorale. N'importe quel campagnard vous le dira. Ils sont sournois, parfois vicieux, pathologiquement stupides. Le berger indulgent risque de se trouver confronté à un troupeau turbulent, indiscipliné. Je ne peux pas me permettre d'être indulgent. C'est la raison pour laquelle, une fois par semaine, je m'accorde cet unique plaisir. Votre bouche est aussi hermétiquement scellée, mon père, que celle du confessionnal. Vos oreilles sont toujours ouvertes, votre cœur toujours bon. Pendant une heure, je peux déposer mon fardeau. Je peux être faillible.

Nous avons une nouvelle paroissienne. Une certaine Vianne Rocher, une veuve, ai-je cru comprendre, avec une jeune enfant. Vous souvenez-vous de la boulangerie du vieux Blaireau ? Quatre ans qu'il est mort, et depuis, la maison tombait en ruine. Eh bien, elle a pris un bail, et espère rouvrir boutique à la fin de la semaine. Je ne pense pas que ça marchera. Nous avons déjà la boulangerie de Poitou de l'autre côté de la place et, de toute façon, elle n'arrivera jamais à s'intégrer. Une femme assez agréable, d'ailleurs, mais elle n'a rien de commun avec nous. Je lui donne deux mois, et elle retournera vivre à la ville. C'est drôle, je n'ai pas réussi à découvrir d'où elle était originaire. Paris, je suppose, ou peut-être même d'un pays étranger. Son accent est pur, presque trop pur pour une Française, avec les voyelles tronquées du Nord, mais ses yeux suggèrent une ascendance italienne ou portugaise, et sa peau… Mais je ne l'ai pas vraiment vue. Elle a travaillé dans la boulangerie toute la journée d'hier et aujourd'hui. Il y a une bâche de plastique orange sur la vitrine, et de temps en temps elle ou sa petite sauvageonne de fille apparaissent pour vider un seau d'eau sale dans le caniveau, ou parler d'un ton animé avec un ouvrier. Elle a une étrange facilité à trouver des gens pour l'aider. Bien que je lui aie proposé de l'assister dans ses recherches, je doutais qu'elle trouvât beaucoup de volontaires parmi nos villageois. Pourtant, j'ai aperçu Clairmont ce matin de bonne heure, en train de porter une charge de bois, et puis Pourceau avec ses échelles. Poitou lui a donné quelques meubles ; je l'ai vu traverser la place en portant un fauteuil, avec l'air furtif d'un homme qui ne tient pas à être vu. Même Narcisse, ce mauvais coucheur, qui avait refusé tout net de bêcher le cimetière en novembre dernier, est allé là-bas avec ses outils pour lui arranger son jardin. Ce matin, vers neuf heures moins vingt, une camionnette de livreur s'est arrêtée devant la boutique. Duplessis, qui promenait son chien à l'heure habituelle, passait juste à ce moment-là, et elle l'a appelé pour qu'il l'aide à décharger. J'ai bien vu qu'il était stupéfait de cette requête — l'espace d'une seconde, j'ai été presque sûr qu'il allait refuser —, il s'apprêtait à remettre son chapeau sur sa tête. Elle a alors dit quelque chose — je n'ai pas entendu ce que c'était — et j'ai entendu le rire de la jeune femme résonner sur les pavés. Elle rit énormément, et fait beaucoup de gestes cocasses et extravagants avec ses bras. Encore un trait de la ville, je suppose. Nous sommes accoutumés à une plus grande réserve chez les gens qui nous entourent, mais je crois qu'elle ne pense pas à mal. Elle avait un foulard violet noué à la gitane autour de la tête, mais la plupart de ses cheveux s'en étaient échappés et étaient striés de peinture blanche. Cela n'avait pas l'air de la gêner. Duplessis, par la suite, n'a pas réussi à se rappeler ce qu'elle lui avait dit, mais il a expliqué, à sa manière timide, que cette livraison n'était rien, seulement quelques cartons, petits mais fort lourds, et quelques cageots contenant des ustensiles de cuisine. Il n'a pas demandé ce qu'il y avait dans les cartons, mais il doute que des réserves aussi dérisoires mènent bien loin dans une boulangerie.

N'allez pas imaginer, mon père, que j'aie passé ma journée à observer la boulangerie. C'est simplement qu'elle se trouve presque juste en face de ma propre maison — celle qui était la vôtre, mon père, avant tout cela. Cette dernière journée et demie, cela n'a été que coups de marteau, peinture, chaulage et décapage, à tel point que malgré moi je ne peux m'empêcher d'être curieux d'en voir le résultat. Je ne suis pas seul dans ce cas ; j'ai entendu Mme Clairmont qui se vantait auprès d'un groupe d'amies devant chez Poitou du travail de son mari ; il était question de *volets rouges* lorsqu'elles ont fini par me remarquer et se sont mises à chuchoter. Comme si cela m'intéressait. Le moins qu'on puisse dire, c'est que la nouvelle venue alimente les conversations. Quant à la vitrine, avec son écran orange, elle accroche le regard aux moments les plus étranges. Elle ressemble à un énorme bonbon attendant d'être sorti de son papier, comme un vestige oublié du carnaval. Il y a quelque chose de troublant dans cette couleur vive et dans la façon dont les plis de plastique attrapent la lumière du soleil ; je serai heureux quand les travaux seront terminés et que la boutique sera redevenue une boulangerie.

L'infirmière s'efforce d'attirer mon attention. Elle pense que je vous fatigue. Comment pouvez-vous les supporter, avec leurs voix criardes et leurs manières infantilisantes ? *Je crois qu'il est temps de se reposer, maintenant.* Le ton espiègle qu'elle emploie est discordant, insupportable. Et pourtant elle a un bon fond, me disent vos yeux. *Pardonnez-leur, car ils ne savent pas ce qu'ils font.* Moi je ne suis pas gentil. Je viens ici pour mon propre soulagement, pas le vôtre. Et pourtant il me plaît de croire que mes visites vous font plaisir, qu'elles vous maintiennent en contact avec la réalité d'un monde devenu informe et sans consistance. La télévision une heure chaque soir, retourné cinq fois par jour, nourri avec un tube. Entendre parler de vous comme si vous étiez un objet — *Est-ce qu'il peut nous entendre ? Est-ce que vous croyez qu'il comprend ?* —, vos opinions ignorées, dédaignées… Impossible d'accéder à rien, et pourtant sentir, réfléchir. Voilà, dépouillé de tous ses oripeaux, le véritable enfer. Cette perte de contact. Et pourtant c'est vers vous que je me tourne pour m'enseigner l'échange. M'enseigner l'espoir.

4

L'homme au chien s'appelle Guillaume. Il m'a aidée hier pour la livraison et il a été mon premier client ce matin. Il avait son chien, Charly, avec lui, et il m'a saluée avec une politesse timide qui confinait à la courtoisie.

« C'est merveilleux, a-t-il déclaré en regardant autour de lui. Vous avez sûrement veillé toute la nuit pour arriver à ça. »

J'ai ri.

« C'est une vraie transformation, reprit Guillaume. Vous savez, je ne sais pas bien pourquoi, mais je m'étais mis dans la tête que ce serait encore une boulangerie.

— Quoi, et ruiner les affaires de ce pauvre M. Poitou ? Je suis sûre qu'il me remercierait, avec son lumbago qui lui joue des tours, et sa pauvre femme qui est malade et qui dort tellement mal. »

Guillaume se baissa pour rajuster le collier de Charly, mais je vis ses yeux pétiller.

« Je vois que vous avez fait connaissance, dit-il.

— Oui. Je lui ai donné ma recette de tisane pour dormir.

— Si ça marche, il vous en sera éternellement reconnaissant.

— Ça marche », lui assurai-je. Puis, tendant le bras sous le comptoir, j'y attrapai une petite boîte rose garnie d'un nœud argenté pour la Saint-Valentin. « Tenez. Pour vous. Mon premier client. » Guillaume parut un peu éberlué.

« Vraiment, madame, je…

— Appelez-moi Vianne. Et j'insiste. » Je lui fourrai la boîte dans les mains. « Vous les aimerez. Ce sont vos préférés. »

Cette affirmation le fit sourire. « Comment le savez-vous ? s'enquit-il, rangeant délicatement la boîte dans sa poche de manteau.

— Oh, je devine, lui répondis-je d'un air coquin. Je connais les préférés de *tout le monde*. Faites-moi confiance, ce sont ceux que vous préférez. »

L'enseigne ne fut pas terminée avant midi. Georges Clairmont vint alors l'accrocher lui-même, se confondant en excuses pour son retard. Les volets écarlates ressortaient magnifiquement sur le mur blanchi de neuf. Narcisse, grommelant sans conviction contre les gelées tardives, apporta de sa pépinière plusieurs nouveaux géraniums pour les planter dans mes bacs. Je les renvoyai tous deux avec des boîtes de la Saint-Valentin et des expressions similaires de plaisir ébahi. Ensuite, à l'exception de quelques écoliers, j'eus peu de visiteurs. C'est toujours comme ça lorsqu'une nouvelle boutique ouvre dans un village aussi petit ; il existe un code très strict de comportement qui régit les situations de ce type, et les gens se montrent réservés, ils feignent l'indifférence alors qu'intérieurement ils brûlent de curiosité. Une vieille dame s'aventura à l'intérieur, elle portait la robe noire traditionnelle de la veuve campagnarde. Un homme au teint vermeil acheta trois boîtes identiques sans demander ce qu'il y avait dedans. Puis, pendant des heures, je n'eus aucun client. C'était ce que j'avais prévu ; les gens ont besoin de temps pour s'habituer à la nouveauté, et j'eus beau surprendre plusieurs regards scrutateurs dirigés vers ma vitrine, personne ne parut enclin à entrer. Toutefois, derrière cette indifférence calculée, je percevais une sorte de bouillonnement, des murmures chargés de curiosité, des rideaux qui s'agitaient, des résolutions qui s'affermissaient. Quand ils vinrent enfin, ce fut tous ensemble ; sept ou huit femmes, parmi lesquelles Caroline Clairmont, épouse du fabricant d'enseignes. Une neuvième, arrivée un peu à la traîne du groupe, demeura à l'extérieur, le visage presque collé à la vitrine, et je reconnus la femme au manteau écossais.

Ces dames examinèrent absolument tout, gloussant comme des écolières, indécises, se délectant de leur mauvaise conduite collective.

« Et vous faites toutes ces choses-là vous-même ? demanda Cécile, la pharmacienne de la grand-rue.

— Je devrais arrêter pendant le carême, commenta Caroline, une blonde potelée avec un col de fourrure.

— Je ne le dirai à personne », promis-je. Puis, observant la femme au manteau écossais qui continuait à dévorer la vitrine des yeux : « Votre amie ne veut pas se joindre à nous ?

— Oh, elle n'est pas avec nous », répondit Joline Drou, une femme aux traits anguleux qui travaillait à l'école du village. Elle lança un bref coup d'œil à la femme au visage carré devant la vitrine. « C'est Joséphine Muscat. » Il y avait une sorte de pitié méprisante dans sa voix lorsqu'elle prononça ce nom. « Ça m'étonnerait qu'elle entre. »

Comme si elle avait entendu, je vis Joséphine rougir légèrement et laisser tomber sa tête contre sa poitrine. Une de ses mains était placée sur son ventre dans un drôle de geste protecteur. J'apercevais sa bouche qui, perpétuellement boudeuse, remuait doucement, au rythme de ses prières ou de ses jurons intérieurs.

Je servis ces dames — boîte blanche, ruban doré, deux cornets en papier, nœud rose pour la Saint-Valentin — parmi les exclamations et les éclats de rire. À l'extérieur, Joséphine Muscat marmonnait, se balançant et enfonçant dans son ventre ses gros poings disgracieux. Puis, au moment où je servais la dernière cliente, elle redressa la tête avec une sorte de défi et entra dans la boutique. Cette dernière commande était considérable et assez compliquée. Madame voulait *exactement* telle sélection, dans une boîte ronde, avec des rubans, des fleurs, des cœurs dorés et une carte de visite laissée vierge — là-dessus, ces dames levèrent les yeux au ciel dans un élan de ravissement polisson : *hihihihi !* —, de sorte que je faillis ne rien remarquer. Ses grosses mains sont étonnamment agiles, des mains rudes et prestes, rougies par les tâches domestiques. L'une demeure logée au creux de son ventre, l'autre s'élève brièvement contre sa hanche comme celle d'un as du revolver, et le petit paquet argenté avec sa rose — étiqueté dix francs — a disparu de l'étagère pour rejoindre la poche du manteau.

Joli travail. Je fis semblant de n'avoir rien vu et attendis que ces dames aient quitté la boutique avec leurs paquets. Désormais seule devant le comptoir, Joséphine, faisant mine d'examiner les articles exposés, retournait une ou deux boîtes de ses doigts nerveux et précautionneux. Je fermai les yeux. Les pensées qui m'envahirent étaient complexes, troublantes. Diverses images défilèrent rapidement dans ma tête : de la fumée, une poignée de colifichets étincelants, une phalange ensanglantée. Derrière tout cela, une terrible sensation d'angoisse.

« Madame Muscat, puis-je vous aider ? demandai-je d'une voix douce et aimable. Ou préférez-vous simplement regarder ? »

Marmonnant quelque chose d'inaudible, elle se retourna comme pour partir.

« Je crois que j'ai peut-être quelque chose qui va vous plaire. » Je tendis la main sous le comptoir et en ressortis un paquet argenté identique à celui que je l'avais vu prendre, mais plus gros. Le paquet était fermé par un ruban blanc piqueté de minuscules fleurs jaunes. Elle me regarda, sa grande bouche malheureuse s'affaissa sous l'effet d'une sorte de panique. Je poussai le paquet vers elle sur le comptoir.

« Un cadeau de la maison, Joséphine, lui dis-je gentiment. Allez-y. Ce sont vos préférés. »

Joséphine fit volte-face et prit la fuite.

5

Samedi 15 février

Je sais que ce n'est pas mon jour habituel, mon père, mais j'avais besoin de parler. La boulangerie a ouvert hier. Mais ce n'est pas une boulangerie. Quand je me suis réveillé hier matin à six heures, la bâche avait disparu, l'auvent et les persiennes étaient en place et le store était levé sur la vitrine. Ce qui était une vieille maison banale et plutôt triste à l'image de toutes ses voisines est devenue une véritable bonbonnière rouge et or posée sur un sol d'un blanc éblouissant. Des géraniums rouges dans les jardinières. Des guirlandes de papier crépon entortillées autour des rambardes. Et au-dessus de la porte une enseigne en chêne où l'on peut lire en lettres noires :

LA CÉLESTE PRALINE
Chocolaterie artisanale

Bien sûr, c'est ridicule. Une boutique de ce genre pourrait parfaitement faire des affaires à Marseille ou à Bordeaux — même à Agen, où le tourisme augmente d'année en année. Mais à Lansquenet-sous-Tannes ? Et au début du carême, période traditionnelle de l'abstinence ? Cela paraît pervers, peut-être délibérément pervers. J'ai regardé à l'intérieur de la boutique ce matin. Sur une étagère de marbre blanc sont alignés d'innombrables boîtes, paquets, cornets en papier argenté et doré, mais aussi des rosettes, des cloches, des fleurs, des cœurs et de longues spirales de ruban multicolore. Sous des cloches en verre, dans des plats, reposent les chocolats, les pralines, les tétons de Vénus, les truffes, les mendiants, les fruits confits, les rochers pralinés, les coquillages en chocolat, les pétales de rose et les violettes en sucre... Protégées du soleil par le demi-store qui les abrite, toutes ces friandises brillent d'un éclat sombre, comme un trésor enfoui, une caverne d'Ali Baba pleine de sucreries. Au milieu, elle a édifié une superbe pièce centrale. Une maison en pain d'épice, des murs en gâteau recouverts de chocolat et rehaussés de glaçage argenté et doré, des tuiles en florentins parsemées de fruits confits, d'étranges vignes vierges en glaçage et en chocolat grimpant le long des murs, des oiseaux en pâte d'amandes chantant dans des arbres en chocolat... Et la sorcière elle-même, tout en chocolat noir depuis le bout de son chapeau pointu jusqu'à l'ourlet de sa longue cape, à califourchon sur un balai qui est en réalité une guimauve géante, comme celles qui pendent aux étals des marchands de bonbons les jours de carnaval. De ma propre fenêtre, j'ai vue sur la sienne. Caroline Clairmont a rompu son vœu de carême à cause de cette boutique et de ce qui s'y vend. Elle me l'a avoué hier en confession, de ce ton ému de petite fille qui s'accorde si mal avec ses promesses de repentir.

« Oh, mon père, j'ai tellement honte ! Mais que pouvais-je faire ? Cette femme *charmante* était si adorable ! Je veux dire, je n'y avais pas encore *réfléchi* qu'il était déjà trop tard, pourtant s'il y a une seule personne qui devrait renoncer aux chocolats... Je veux dire, la façon dont mes hanches ont littéralement *gonflé* ces deux dernières années, ça me donne envie de *mourir*...

— Deux *Ave*. » Mon Dieu, cette femme. À travers la grille je sens ses yeux affamés remplis d'adoration. Elle fait semblant d'être contrariée par ma brusquerie.

« Bien sûr, mon père.

— Et souvenez-vous des raisons pour lesquelles nous faisons maigre pour le carême. Pas par vanité. Pas pour impressionner nos amis. Pas pour pouvoir porter la mode coûteuse de l'été prochain. » Je me montre volontairement brutal. Elle s'y attend.

« Oui, je suis vaniteuse, n'est-ce pas ? » Un bref sanglot, une larme, délicatement essuyée du coin d'un mouchoir en batiste. Une pauvre sotte vaniteuse.

« Souvenez-vous de Notre-Seigneur. De Son sacrifice. De Son humilité. » Son parfum m'effleure les narines, quelque chose de fleuri, trop fort dans cette pénombre confinée. Je me demande si c'est cela la tentation. Si tel est le cas, je suis de pierre.

« Quatre *Ave*. »

C'est une sorte de désespoir. Il vous ronge l'âme, il la grignote peu à peu, comme une cathédrale peut se trouver érodée au fil des ans par la poussière qui vole. Je le sens qui attaque petit à petit ma résolution, ma joie, ma foi. J'aimerais les guider à travers l'affliction, à travers les épreuves. Au lieu de quoi, j'ai droit à ceci. Cette languissante procession de menteurs, de tricheurs, de gourmands et de pitoyables dupes. Le combat du bien et du mal réduit à une femme obèse postée devant une confiserie, qui se demande avec une lamentable indécision : « *Céderai-je ? Résisterai-je ?* » Le diable est un lâche ; il ne veut pas montrer son visage. Il est dépourvu de substance, se décomposant en un million de particules maléfiques qui s'insinuent dans le sang, dans l'âme. Vous et moi sommes nés trop tard, mon père. Le monde cruel et pur de l'Ancien Testament m'appelle. Nous savions alors à quoi nous en tenir. Satan déambulait parmi nous en personne. Nous prenions des décisions difficiles ; nous sacrifiions nos enfants au nom du Seigneur. Nous aimions Dieu, mais nous Le craignions davantage encore.

N'allez pas croire que je rejette la faute sur Vianne Rocher. En fait c'est à peine si je pense à elle. Elle représente seulement une des influences contre lesquelles je dois lutter tous les jours. Mais l'idée de cette boutique avec son auvent de carnaval, comme un clin d'œil contre l'abnégation, contre la foi... M'écartant de la porte pour recevoir les fidèles, je perçois un mouvement venu de l'intérieur. *Testez-moi. Goûtez-moi. Savourez-moi.* Lors d'une pause entre les versets d'un cantique, j'entends le klaxon de la camionnette de livraison qui s'arrête devant la boutique. Pendant le sermon — le sermon lui-même, mon père ! — je m'interromps au milieu d'une phrase, certain d'avoir reconnu des froissements de papiers de bonbons.

J'ai prêché avec une plus grande sévérité que d'habitude ce matin, malgré une assistance restreinte. Demain, je le leur ferai payer. Demain, dimanche, quand les magasins seront fermés.

6

Samedi 15 février

La classe a fini de bonne heure aujourd'hui. Dès midi la rue fourmillait de cow-boys et d'Indiens en blue-jeans et anoraks éclatants traînant leurs sacs d'école — les plus âgés tirant sur des cigarettes illicites, le col relevé et lançant au passage un coup d'œil nonchalant à la vitrine. Je remarquai un garçon qui marchait tout seul, tout propret avec son manteau gris et son béret sur la tête, son cartable d'écolier impeccablement calé contre ses petites épaules. Pendant un long moment, il a contemplé la vitrine de La Céleste Praline, mais la lumière se reflétait de telle sorte sur la vitre que je n'ai pas distingué son expression. Puis un groupe de quatre enfants de l'âge d'Anouk s'est arrêté devant la boutique, et il a continué son chemin. Deux nez se sont brièvement aplatis contre la vitre, puis les quatre enfants se sont réunis pour vider leurs poches et mettre leurs ressources en commun. Un moment d'hésitation, le temps de décider lequel envoyer dans la boutique. Je fis semblant d'être occupée à quelque chose derrière le comptoir.

« Madame ? » Une petite frimousse barbouillée me regardait d'un air soupçonneux. Je reconnus le loup du mardi gras.

« Voyons, à mon avis, tu es du genre à aimer les cacahuètes pralinées. » J'affichais une mine sérieuse, car l'achat de bonbons est une affaire sérieuse. « C'est avantageux, facile à partager, ça ne fond pas dans les poches et tu peux en avoir — j'écartai les mains pour lui montrer — oh, au moins ça pour cinq francs. Je n'ai pas raison ? »

Pas de sourire, mais un hochement de tête, celui d'un homme d'affaires à un autre. La pièce qu'il me tendit était chaude et légèrement gluante. Il s'empara du paquet avec délicatesse.

« J'aime bien la petite maison de pain d'épice, dit-il gravement, celle dans la vitrine. » À la porte, les trois autres acquiescèrent timidement, se serrant les uns contre les autres comme pour se donner du courage. « Elle est *cool*. » Le mot américain fut formulé avec une sorte de défi, comme la fumée qui s'élève d'une cigarette interdite. Je souris.

« Très cool, acquiesçai-je. Si vous voulez, toi et tes amis, vous pourrez venir m'aider à la manger quand je l'enlèverai. »

Les yeux s'écarquillèrent.

« *Cool !*

— *Hyper-cool !*

— Quand ? »

Je haussai les épaules. « Je dirai à Anouk de vous prévenir, leur annonçai-je. C'est ma petite fille.

— On sait. On l'a vue. Elle ne va pas à l'école. » Cette dernière phrase fut prononcée avec une certaine envie.

« Elle ira lundi. C'est dommage qu'elle n'ait pas encore d'amis, parce que je lui ai dit qu'elle pourrait les inviter ici. Vous savez, pour m'aider à faire les étalages. » Il y eut des bruits de pieds précipités, des mains poisseuses qui se tendirent, des coups de coude pour être les premiers sur les rangs.

« On peut…

— *Je* peux…

— Je m'appelle Jeannot…

— Claudine…

— Lucie. »

Je les renvoyai avec chacun une souris en sucre et les regardai s'éparpiller sur la place telles des aigrettes de pissenlit dans la bourrasque. Un rayon de soleil ricocha tour à tour sur leurs dos tandis qu'ils couraient — rouge-orange-vert-bleu — puis ils s'évanouirent. Sous le porche ombragé de Saint-Jérôme, j'aperçus le prêtre, Francis Reynaud, qui les observait d'un air curieux et, me sembla-t-il, réprobateur. J'en ressentis de la surprise. Pourquoi aurait-il désapprouvé ? Depuis sa visite de politesse, le jour de notre arrivée, il n'était pas repassé, mais j'avais souvent entendu évoquer son nom. Guillaume parle de lui avec respect, Narcisse avec colère, Caroline avec cette malice qu'elle adopte, je le sens bien, chaque fois qu'elle fait allusion à un homme de moins de cinquante ans. Il y a peu de chaleur dans leurs propos. Il n'est pas de la région, ai-je cru comprendre. Un séminariste de Paris, dont tout le savoir vient des livres — il ne connaît pas la terre, ses besoins, ses exigences. Cela de la bouche de Narcisse, qui est brouillé avec le prêtre depuis qu'il a refusé d'assister à la messe pendant les moissons. « Un homme qui ne supporte pas les sots, dit Guillaume, avec cette petite lueur d'humour derrière ses lunettes rondes, c'est-à-dire bon nombre d'entre nous, avec nos sottes manies et nos petites habitudes. » Il tapote affectueusement la tête de Charly en prononçant ces mots, et le chien pousse son aboiement unique et solennel.

« Il trouve ridicule d'être si dévoué à un chien, expliqua Guillaume avec chagrin. Il est bien trop poli pour le dire, mais il trouve que c'est — *déplacé*. Un homme de mon âge... » Avant sa retraite, Guillaume était instituteur à l'école du village. Celle-ci ne compte plus désormais que deux instituteurs pour s'occuper des élèves de moins en moins nombreux, mais beaucoup des anciens parlent encore de Guillaume en l'appelant « le maître d'école ». Je le regarde gratter Charly avec tendresse derrière les oreilles, et je suis sûre de reconnaître la tristesse que j'ai vue en lui au carnaval, l'attitude furtive qui frôle la culpabilité.

« Un homme de n'importe quel âge peut choisir ses amis où ça lui chante, l'interrompis-je non sans ardeur. Peut-être monsieur le curé gagnerait-il lui-même à fréquenter un peu Charly. » À nouveau, ce quasi-sourire doux et triste.

« Monsieur le curé fait de son mieux, protesta-t-il gentiment. Il ne faut pas en espérer davantage. »

Je ne répondis rien. Dans ma profession, on a tôt fait d'apprendre que le processus du don est un processus sans limites. Guillaume quitta La Praline avec un petit sachet de florentins dans sa poche ; avant qu'il ait passé le coin de l'avenue des Francs-Bourgeois, je le vis se pencher pour en offrir un à son chien. Une caresse, un aboiement, le petit bout de queue qui s'agite. Comme je l'ai dit, il y a des gens pour qui donner ne pose aucun problème.

Le village m'est moins mystérieux à présent. Ses habitants aussi. Je commence à connaître les visages, les noms ; les premiers écheveaux secrets des histoires qui s'entortillent pour former le cordon ombilical qui finira par nous relier. C'est un endroit plus complexe que ne le suggère de prime abord sa géographie. La rue principale se ramifie en plusieurs rues dessinant comme une main : la rue des Poètes, l'avenue des Francs-Bourgeois, la ruelle des Frères-de-la-Révolution... un des architectes de la ville avait de toute évidence la fibre républicaine. La place Saint-Jérôme, où j'habite, est le point culminant de ces doigts tendus : l'église se dresse blanche et fière dans un rectangle de tilleuls, une surface de gravier rouge où les vieux jouent à la pétanque les soirs de beau temps. Au-delà, la colline dégringole brusquement vers ce quartier de ruelles étroites collectivement appelées les Marauds. Il s'agit de la zone pauvre de Lansquenet, des maisons à colombages accolées les unes aux autres qui chancellent sur les pavés inégaux en descendant jusqu'à la Tannes. Même là, les maisons ne cèdent pas tout de suite la place aux marécages ; certaines sont construites au-dessus de la rivière sur des plates-formes en bois pourrissant, d'autres bordent par douzaines le quai en pierre, et de longs doigts d'humidité montent de l'eau stagnante dans l'espoir d'atteindre leurs petites fenêtres haut perchées. Dans une ville comme Agen, les Marauds attireraient les touristes pour leur pittoresque et leur délabrement rustique. Mais, ici, il n'y a pas de touristes. Les gens des Marauds sont des pilleurs de poubelles, vivant de ce qu'ils peuvent récupérer dans la rivière. Nombre de leurs maisons tombent en ruines ; il y a des sureaux qui poussent dans les murs écroulés. J'ai fermé La Praline pendant deux heures au déjeuner et Anouk et moi sommes allées nous promener jusqu'à la rivière. Deux enfants maigrichons barbotaient dans la boue verte au bord de l'eau ; même en février il régnait là-bas une âcre puanteur d'égout et de pourriture. Il faisait froid mais il y avait du soleil, et Anouk portait son manteau et son bonnet de laine rouge, courait sur les pavés et apostrophait Pantoufle qui trottinait dans son sillage. Je me suis tellement habituée à Pantoufle — et à l'étrange ménagerie qu'elle traîne dans son radieux sillage — qu'en de tels moments j'arrive presque à le voir clairement, ce Pantoufle, avec ses moustaches grises et ses yeux sages, et le monde qui s'égaie subitement comme si, par une singulière métamorphose, j'étais *devenue* Anouk, voyant avec ses yeux à elle, la suivant dans ses pérégrinations. J'ai dès lors l'impression que je pourrais mourir d'amour pour cette petite fille, ma petite étrangère ; mon cœur se gonfle si dangereusement que la seule délivrance pour moi est de courir aussi, mon manteau rouge battant autour de mes épaules comme des ailes, mes cheveux pareils à la queue d'une comète noire dans le ciel bleu tacheté de nuages.

Un chat noir m'a coupé la route et je me suis arrêtée pour danser autour de lui et chanter la comptine :

> *Où va-t-i', mistigri ?*
> *Passe sans faire de mal ici.*

Anouk s'est jointe à moi et le chat a ronronné, se roulant dans la poussière pour se faire caresser. Je me suis baissée et j'ai vu une minuscule vieille femme qui m'observait d'un air curieux de l'angle d'une maison. Jupe noire, manteau noir, cheveux gris enroulés et nattés en un chignon compliqué. Ses yeux étaient pénétrants et noirs comme ceux d'un oiseau. Je lui adressai un signe de tête.

« Vous êtes de la chocolaterie », dit-elle. En dépit

de son âge — quatre-vingts ans, peut-être plus, esti-mai-je, sa voix était vive et colorée d'un puissant accent du Midi.

« Oui, c'est vrai. » Je lui donnai mon nom.

« Armande Voizin, se présenta-t-elle. C'est ma mai-son, là-bas. » Elle indiqua de la tête une des maisons de la rivière, en meilleur état que les autres, fraîche-ment blanchie à la chaux et aux fenêtres décorées de géraniums écarlates. Avec un sourire qui creusa des millions de rides sur son visage de vieille pomme, la dame annonça : « J'ai vu votre boutique. Assez jolie, je vous l'accorde, mais pas du tout faite pour des gens comme nous. Bien trop chic. » Il n'y avait aucune réprobation dans sa voix, plutôt un fatalisme à demi moqueur. « J'ai appris que notre m'sieur le curé avait déjà une dent contre vous, ajouta-t-elle avec malice. Je suppose qu'il trouve qu'une confise-rie est une chose malvenue sur la place de l'église. » Elle me regarda à nouveau de son air ironique et moqueur. « Est-ce qu'il sait que vous êtes une sor-cière ? »

Sorcière, sorcière… Ce n'est pas le mot juste, mais je savais ce qu'elle voulait dire.

« Qu'est-ce qui vous fait croire ça ?

— Oh, c'est évident. Entre sorcières, on se recon-naît, j'imagine. » Elle éclata de rire, un rire qui res-semblait à des violons affolés. « M'sieur le curé ne croit pas à la magie, reprit-elle. À vous dire la vérité, je ne suis pas si sûre qu'il croie même en Dieu. » Il y avait dans sa voix un mépris rempli d'indulgence. « Il a beaucoup à apprendre, cet homme-là, même s'il a un diplôme de théologie. Et ma sotte de fille aussi. On ne décroche pas de diplôme de *vie*, n'est-ce pas ? » Je lui concédai que non, et lui demandai si je connaissais sa fille.

« Je pense que oui. Caro Clairmont. La plus grande écervelée de tout Lansquenet. Un baratin de tous les diables et pas un sou de bon sens. »

Elle vit mon sourire et hocha la tête avec entrain. « Ne vous en faites pas, ma chère, à mon âge, il n'y a plus grand-chose qui me vexe. Et puis elle tient de son père, vous savez. C'est une grande consolation. » Elle me regarda d'un air de défi. « Il n'y a pas beaucoup de distractions par ici, fit-elle remarquer. Surtout si vous êtes vieux. » Elle s'interrompit et me dévisagea à nouveau. « Mais avec vous j'ai l'impression qu'on va avoir droit à un peu d'amusement. » Sa main frôla la mienne comme une haleine fraîche. J'essayai de lire ses pensées, pour voir si elle se moquait de moi, mais je ne perçus rien d'autre que de l'humour et de la gentillesse.

« Ce n'est qu'une confiserie, dis-je avec un sourire.

— Vous devez vraiment vous imaginer que je suis tombée de la dernière pluie, protesta la vieille dame en gloussant.

— Vraiment, madame Voizin…

— Appelez-moi Armande, dit-elle, les yeux noirs pétillants de plaisir. Ça me rajeunit.

— D'accord. Mais je ne vois vraiment pas pour-quoi…

— Je sais quel vent vous a portées jusqu'ici, dit vivement Armande. Je l'ai senti. Mardi gras, le jour du carnaval. Les Marauds regorgeaient de monde : des bohémiens, des gitans, des romanichels, des tsi-ganes et autres indésirables. Je vous ai repérées tout de suite, vous et votre petite fille… Quel nom vous donnez-vous cette fois-ci ?

— Vianne Rocher, répondis-je en souriant. Et voici Anouk.

— Anouk, répéta Armande avec douceur. Et ce petit compagnon au poil gris… Ma vue n'est plus ce qu'elle était… Qu'est-ce que c'est ? Un chat ? Un écureuil ? »

Anouk secoua sa tête bouclée. « C'est un *lapin*, corrigea-t-elle d'un ton joyeusement railleur. Il s'appelle Pantoufle.

— Oh, un lapin. Bien sûr… acquiesça Armande en me lançant un clin d'œil discret. Voyez-vous, je sais quel vent vous a amenées ici. Je l'ai senti moi-même une fois ou deux. Je suis peut-être vieille, mais personne ne peut me faire prendre des vessies pour des lanternes. Absolument personne.

— Vous avez peut-être raison, dis-je en hochant la tête. Passez à La Praline un de ces jours ; je connais les friandises préférées de tout le monde. Je vous offrirai une grosse boîte des vôtres. »

Armande éclata de rire. « Oh, je n'ai pas droit au chocolat. Caro et cet idiot de docteur me l'interdisent. Comme tout ce qui pourrait me faire plaisir, ajouta-t-elle avec une ironie désabusée. D'abord la cigarette, puis l'alcool, maintenant ça… Qui sait, si j'arrêtais de respirer, peut-être que je vivrais éternellement. » Elle eut un petit ricanement, mais celui-ci avait une sonorité fatiguée, et je la vis porter une main à sa poitrine en un geste crispé qui me rappela désagréablement Joséphine Muscat. « Ce n'est pas exactement que je leur en veuille, continua-t-elle. C'est leur façon de faire. Cette protection systématique… vis-à-vis de tout. De la vie. De la mort. » Elle eut un large sourire qui parut soudain extrêmement enfantin malgré ses rides.

« Je passerai peut-être vous voir quand même, annonça-t-elle. Ne serait-ce que pour embêter le curé. »

Je ruminai un moment cette dernière remarque après qu'Armande eut disparu derrière le coin de la maison aux murs blanchis à la chaux. À quelque distance de là, Anouk jetait des pierres sur les laisses de vase qui sillonnaient la berge.

Le curé. Il semblait que son nom n'était jamais très loin des lèvres. Je pensai un instant à Francis Reynaud.

Dans un endroit comme Lansquenet, il arrive quelquefois qu'un homme — qu'il soit maître d'école, patron de café ou prêtre — constitue le pivot de la communauté, que cet unique individu soit le rouage essentiel de la machinerie qui fait tourner les vies, comme l'axe central d'un mécanisme d'horlogerie, qui entraîne des roues qui en font tourner d'autres, déclenchent des marteaux, pour qu'au bout du compte les aiguilles indiquent l'heure. Si l'axe patine ou est abîmé, l'horloge s'arrête. Lansquenet ressemble à cette horloge, ses aiguilles immobilisées à tout jamais à minuit moins une, ses rouages tournant en pure perte derrière son cadran impassible. Pour berner le diable, me disait toujours ma mère, il suffit de régler l'horloge de l'église à la mauvaise heure. Dans le cas présent, j'ai l'impression que le diable ne se laisse pas berner. Pas un instant.

7

Dimanche 16 février

Ma mère était une sorcière. Du moins, c'est le titre qu'elle se donnait, et à la longue elle avait fini par y croire si fort qu'il n'y avait plus moyen de savoir ce qui était vrai ou non. Armande Voizin me fait penser à elle par certains côtés : ces yeux vifs et narquois, ces longs cheveux qui ont dû être d'un noir d'ébène dans sa jeunesse, ce mélange de mélancolie et de cynisme. D'elle j'ai appris ce qui m'a façonnée. L'art de changer le malheur en bonne fortune. Comment faire les cornes avec les doigts pour éloigner le mauvais œil. Coudre un sachet, concocter un breuvage, être convaincue qu'une araignée porte chance avant minuit et malheur après. Par-dessus tout, elle m'a communiqué son amour des lieux nouveaux, cette envie de voir le monde qui nous a conduites partout en Europe et au-delà : une année à Budapest, une autre année à Prague, six mois à Rome, quatre à Athènes, puis de l'autre côté des Alpes à Monaco, le long de la côte, à Cannes, Marseille, Barcelone… À l'âge de dix-huit ans, je ne savais plus dans combien de villes nous avions vécu, combien de langues nous avions parlées. Les métiers que nous avions exercés étaient tout aussi variés : serveuses, interprètes, mécaniciennes. Quelquefois, nous nous échappions par les fenêtres de nos hôtels bon marché sans régler la note. Nous prenions le train sans billets, fabriquions de faux permis de travail, traversions les frontières illégalement. Nous nous sommes fait expulser un nombre incalculable de fois. Par deux fois ma mère a été arrêtée, puis relaxée. Nos noms changeaient au gré de nos déplacements, passant d'une variante régionale à une autre : Yanne, Jeanne, Johanne, Giovanna, Anne, Anouchka. Telles des voleuses, nous étions perpétuellement en fuite, convertissant le lourd fardeau de notre existence en francs, en livres, en couronnes, en dollars, selon le pays où le vent nous portait dans notre course. N'allez pas croire que j'aie souffert ; la vie était une belle aventure, ces années-là. Nous étions ensemble, ma mère et moi. Je n'ai jamais ressenti le besoin d'un père. J'avais je ne sais combien d'amis. Et pourtant, quelquefois, ça avait dû être pénible pour elle, cette absence de permanence, cette obligation de toujours vivre en marge de la loi. Il n'empêche que nous courions de plus en plus vite au fil des années, restant un mois, deux tout au plus, puis reprenant la route comme des fugitives cherchant à devancer le coucher de soleil. Je mis plusieurs années à comprendre que c'était la mort que nous fuyions ainsi.

Elle avait quarante ans. C'était le cancer. Elle le savait depuis un moment, m'avoua-t-elle, mais ces derniers temps… Non, il n'était pas question d'hôpital. Pas d'hôpital, c'était compris ? Il lui restait des mois, des années à vivre, et elle voulait voir l'Amérique. New York, les Everglades de Floride. Nous bougions presque chaque jour à présent, Mère tirant les cartes la nuit quand elle me croyait endormie. Nous embarquâmes sur un bateau de croisière à Lisbonne, employées toutes deux aux cuisines. Terminant à deux ou trois heures du matin, nous nous levions à l'aube. Chaque nuit, les cartes, polies par l'âge autant que par une manipulation respectueuse, se retrouvaient étalées sur la couchette à côté d'elle. Elle se chuchotait leurs noms, s'enfonçant plus profondément chaque jour dans l'inextricable confusion mentale qui finirait par la gagner totalement.

Dix d'Épée, la Mort. Trois d'Épée, la Mort. Deux d'Épée, la Mort. Le Chariot. La Mort.

Le Chariot se trouva être un taxi new-yorkais un soir d'été alors que nous étions sorties faire les courses dans les rues animées de Chinatown. Ça valait mieux que le cancer, en tout cas.

Lorsque ma fille est née neuf mois plus tard, je lui ai donné notre nom à toutes les deux. Ça semblait s'imposer. Son père ne l'a jamais connue... D'ailleurs je ne suis pas sûre de son identité, dans l'infinie succession de mes brèves rencontres. Ça n'a pas d'importance. J'aurais pu, à minuit, peler une pomme et jeter l'épluchure par-dessus mon épaule pour connaître son initiale, mais je n'ai jamais pris la peine de le faire. Des bagages trop lourds nous auraient ralenties.

Et pourtant... Depuis que j'ai quitté New York, les vents n'ont-ils pas soufflé moins fort, moins souvent ? N'y a-t-il pas eu une sorte de déchirement chaque fois que nous avons quitté un endroit, une sorte de regret ? Je crois que oui. Vingt-cinq ans, et finalement le ressort avait commencé à se fatiguer, tout comme ma mère s'était fatiguée durant les dernières années. Je me surprends à regarder le soleil et à me demander l'effet que ça ferait de le voir se lever au-dessus du même horizon pendant cinq — voire dix, voire vingt — ans. Cette pensée m'emplit d'un étrange vertige, un sentiment de peur et de convoitise. Et Anouk, ma petite étrangère ? Maintenant que mon tour est venu d'être mère, je considère la courageuse aventure que nous avons vécue pendant si longtemps sous un jour différent. Je me revois telle que j'étais, petite fille brune aux longs cheveux mal peignés, portant des vêtements de rebut, apprenant les maths à la dure, la géographie à la dure — *Combien de pain pour deux francs ? Jusqu'où peut-on aller avec un billet de train de cinquante marks ?* — et je ne veux pas de ça pour elle. Peut-être est-ce la raison pour laquelle nous sommes restées en France ces cinq dernières années. Pour la première fois de ma vie, j'ai un compte en banque. J'ai un métier.

Ma mère aurait méprisé tout cela. Et pourtant peut-être m'aurait-elle enviée également. *Oublie-toi si tu le peux,* m'aurait-elle dit. *Oublie qui tu es. Aussi longtemps que tu le pourras. Mais un jour, ma fille, un jour le passé te rattrapera. Je le sais.*

Aujourd'hui, j'ai ouvert comme d'habitude. Pour la matinée seulement — je m'octroie une demi-journée avec Anouk cet après-midi —, mais ce matin c'est la messe et il y aura du monde sur la place de l'église. Février s'est réaffirmé dans toute sa tristesse et maintenant il pleut, une pluie glaciale pareille à de la neige fondue qui rend les pavés glissants et colore le ciel d'une nuance vieil étain. Anouk lit un livre de comptines derrière le comptoir et garde l'œil sur la porte pour moi pendant que je prépare une fournée de mendiants dans la cuisine. Ce sont mes friandises préférées — appelées ainsi parce qu'elles étaient vendues par des mendiants et par des gitans il y a des années de cela —, des disques de la taille d'un biscuit au chocolat noir, au chocolat au lait ou au chocolat blanc, sur lesquels on dispose des zestes de citron, des amandes et de gros raisins de Malaga. Anouk aime les blancs, alors que moi je préfère les noirs, confectionnés avec le meilleur chocolat, à soixante-dix pour cent... Aigres-doux sur la langue avec la saveur mystérieuse des tropiques. Ma mère aurait également méprisé ça. Et pourtant il s'agit là aussi d'une espèce de magie.

Depuis vendredi j'ai installé des tabourets de bar le long du comptoir de La Praline. Désormais la confiserie ressemble un peu aux snacks gentiment kitsch que nous fréquentions à New York, avec leurs sièges de cuir rouge aux pieds de chrome. Les murs sont d'une couleur jonquille éclatante. Le vieux fauteuil orange de Poitou trône dans un coin. Sur la gauche, rédigé de la main d'Anouk et colorié dans des tons d'orange et de rouge, se dresse un tableau indiquant :

CHOCOLAT CHAUD	10 F
CHOCOLAT ESPRESSO	15 F
CHOCOCCINO	12 F
MOKA	12 F

J'ai fait cuire un gâteau hier soir, et le chocolat chaud mijote sur la plaque, dans l'attente de mon premier client. Je m'assure qu'un menu identique est visible de la vitrine et j'attends.

Les fidèles vont et viennent. Je regarde les passants, qui marchent moroses sous la bruine glaciale. Ma porte, légèrement entrebâillée, exhale de brûlants effluves de gâteaux et de sucreries. Quelques regards de convoitise se posent sur la source de ces senteurs délicieuses, mais un bref coup d'œil en arrière, un haussement d'épaules, une torsion de la bouche pouvant signifier aussi bien la détermination que l'irritation, et les voilà qui disparaissent, leurs pauvres épaules arrondies luttant contre le vent, comme si un ange armé d'une épée enflammée se tenait à la porte de la boutique pour leur en barrer l'entrée.

Du temps, me dis-je en moi-même. Ces choses-là prennent du temps. Malgré tout, une sorte d'impatience, proche de la colère, m'envahit. Qu'est-ce qui cloche chez ces gens-là ? Pourquoi ne viennent-ils pas ? Dix heures sonnent, puis onze. Je vois des gens entrer dans la boulangerie en face et en ressortir des pains sous le bras. La pluie s'arrête, mais le ciel demeure menaçant. Onze heures et demie. Les rares personnes qui s'attardent encore sur la place prennent le chemin du retour et rentrent préparer le repas du dimanche. Un petit garçon accompagné d'un chien contourne le coin de l'église, évitant soigneusement les gouttières. Il dépasse la boutique presque sans un regard.

Qu'ils aillent donc au diable ! Juste quand je croyais que je commençais à établir le contact. Pourquoi ne viennent-ils pas ? Ne voient-ils rien, ne *sentent*-ils rien ? Que me faut-il faire de plus ?

Anouk, toujours sensible à mes humeurs, vient me faire un câlin. « Maman, ne pleure pas. »

Je ne pleure pas. Je ne pleure jamais. Ses cheveux me chatouillent le visage, et la crainte de la perdre un jour me donne comme un étourdissement.

« Ce n'est pas ta faute. Nous avons essayé. Nous avons fait tout ce qu'il fallait. »

Ce n'est pas faux. Tout, jusqu'aux rubans rouges autour de la porte, jusqu'aux sachets de cèdre et de lavande censés repousser les influences néfastes. Je lui embrasse le front. J'ai la figure toute moite. Quelque chose, peut-être l'arôme aigre-doux des émanations de chocolat, me picote les yeux.

« Tout va bien, chérie. Ce qu'ils font ne doit pas nous affecter. Nous pouvons au moins boire quelque chose pour nous remonter le moral. »

Nous nous perchons sur nos tabourets comme des piliers de bar new-yorkais, avec chacune une tasse de chocolat. Anouk prend le sien avec de la crème Chantilly et des copeaux de chocolat ; je bois le mien noir et brûlant, plus fort encore que l'*espresso*. Nous fermons les yeux dans la vapeur parfumée de notre breuvage et nous les *voyons* arriver — deux, trois, une douzaine à la fois, leurs visages s'éclairent, ils s'asseoient à côté de nous, leurs visages si durs et si indifférents se parent d'expressions de bienvenue et de ravissement. Je me hâte d'ouvrir les yeux et Anouk se tient à la porte. Brièvement, je vois Pantoufle juché sur son épaule, les moustaches frémissantes. Je ne sais pourquoi, mais la lumière derrière elle me semble soudain plus chaude, comme changée. Envoûtante.

Je bondis.

« S'il te plaît. Ne fais pas ça. »

Elle me lance un de ses regards ténébreux. « J'essayais seulement d'*aider*...

— S'il te plaît. » L'espace d'une seconde, elle me défie, le visage buté. Des charmes magiques flottent entre nous telle une fumée dorée. Ce serait tellement facile, m'exhorte-t-elle avec ses yeux, tellement facile, comme les caresses de doigts invisibles, les cajoleries de voix inaudibles qui inciteraient les gens à entrer...

« Nous ne pouvons pas. Nous ne devons pas. » Je m'efforce de lui expliquer. Ce don nous distingue des autres. Il nous rend différentes. Si nous comptons rester, il faut que nous soyons aussi semblables à eux que possible. Pantoufle me regarde d'un air suppliant, silhouette floue se détachant sur les ombres dorées. Délibérément, je ferme les yeux pour cesser de le voir et, lorsque je les rouvre, il a disparu.

« Tout va bien, dis-je à Anouk d'un ton ferme. Tout ira bien pour nous. Nous pouvons attendre. »

Et, en fin de compte, à midi et demi, arrive quelqu'un.

Anouk l'avait vu en premier — « maman ! » — mais j'avais bondi instantanément. C'était Reynaud, une main protégeant son visage de la pluie qui ruisselait de l'auvent, l'autre hésitant sur la poignée de la porte. Sa figure pâle était sereine, mais il y avait quelque chose dans ses yeux… une satisfaction sournoise. Pour une raison quelconque, je compris qu'il ne venait pas en client. La clochette de la porte tinta à son entrée, mais il ne se rendit pas jusqu'au comptoir. Au lieu de cela, il demeura sur le seuil, le vent rabattant les plis de sa soutane vers l'intérieur de la boutique comme les ailes d'un oiseau noir.

« Monsieur. » Je le vis toiser les rubans rouges d'un air de méfiance. « Puis-je vous aider ? Je suis sûre que je sais quelles sont vos friandises préférées. » Je débitai mon boniment de commerçante comme un automate, mais je mentais. Je n'ai pas la moindre idée des goûts de cet homme. Il est complètement indéchiffrable pour moi, des ténèbres à forme humaine se découpant dans les airs. Je ne me sens aucun point de contact avec lui, et mon sourire alla se fracasser comme une vague sur un rocher.

« J'en doute. » Sa voix était basse et plaisante, mais

je devinai de l'animosité sous ses accents très professionnels. Je me rappelai les paroles d'Armande Voizin — *J'ai appris que notre m'sieur le curé avait une dent contre vous.* Pourquoi ? Une méfiance instinctive à l'égard des non-croyants ? À moins qu'il n'y ait autre chose ? Sous le comptoir, je fis avec mes doigts les cornes de la sorcière.

« Je ne m'attendais pas à ce que vous soyez ouverte aujourd'hui. »

Il est plus sûr de lui à présent qu'il croit nous connaître. Son petit sourire pincé comme une huître, avec ses bords d'un blanc laiteux, semble coupant comme un rasoir.

« Un dimanche, vous voulez dire ? répliquai-je de mon ton le plus innocent. J'ai pensé que je pourrais profiter de la sortie de la messe. »

Ce sarcasme ne parvint pas à le blesser.

« Le premier dimanche du carême ? » Il avait l'air amusé mais, sous l'amusement, il y avait du dédain. « Je ne crois pas. Les gens de Lansquenet sont des gens simples, madame Rocher. Des gens *pieux.* » Il insista sur le mot avec douceur, avec politesse.

« C'est *mademoiselle* Rocher. » Victoire minime, mais suffisante pour le couper net. Le prêtre darda son regard sur Anouk, toujours assise au comptoir avec son grand verre de chocolat dans une main. Sa bouche était barbouillée d'écume chocolatée et, comme la piqûre soudaine d'une ortie invisible, je la sentis à nouveau, cette panique, cette terreur irrationnelle de la perdre. Mais à cause de qui ? Je chassai cette pensée avec une fureur grandissante. La perdre à cause de lui ? Qu'il essaie un peu…

« Bien sûr, reprit-il onctueusement. Mademoiselle Rocher. Acceptez mes excuses. »

Je souris avec aménité en réponse à sa réprobation. Quelque chose en moi continuait à la désirer de façon perverse ; ma voix, un soupçon trop forte, revêtit un accent d'assurance vulgaire destiné à dissimuler ma peur.

« C'est tellement agréable de rencontrer dans ces contrées rurales quelqu'un qui comprenne, déclarai-je en lui adressant mon sourire le plus dur et le plus éclatant. Je veux dire, en ville, où nous habitions avant, personne ne prêtait attention à nous. Mais ici… » Je réussis à prendre un air à la fois contrit et impénitent. « Je veux dire, c'est absolument merveilleux ici, et les gens ont été tellement serviables… tellement affables… Mais ce n'est pas Paris, n'est-ce pas ? »

Reynaud concéda — d'un ton de raillerie à peine perceptible — qu'en effet ce n'était pas Paris.

« C'est on ne peut plus vrai ce qu'on raconte sur les communautés de village, poursuivis-je. Tout le monde veut savoir ce que vous faites ! Je suppose que ça vient du peu de distractions qu'il y a, expliquai-je aimablement. Trois magasins et une église. Je veux dire… » J'eus un petit rire sot. « Bien sûr, tout ça, vous le savez. »

Reynaud hocha gravement la tête. « Peut-être pourriez-vous m'expliquer, mademoiselle…

— Oh, appelez-moi donc Vianne, l'interrompis-je.

— … pourquoi vous avez décidé de vous installer à Lansquenet ? » Son ton était mielleux d'antipathie, sa bouche mince ressemblait plus que jamais à une huître. « Comme vous dites, c'est un peu différent de Paris. » Ses yeux faisaient clairement comprendre que cette différence était totalement à l'avantage de Lansquenet. « Une boutique comme celle-ci — d'une main élégante, il indiqua le magasin et ce qu'il contenait avec une molle indifférence —, une boutique d'un tel raffinement serait certainement plus populaire… plus *convenable*… dans une ville ? Je suis sûr qu'à Toulouse ou Agen… » Je savais maintenant pourquoi aucun client n'avait osé venir ce matin. Ce mot — *convenable* — renfermait toute la condamnation glaciale d'une imprécation de prophète.

Pleine de rage, je lui refis les cornes sous le comptoir. Reynaud se frappa la nuque du plat de la main, comme si un insecte l'avait piqué.

« Je ne crois pas que les villes détiennent l'exclusivité des choses agréables, répliquai-je sèchement. Tout le monde a besoin d'un petit luxe, d'un petit plaisir de temps en temps. »

Reynaud ne répondit pas. Je suppose qu'il n'était pas d'accord. Je ne me privai pas de le lui dire. « J'imagine que vous avez prêché exactement le contraire dans votre sermon ce matin ? » risquai-je hardiment. Puis, comme il ne répondait toujours pas : « En tout cas, je suis sûre qu'il y a assez de place dans cette ville pour nous deux. La libre entreprise, c'est bien ça, non ? »

À en juger par l'expression de son visage, il avait compris le défi. Un instant, je soutins son regard. Reynaud recula à la vue de mon sourire comme si je lui avais craché à la figure.

Doucement : « Bien sûr. »

Oh, je les connais, les gens comme lui. Nous en avons vu suffisamment, Mère et moi, durant notre fuite à travers l'Europe. Les mêmes sourires polis, le même dédain, la même indifférence. Une piécette lâchée par la main potelée d'une femme devant la cathédrale bondée de Reims ; les regards désapprobateurs d'un groupe de religieuses quand une petite Vianne bondit pour s'en saisir, ses genoux nus dérapant sur le sol poussiéreux. Un homme en robe noire conversant avec ma mère d'un air furieux et grave ; ma mère fuyant, le visage livide, l'ombre de l'église, pressant ma main au point de me faire mal... Plus tard, j'appris qu'elle avait tenté de se confesser à lui. Qu'est-ce qui l'y avait poussée ? La solitude, peut-être, le besoin de parler, de se confier à quelqu'un qui ne soit pas un amant. Quelqu'un au visage compréhensif. Est-ce qu'elle n'avait pas *vu* ? Le visage, désormais pas compréhensif du tout, déformé par la frustration et la colère. C'était un péché, un *péché* mortel... Elle allait devoir laisser cette enfant entre les mains de gens respectables. Si elle aimait la petite — comment s'appelait-elle ? Anne ? —, si elle l'aimait, elle devait — elle *devait* — faire ce sacrifice. Il connaissait un couvent où l'on pourrait s'occuper d'elle. Il lui avait pris la main, lui avait broyé les doigts. N'aimait-elle pas son enfant ? Ne voulait-elle pas être sauvée ? Non ? Non ?

Cette nuit-là, ma mère pleura, me berçant inlassablement dans ses bras. Nous quittâmes Reims au matin, plus que jamais comme des voleuses, ma mère me serrant contre elle comme un trésor volé, le regard aussi fuyant que brûlant.

Je compris qu'il l'avait presque convaincue de me laisser. Par la suite elle me demanda souvent si j'étais heureuse avec elle, si je n'avais pas envie d'avoir des amis, une maison... Mais j'avais beau lui répéter que oui, que non, non, j'avais beau l'embrasser et lui dire que je ne regrettais rien, *rien*, il restait en elle un peu de ce poison. Pendant des années, nous avons fui le prêtre, l'Homme Noir, et lorsque son visage recommençait à apparaître dans les cartes, il était temps de fuir à nouveau, de se soustraire aux ténèbres qu'il avait ouvertes dans le cœur de ma mère.

Or le voilà qui ressurgit, au moment précis où je

croyais que nous avions enfin trouvé notre havre de paix, Anouk et moi. Debout à ma porte comme l'ange à la porte du paradis.

Eh bien, cette fois, je jure que je ne m'enfuirai pas. Quoi qu'il fasse. Quels que soient les procédés qu'il emploie pour monter contre moi les gens du pays. Son visage est aussi lisse et inexorable qu'une mauvaise carte qu'on retourne. Il s'est déclaré mon ennemi — et moi le sien — aussi clairement que si nous nous étions tous deux exprimés à voix haute.

« Je suis tellement contente que nous nous comprenions, déclarai-je d'une voix sonore et froide.

— Moi aussi. »

Quelque chose dans ses yeux, une lueur qui n'y était pas avant, éveille mon attention. C'est incroyable, il tire *plaisir* de cette situation, ce combat au corps à corps le réjouit littéralement ; nulle part, sous la cuirasse de sa certitude, il n'y a place pour l'éventualité qu'il puisse ne pas gagner.

Il fait demi-tour pour s'en aller, très digne, avec juste l'inclinaison de tête qui convient. Juste comme ça. Un mépris poli. L'arme venimeuse et acérée des gens vertueux.

« M'sieur le curé ! » Une seconde, il se retourne, et je lui fourre un petit paquet enrubanné dans les mains. « Pour vous. Un cadeau de la maison. » Mon sourire ne tolère aucun refus, et il accepte le paquet avec une perplexité embarrassée. « Ça me fait plaisir. »

Il se renfrogne légèrement, comme si la pensée de me faire plaisir lui était douloureuse. « Mais je n'aime pas vraiment…

— Allons. » Mon ton est brusque, sans réplique. « Je suis sûre que vous les aimerez. Ils me font tellement penser à vous. »

Sous son calme apparent, j'ai l'impression qu'il est stupéfait. Subitement il s'esquive, son petit paquet blanc au creux de la main, pour affronter la pluie grise. Je remarque qu'il ne court pas pour aller se mettre à l'abri mais qu'il marche toujours du même pas régulier : ce n'est pas de l'indifférence, non, on dirait plutôt qu'il se délecte infiniment de ce modeste inconfort.

Je me plais à penser qu'il va manger les chocolats. Plus probablement, il va en faire cadeau, mais je me plais à penser qu'il va au moins les ouvrir et les regarder… Tout de même, il peut bien se permettre un coup d'œil, histoire de satisfaire sa curiosité.

Ils me font tellement penser à vous.

Une douzaine de mes plus belles huîtres de Saint-Malo, ces petites friandises au chocolat qui ressemblent à des huîtres hermétiquement closes.

8

Mardi 18 février

Quinze clients hier. Aujourd'hui, trente-quatre. Guillaume était l'un d'entre eux ; il a acheté un cornet de florentins et bu une tasse de chocolat. Charly était avec lui, docilement couché en rond sous un tabouret tandis que, de temps en temps, Guillaume lâchait un morceau de sucre roux entre ses mâchoires aussi impatientes qu'insatiables.

Cela prend du temps, me confie Guillaume, pour qu'un nouveau venu soit enfin accepté à Lansquenet. Dimanche dernier, m'expliqua-t-il, le curé Reynaud avait prononcé un sermon tellement virulent sur l'abstinence que l'ouverture de La Céleste Praline précisément ce matin-là avait eu l'air d'un affront direct à l'Église. Caroline Clairmont — qui entame un autre de ses régimes — s'était montrée particulièrement cinglante, disant tout haut à ses amies réunies à la messe que c'était *tout à fait scandaleux, mes amies, exactement comme ces histoires de la décadence romaine, et si cette femme s'imagine qu'elle va pouvoir se faire admettre dans la ville en se pavanant comme la reine de Saba… répugnante, la façon dont elle fait étalage de cette enfant illégitime comme si… oh, les chocolats ? Rien d'extraordinaire, mes amies, et beaucoup trop chers.* La conclusion générale parmi ces dames avait été que « ça » — quel que soit ce « ça » — ne durerait pas. J'aurais déguerpi de la ville avant quinze jours. N'empêche, le nombre de mes clients a doublé depuis hier, et parmi eux plusieurs copines de Mme Clairmont. Les yeux brillants bien qu'un peu honteux, elles se rassuraient mutuellement : ce n'était que de la curiosité, tout ce qu'elles voulaient c'était voir par elles-mêmes…

Je connais les friandises préférées de chacun. C'est un don, un secret professionnel, comme une diseuse de bonne aventure lisant les lignes de la main. Ma mère se serait moquée de ce gaspillage de mes talents, mais je n'ai nulle envie de sonder davantage la vie de ces gens. Je ne veux pas de leurs secrets ni de leurs pensées les plus intimes. Je ne veux pas non plus de leurs angoisses ni de leur gratitude. Une alchimiste timorée, voilà de quoi elle m'aurait qualifiée avec un mépris bienveillant, à exercer ainsi une magie domestique quand j'aurais pu accomplir des prodiges. Mais j'aime bien ces gens. J'aime leurs préoccupations aussi dérisoires qu'égocentriques. Je sais lire leurs yeux, leurs bouches, tellement facilement : celle-ci, avec son soupçon d'amertume, va raffoler de mes zestes d'orange confits ; celle-ci, avec son doux sourire, mes abricots fourrés au cœur si moelleux ; cette petite fille aux cheveux ébouriffés par le vent va adorer les mendiants ; cette femme vive et joyeuse, les noix du Brésil au chocolat. Pour Guillaume, les florentins, dégustés avec délicatesse au-dessus d'une soucoupe dans sa maison bien rangée de célibataire. Le goût de Narcisse pour les truffes aux deux chocolats révèle sa bonté de cœur sous son extérieur bourru. Caroline Clairmont rêvera cette nuit de caramels mous et elle se réveillera affamée et de mauvaise humeur. Quant aux enfants… des copeaux de chocolat, des pastilles de chocolat blanc ornées de vermicelles de couleur, des pains d'épice à bordure dorée, des fruits confits dans leurs nids de papier plissé, des pralines, des rochers, des craquelins, des assortiments de débris dans des boîtes d'un demi-kilo… Je vends des rêves, de menues consolations, d'exquises tentations inoffensives pour qu'une multitude de saints dégringolent de leur piédestal et viennent se fracasser au milieu des noisettes et des nougatines.

Est-ce si terrible ?

Le curé Reynaud pense que oui, apparemment.

« Tiens, Charly. Tiens, mon garçon. » La voix de Guillaume est chaude quand il parle à son chien, mais toujours un peu triste. Il a acheté l'animal lorsque son père est mort, me raconte-t-il. C'était il y a dix-huit ans. Mais la vie d'un chien est plus courte que celle d'un homme, et ils ont vieilli ensemble.

« C'est là. » Il attire mon attention sur une grosseur que Charly a sous le menton. Elle mesure à peu près la taille d'un œuf de poule, noueuse comme une loupe d'orme. « Elle grossit. » Une pause, durant laquelle le chien s'étire voluptueusement ; une de ses pattes pédale alors que son maître lui gratte le ventre. « Le vétérinaire dit qu'il n'y a rien à faire. »

Je commence à comprendre la lueur de culpabilité et d'amour que je discerne dans les yeux de Guillaume.

« On ne doit pas faire piquer les vieillards, me dit-il avec conviction. Pas quand ils ont encore — il cherche ses mots — une certaine qualité de vie. Charly ne souffre pas. Pas vraiment. » Je hoche la tête, consciente qu'il fait tout pour s'en persuader lui-même. « Les drogues l'empêchent d'avoir mal. »

Pour l'instant. Cette restriction, bien qu'informulée, est nettement perceptible.

« Le moment venu, je saurai. » Son regard est doux et horrifié. « Je saurai quoi faire. Je n'aurai pas peur. » Sans un mot, je lui rajoute du chocolat dans son verre et parsème la mousse de cacao en poudre, mais Guillaume est trop occupé avec son chien pour s'en apercevoir. Charly roule sur le dos, sa tête pend en arrière.

« Monsieur le curé dit que les animaux n'ont pas d'âme, reprend doucement Guillaume. Il dit que je devrais abréger les souffrances de Charly.

— Toute chose a une âme, protesté-je. C'est ce que ma mère me disait toujours. Toute chose. »

Il hoche la tête, solitaire dans son cercle de peur et de mauvaise conscience, « Qu'est-ce que je ferais sans lui ? » demande-t-il, le visage toujours dirigé vers le chien, et je comprends qu'il a oublié ma présence. « Qu'est-ce que je ferais sans toi ? »

Derrière le comptoir, je serre le poing, saisie d'une rage muette. Je connais cette expression — la peur, la mauvaise conscience, l'avidité —, je la connais bien. C'est l'expression qu'avait le visage de ma mère la nuit de l'Homme Noir. Les paroles de Guillaume — *Qu'est-ce que je ferais sans toi ?* — sont les paroles qu'elle m'avait chuchotées durant cette horrible nuit. Tandis que je jette un ultime coup d'œil dans le miroir avant de me coucher, tandis que je me réveille taraudée par cette peur croissante — cette conviction, cette certitude — que ma propre fille est en train de m'échapper, que je suis en train de la perdre, que je *vais* la perdre si je ne trouve pas l'Endroit… c'est l'expression qu'il y a sur mon propre visage.

J'entoure Guillaume de mes bras. L'espace d'une

seconde, il se tend, inaccoutumé au contact féminin. Puis il se laisse aller. Je perçois l'intensité de la douleur qui émane de lui par vagues.

« Vianne, dit-il doucement. Vianne.

— C'est une chose naturelle de ressentir ça, lui affirmé-je d'un ton ferme. Vous avez le droit. »

À nos pieds, Charly aboie pour manifester son indignation.

Nous avons gagné près de trois cents francs aujourd'hui. Pour la première fois, une somme suffisante pour nous y retrouver. Je l'ai annoncé à Anouk quand elle est rentrée de l'école, mais elle avait l'air ailleurs, son visage radieux anormalement immobile. Ses yeux étaient lourds, sombres comme la ligne de nuages qui précèdent un orage.

Je lui demandai ce qui n'allait pas.

« C'est Jeannot. » Sa voix était sans timbre. « Sa mère dit qu'il ne peut plus jouer avec moi. »

Jeannot était le petit garçon déguisé en loup lors du mardi gras, un gamin de sept ans dégingandé, aux cheveux hirsutes et à l'expression méfiante. Anouk et lui ont joué ensemble sur la place hier soir : ils ont galopé et poussé des cris de guerre cabalistiques jusqu'à la tombée de la nuit. Sa mère est Joline Drou, une des deux institutrices, copine de Caroline Clairmont.

« Ah ? » Ton neutre. « Et pourquoi donc ?

— Elle dit que j'ai une mauvaise influence, répliqua-t-elle en me lançant un regard noir. Parce que nous n'allons pas à l'église. Parce que tu as ouvert dimanche. »

Tu as ouvert dimanche.

Je la dévisageai. J'avais envie de la prendre dans

mes bras, mais sa posture rigide vibrante d'hostilité m'effaroucha. J'adoptai une voix très calme.

« Et qu'en pense Jeannot ? demandai-je avec douceur.

— Il ne peut rien faire. Elle est tout le temps là. À espionner. » La voix d'Anouk était devenue aiguë et je devinai qu'elle était au bord des larmes. « Pourquoi est-ce qu'il faut toujours que ça se passe comme ça ? s'insurgea-t-elle. Pourquoi est-ce que je n'arrive *jamais*… » Elle s'interrompit, sa maigre poitrine agitée de secousses.

« Tu as d'autres amis. » C'était vrai ; ils étaient une bande de quatre ou cinq la veille au soir, la place résonnait de leurs sifflets et de leurs éclats de rire.

« Les amis de *Jeannot*. » Je compris ce qu'elle voulait dire. Louis Clairmont. Lise Poitou. Ses amis *à lui*. Sans Jeannot, la bande ne tarderait pas à se disperser. J'éprouvai un brusque serrement de cœur pour ma fille, obligée de s'entourer d'amis invisibles pour peupler le vide qu'il y avait autour d'elle. C'était égoïste d'imaginer qu'une mère puisse combler totalement ce vide. Égoïste et aveugle.

« Nous pourrions aller à l'église, si c'est ce que tu veux. » Ma voix était douce. « Mais tu sais que ça ne changerait rien. »

D'un ton accusateur : « Pourquoi pas ? Ils ne croient pas, eux non plus. Ils se moquent pas mal de Dieu. Ils se contentent d'aller à la messe. »

Je souris, non sans quelque amertume. Six ans, et elle n'en réussit pas moins à bien souvent me surprendre par la profondeur de sa perspicacité.

« C'est peut-être vrai, dis-je. Mais est-ce que *toi* tu veux être comme ça ? »

Un haussement d'épaules, cynique et indifférent.

Elle se déplaça d'un pied sur l'autre, comme si elle redoutait un sermon. Je cherchais les mots pour lui expliquer. Mais la seule image qui me venait, c'était celle du visage accablé de ma mère tandis qu'elle me berçait et chuchotait à mon oreille, d'un ton presque féroce : *Qu'est-ce que je ferais sans toi ? Qu'est-ce que je ferais ?*

Oh, je lui ai appris toutes ces choses-là il y a long-temps ; l'hypocrisie de l'Église, les chasses aux sor-cières, la persécution des nomades et des individus aux croyances différentes. Elle comprend. Mais le fait de savoir se transpose assez mal dans la vie de tous les jours, dans la réalité de la solitude, la perte d'un ami.

« Ce n'est pas juste. » Sa voix était encore révoltée et, si son hostilité s'était atténuée, elle n'avait pas totalement disparu.

Rien n'était juste, pas plus le sac de la Terre sainte que la condamnation de Jeanne d'Arc au bûcher, ou l'Inquisition espagnole. Cependant, je me gar-dai bien de le faire remarquer. Les traits d'Anouk étaient tirés, exaltés ; le moindre signe de faiblesse, et elle s'en serait prise à moi.

« Tu trouveras d'autres amis. » Une piètre réponse, d'un mince réconfort. Anouk me regarda avec dédain.

« C'est celui-là que je voulais. » Son ton était étran-gement adulte, étrangement résigné tandis qu'elle se détournait. Les larmes gonflaient ses paupières, mais elle n'esquissa pas le moindre mouvement vers moi pour se faire consoler. Avec une soudaine et irrésis-tible clarté, je la vis alors, cette enfant, cette adoles-cente, cette adulte, cette étrangère qu'elle deviendrait un jour, et je faillis pousser un cri de désarroi et de terreur, comme si nos situations avaient en quelque sorte été inversées, elle l'adulte et moi l'enfant.

S'il te plaît ! Qu'est-ce que je ferais sans toi ?

Mais je la laissai partir sans souffler mot, mourant d'envie de la serrer dans mes bras mais trop consciente du mur de défense qui s'était tout à coup érigé entre nous. Les enfants ont une nature sauvage, je le sais. Le mieux que je puisse espérer c'est un peu de tendresse, une apparence de docilité. Sous la surface, la nature sauvage demeure, pure, irréductible et insaisissable.

Elle resta pratiquement muette pendant tout le reste de la soirée. Lorsque je la mis au lit, elle refusa mon histoire mais demeura éveillée durant des heures après que j'eus éteint ma propre lumière. Depuis ma chambre obscure, je l'entendais qui marchait de long en large, se parlait de temps à autre à elle-même — ou à Pantoufle —, en de violentes tirades saccadées et murmurées à voix trop basse pour que j'en distingue le sens. Beaucoup plus tard, quand je fus sûre qu'elle était endormie, je me glissai dans sa chambre pour éteindre la lumière et je la trouvai, pelotonnée au bout de son lit, un bras languissamment abandonné, sa tête formant avec son corps un angle tellement touchant qu'il me déchira le cœur. Dans ses doigts, Anouk agrippait un petit personnage en pâte à modeler. Tandis que je remettais de l'ordre dans ses draps, je le lui enlevai pour le ranger dans son coffre à jouets. La figurine, qui conservait encore la chaleur de sa main, dégageait un incomparable parfum d'école primaire, de secrets chuchotés, de peinture à la gouache sur du papier journal et de camarades à demi oubliés.

Longue de quinze centimètres, la figurine avait été modelée avec soin : ses yeux et sa bouche avaient été creusés à l'aide d'une épingle, du fil rouge avait été entortillé autour de sa taille et un matériau indéfinissable — des brindilles ou de l'herbe séchée — piqué dans son crâne pour suggérer une chevelure brune tout ébouriffée. Sur le torse du petit personnage en pâte à modeler, juste au-dessus du cœur, il y avait une lettre gravée : un J majuscule adroitement dessiné. Au-dessous, et juste assez près pour le chevaucher, était gravée la lettre A.

Reposant doucement la figurine sur l'oreiller à côté de la tête d'Anouk, je m'en allai, éteignis la lumière. Un peu avant l'aube, elle se faufila dans mon lit comme elle l'avait souvent fait quand elle était petite, et dans les limbes du sommeil, je l'entendis chuchoter : « Tout va bien, maman. Je ne te quitterai jamais. »

Elle sentait le sel et le savon de bébé, et son câlin était chaud et fougueux dans le noir environnant. Je la berçai, je me berçai moi-même, pleine de tendresse, je nous étreignis toutes les deux avec un soulagement tellement intense qu'il en était presque douloureux.

« Je t'aime, maman. Je t'aimerai toujours à tout jamais. Ne pleure pas. »

Je ne pleurais pas. Je ne pleure jamais.

Perdue dans un kaléidoscope de rêves, je dormis d'un sommeil agité ; je me réveillai avec le bras d'Anouk sur la figure et une atroce envie de m'enfuir en courant, d'emporter Anouk et de continuer à fuir. Comment pourrions-nous vivre ici, comment avons-nous pu être assez bêtes pour nous imaginer qu'il ne nous retrouverait pas, même ici ? L'Homme Noir a de multiples visages, tous impitoyables, cruels et curieusement envieux. *Cours, Vianne, Cours, Anouk. Oublie ton joli petit rêve et cours.*

Mais pas cette fois. Nous avons fui trop loin déjà, Anouk et moi, Mère et moi, trop loin de nous-mêmes.

Ce rêve-ci, j'ai bien l'intention de m'y cramponner.

9

Mercredi 19 février

C'est notre jour de repos. L'école est fermée et, pendant qu'Anouk s'amusera aux alentours des Marauds, je prendrai réception des livraisons et préparerai mon lot de marchandises pour la semaine.

C'est un art dont je me délecte. Il y a un élément de sorcellerie dans toute préparation culinaire : dans le choix des ingrédients, dans le processus consistant à mélanger, à râper, à faire fondre, à infuser et à aromatiser, dans ces recettes empruntées à des ouvrages anciens, dans ces ustensiles traditionnels — le pilon et le mortier avec lesquels ma mère fabriquait son encens ont désormais un usage plus ordinaire, et les épices et autres condiments qu'elle utilisait exhalent aujourd'hui leurs essences subtiles au service d'une magie moins noble mais plus sensuelle. C'est d'ailleurs en partie le caractère éphémère de cette activité qui m'enchante ; tant d'amoureuse préparation, tant d'adresse et tant d'expérience prodiguées en vue d'un plaisir qui ne peut être que furtif, et que seuls de rares connaisseurs sauront jamais apprécier à sa juste valeur. Ma mère avait toujours envisagé ma passion de la cuisine avec un mépris coloré d'indulgence. Pour elle, la nourriture n'était pas un plaisir mais une nécessité fastidieuse qu'il fallait prendre en compte, un impôt à payer sur le prix de notre liberté. Je dérobais les menus dans les restaurants et contemplais avec convoitise les vitrines des pâtisseries. Je devais avoir dix ans — peut-être plus — lorsque je goûtai pour la première fois du vrai chocolat. Ma fascination ne cessa pas pour autant. Je transportais des recettes dans ma tête comme des cartes de géographie. Toutes sortes de recettes, déchirées dans des magazines abandonnés dans des gares grouillantes d'animation, extorquées avec force cajoleries à des voyageurs rencontrés sur la route, pour composer finalement d'étranges mariages de ma propre invention. Avec ses tarots et ses divinations, ma mère dirigeait notre folle course à travers l'Europe. Les fiches de cuisine nous arrimaient, plantant des points de repère sur la morosité des frontières. Paris sent le pain qui cuit et les croissants chauds ; Marseille, la bouillabaisse et l'ail grillé. Berlin, c'était le *Eisbein* avec la *Sauerkraut* et la *Kartoffelsalat,* Rome, c'était la crème glacée que j'avais mangée sans payer dans un tout petit restaurant près du fleuve. Ma mère n'avait pas de temps pour les points de repère. Toutes ses cartes géographiques, elle les avait à l'intérieur, tous les lieux étaient pour elle identiques. Même quand ils étaient différents. Oh, elle m'a bien enseigné ce qu'elle pouvait. Comment voir jusqu'au cœur des choses, au cœur des gens, deviner leurs pensées, leurs aspirations. Le conducteur qui s'était arrêté pour nous prendre en voiture, qui avait fait un détour de dix kilomètres pour nous emmener à Lyon, les épiciers qui refusaient d'être payés, les policiers qui fermaient les yeux. Pas chaque fois, bien sûr. Il arrivait que ça ne marchât pas, pour quelque raison qui nous échappait. Certaines personnes sont indéchiffrables, inaccessibles. Francis Reynaud est une de ces personnes. Et même quand ça marchait, cette ingérence fortuite me gênait. C'était bien trop facile. En revanche, confectionner du chocolat, c'est une autre affaire. Oh, cela exige une certaine habileté. Il faut du doigté, de la rapidité, une patience que ma mère n'aurait jamais eue. Pourtant, la formule demeure la même chaque fois. Elle est sans danger. Inoffensive. Et je n'ai pas besoin de regarder dans le cœur des gens pour obtenir ce dont j'ai besoin ; ce sont des vœux qui peuvent s'exaucer en toute simplicité, il suffit de demander.

Guy, mon confiseur, me connaît depuis longtemps. Nous avons travaillé ensemble après la naissance d'Anouk, et il m'a aidée à monter ma première affaire, une minuscule pâtisserie-chocolaterie dans les faubourgs de Nice. À présent, il est établi à Marseille, où il importe la pâte de cacao directement d'Amérique du Sud puis la transforme en chocolat de diverses qualités.

Je n'utilise que le meilleur. Les blocs de chocolat de couverture sont légèrement plus gros que des briques de maçonnerie, une caisse de chaque par livraison, et je me sers des trois variétés : noir, au lait et blanc. Il faut le tempérer pour le porter à son état cristallin, et lui assurer ainsi une surface dure et croquante alliée à un beau brillant. Certains confiseurs achètent leur chocolat déjà trempé, mais j'aime effectuer cette opération moi-même. Il y a une fascination inépuisable à manipuler les blocs ternes de couverture brute, à les râper à la main — je ne me sers jamais d'appareils électriques — dans les grands poêlons en céramique, puis à faire fondre le chocolat, à remuer le mélange, à surveiller assidûment chaque étape avec le thermomètre à sucre jusqu'à ce que le mélange ait été exposé exactement à la quantité de chaleur nécessaire pour que s'effectue la transformation.

Il y a une sorte d'alchimie dans la transmutation du chocolat brut en ce magnifique substitut d'or, une magie profane que même ma mère aurait pu apprécier. Alors que je travaille, respirant profondément, je me remets les idées au clair. Les fenêtres sont ouvertes, et le courant d'air qui passe serait froid s'il n'y avait la chaleur des fourneaux, les casseroles en cuivre, la vapeur qui s'élève du mélange en train de fondre. Les senteurs mêlées du chocolat, de la vanille, du cuivre chauffé et de la cannelle sont enivrantes, puissamment suggestives ; l'âcre odeur terreuse des Amériques, le brûlant parfum résineux de la forêt tropicale. C'est ainsi que je voyage à présent, comme les Aztèques dans leurs rituels sacrés. Le Mexique, le Venezuela, la Colombie. La cour de Montezuma. Cortès et Colomb. Le nectar des dieux, bouillonnant et moussant dans des coupes cérémonielles. L'âpre élixir de la vie.

Peut-être est-ce ce que perçoit Reynaud dans ma petite boutique : quelque chose qui remonte aux temps où le monde était un lieu plus vaste et plus sauvage. Avant Jésus-Christ — avant la naissance d'Adonis à Bethléem ou le sacrifice d'Osiris à Pâques —, la graine de cacao était vénérée. Des propriétés magiques lui étaient attribuées. Sa décoction était dégustée sur les marches des temples sacrificiels ; les extases qu'elle provoquait étaient violentes et effroyables. Est-ce là ce qu'il redoute ? La corruption par le plaisir, la subtile transsubstantiation de la chair en un vaisseau de débauche ? Pas pour lui, les orgies de la prêtrise aztèque. Et pourtant, dans les vapeurs du chocolat en train de fondre, quelque chose commence à prendre corps — une vision, aurait dit ma mère — comme un doigt de fumée, qui pointe… qui pointe…

Là. Le temps d'une seconde, j'y étais presque. Sur la surface luisante, une ride vaporeuse se forme. Puis une autre, mince et pâle, qui se cache à moitié, se révèle à demi. L'espace d'un instant, j'ai presque vu la réponse, le secret que Reynaud s'applique à dissimuler — aux autres ainsi qu'à lui-même —, la clé qui nous mettra tous en mouvement.

Lire dans le chocolat est une besogne délicate. Les visions sont floues, gênées par les effluves chocolatés qui vous embrument l'esprit. En outre je ne suis pas ma mère, qui avait conservé jusqu'au jour de sa mort un pouvoir de prédire si grand que nous fuyions toutes deux devant lui avec un désarroi de plus en plus difficile à vaincre. Mais avant que la vision ne se dissipe, j'ai la certitude de discerner quelque chose — une chambre, un lit, un vieil homme sur le lit, ses yeux comme des trous à vif dans sa figure blême… Et le feu, le feu.

Est-ce là ce que j'étais censée voir ?

Est-ce là le secret de l'Homme Noir ?

Il me faut absolument découvrir son secret si nous comptons rester ici. Et je tiens absolument à rester. Quoi qu'il en coûte.

10

Mercredi 19 février

Une semaine, mon père, seulement une semaine. Une semaine. Mais cela me paraît plus long. Pourquoi cette femme me perturbe-t-elle tant, voilà qui me dépasse ; sa vraie nature ne fait aucun doute. Je suis allé la voir l'autre jour, pour lui faire entendre raison au sujet de son ouverture du dimanche matin. Le lieu est littéralement transformé ; il flotte dans l'air des senteurs entêtantes de gingembre et d'épices. Je me suis efforcé de ne pas regarder les étagères de friandises : des boîtes, des rubans, des nœuds dans des teintes pastel, des monticules de dragées couleur or et argent, des violettes en sucre et des feuilles de rosier en chocolat. Cette boutique tient nettement du boudoir, avec son atmosphère intime, son parfum de rose et de vanille. La chambre de ma mère avait exactement cet aspect : toute de crêpe, de gaze et de verre taillé scintillant sous la lumière tamisée, les bataillons de flacons et de pots sur sa coiffeuse comme une armée de génies dans l'attente de leur délivrance. Il y a quelque chose de malsain dans une telle concentration de raffinement. Une promesse d'interdit, à demi exaucée. Je m'efforce de ne pas regarder, de ne pas respirer.

Elle m'a accueilli assez poliment. Je l'ai vue avec plus de précision à ce moment-là : de longs cheveux noirs entortillés en chignon, des yeux si sombres qu'ils semblent ne pas avoir de pupille. Ses sourcils sont parfaitement droits, lui donnant un regard sévère démenti par le froncement comique de sa bouche. Des mains carrées et fonctionnelles ; des ongles coupés court. Elle ne porte pas de maquillage, et pourtant il y a quelque chose de légèrement indécent dans ce visage. Peut-être le caractère direct de son regard, la façon dont ses yeux s'attardent pour vous jauger, ce pli permanent d'ironie sur ses lèvres. Et elle est grande, trop grande pour une femme, elle a ma taille. Elle me fixe droit dans les yeux, les épaules rejetées en arrière et le menton plein de défi. Elle est vêtue d'une longue jupe évasée rouge feu et d'un pull noir moulant. Ces couleurs ont un air dangereux, comme un serpent ou un insecte qui pique, un avertissement pour les ennemis.

Et elle est bel et bien mon ennemie. Je le sens sur-le-champ. Je perçois son hostilité et sa méfiance malgré la voix basse et affable qu'elle garde tout du long. J'ai l'impression qu'elle m'a appâté ici pour m'humilier, qu'elle connaît un secret que même moi… Mais cela ne tient pas debout. Que peut-elle savoir ? Que peut-elle *faire* ? C'est simplement mon goût de l'ordre qui est offensé, comme un jardinier consciencieux s'offusquerait d'un carré de pissenlits montés en graine. La graine de la discorde est partout, mon père. Et elle se répand. Elle se répand.

Je sais. Je perds le sens des proportions. Mais nous devons quand même rester vigilants, vous et moi. Souvenez-vous des Marauds, et des gitans que nous avons chassés des berges de la Tannes. Souvenez-vous

81

du temps que cela a pris, du nombre de mois sté-
riles gaspillés à déposer des plaintes et à rédiger des
courriers jusqu'à ce que nous prenions nous-mêmes
l'affaire en main. Souvenez-vous des sermons que
j'ai prononcés ! Toutes les portes se sont fermées à
eux les unes après les autres. Certains commerçants
ont immédiatement coopéré. Ils se souvenaient des
gitans de la dernière fois, et de la maladie, des vols
et de la prostitution. Ils étaient de notre côté. Je me
rappelle que nous avons dû faire pression sur Narcisse, qui, c'est bien de lui, leur avait proposé un
emploi d'été dans ses champs. Mais à la longue, nous
les avons tous extirpés : les hommes renfrognés et les
roulures au regard impudent, les enfants aux pieds
nus avec leur langage ordurier, les chiens efflan-
qués. Ils sont partis, et des volontaires ont nettoyé
les immondices qu'ils avaient laissées derrière eux.
Une seule graine, mon père, serait suffisante pour
les faire revenir. Vous le savez aussi bien que moi. Et
si elle est cette graine…

J'ai parlé à Joline Drou hier. Anouk Rocher est
entrée à l'école primaire. Une enfant effrontée, des
cheveux noirs comme sa mère et un sourire aussi
éclatant qu'insolent. Apparemment, Joline a surpris
son fils Jean, parmi d'autres gamins, à jouer à un jeu
bizarre avec la fillette dans la cour de l'école. Une
influence néfaste, à l'en croire : un exercice de divination ou une sottise de ce genre, avec des osselets
et des perles dans un sac qu'on éparpille dans la
poussière. Je vous ai dit que je connaissais les gens de
leur espèce. Joline a interdit à Jean de rejouer avec
elle, mais l'enfant a un tempérament têtu et il s'est
rembruni. À cet âge-là, rien ne marche hormis la
discipline la plus stricte. J'ai proposé de parler moi-
même au gamin, mais la mère ne veut rien entendre.

Voilà comme ils sont, mon père. Faibles. Faibles. Je me demande combien d'entre eux ont d'ores et déjà rompu leurs vœux de carême. Je me demande combien avaient jamais eu l'intention de les respecter. En ce qui me concerne, j'ai l'impression que le jeûne me purifie. La vue de la devanture du boucher m'épouvante ; les odeurs se trouvent accentuées à un point d'intensité qui me donne des étourdissements. Tout à coup, le matin, les parfums de boulangerie s'échappant de chez Poitou me sont insupportables ; les relents de graillon dégagés par la rôtisserie de la place des Beaux-Arts me paraissent des émanations de l'enfer. Personnellement, je n'ai touché ni viande ni poisson ni œufs depuis plus d'une semaine, ne vivant que de pain, de soupe, de salade et d'un unique verre de vin le dimanche, et je me sens purifié, père, purifié. Je regrette seulement de ne pouvoir en faire davantage. Cette chose-là n'est pas de la souffrance. Cette chose-là n'est pas de la pénitence. Il me semble parfois que si je pouvais seulement leur montrer l'exemple à suivre, si ce pouvait être moi sur cette croix en train de saigner, de souffrir… Cette sorcière de Voizin se moque de moi quand elle passe avec son panier rempli de provisions. Elle est la seule de cette famille de bons pratiquants à faire fi de l'Église, m'adressant un large sourire quand elle me croise de son pas clopinant avec son chapeau de paille maintenu sur sa tête par un foulard rouge et sa canne martelant sèchement les dalles de la chaussée. Je ne la supporte avec patience qu'en raison de son âge, mon père, et des suppliques de sa famille. S'obstinant à refuser tout traitement, à refuser tout confort, elle s'imagine qu'elle va vivre éternellement. Mais elle finira par abdiquer un jour ou l'autre. Ils abdiquent tous. Et je lui donnerai l'absolution en toute humilité ; mon cœur saignera pour elle en dépit de ses nombreux égarements, de son orgueil et de ses bravades. Finalement, je l'accueillerai, mon père. Finalement, ne les accueillerai-je pas tous ?

11

Jeudi 20 février

Je l'attendais. Manteau écossais, les cheveux tirés en arrière en une coiffure peu seyante, les mains aussi nerveuses et prestes que celles d'un as du revolver… Joséphine Muscat, la dame du carnaval. Elle a attendu que mes clients habituels — Guillaume, Georges et Narcisse — soient sortis avant d'entrer à son tour, les mains profondément enfoncées dans ses poches.

« Un chocolat chaud, s'il vous plaît. » Elle s'installa d'un air gêné au comptoir, la tête penchée sur les verres vides que je n'avais pas encore eu le temps de ranger.

« Bien sûr. » Je ne lui demandai pas comment elle aimait son chocolat et le lui apportai surmonté de copeaux et de crème Chantilly, et accompagné de deux truffes au café. Elle contempla son verre un moment en plissant les yeux, puis elle l'effleura timidement.

« L'autre jour, commença-t-elle avec une désinvolture forcée, j'ai oublié de payer quelque chose. » Ses doigts sont longs, bizarrement délicats malgré leurs extrémités durcies par les cals. Au repos, son visage semble perdre un peu de son expression désemparée pour devenir presque séduisant. Ses cheveux sont d'un châtain assez doux, ses yeux dorés. « Je suis désolée. » Elle jeta la pièce de dix francs sur le comptoir avec une sorte de défi.

« Ça ne fait rien, répondis-je d'un ton délibérément détaché. Ça arrive tout le temps. » Joséphine me regarda une seconde, l'air soupçonneux, puis, ne relevant aucune malice, elle se détendit un peu. « Il est bon, déclara-t-elle en sirotant son chocolat. Vraiment bon.

— Je le fais moi-même, expliquai-je. À partir de la pâte de chocolat à laquelle j'ajoute du beurre de cacao pour qu'il solidifie. C'est exactement de cette façon que les Aztèques buvaient le chocolat, il y a des siècles. »

Elle me lança un autre coup d'œil soupçonneux.

« Je vous remercie pour le cadeau. Les amandes au chocolat. Ce sont mes friandises préférées. » Puis, les mots surgissant de sa bouche à une allure aussi désespérée que disgracieuse, elle ajouta rapidement : « Je n'ai pas fait exprès de le prendre. Elles vous auront parlé de moi, je le sais. Mais je ne suis pas une voleuse. C'est *elles* — elle était méprisante désormais, la bouche déformée par la fureur et la haine de soi —, cette garce de Clairmont avec ses copines. Cette bande de menteuses. »

Elle me regarda de nouveau, me toisant presque. « J'ai appris que vous n'alliez pas à l'église. » Sa voix était cassante, trop sonore pour cette petite boutique et les deux personnes que nous étions.

Je souris. « C'est vrai. Je n'y vais pas.

— Vous ne ferez pas long feu ici si vous n'y allez pas, rétorqua Joséphine de cette même voix glaciale. Ils vous chasseront d'ici de la même façon qu'ils chassent tous ceux qui ne leur plaisent pas. Vous verrez.

Tout ça — un geste vague et fébrile pour indiquer les étagères, les boîtes, ainsi que la vitrine avec ses pièces montées —, rien de tout ça ne vous aidera. Je les ai entendus parler. J'ai entendu les choses qu'ils disent.

— Moi aussi. » M'emparant de la chocolatière en argent, je me servis une tasse de chocolat. Serré et noir, comme de l'espresso, avec une cuillère en chocolat pour remuer. Ma voix était douce. « Mais je ne suis pas obligée d'écouter. » Une pause, le temps d'avaler une gorgée. « Et vous non plus. »

Joséphine éclata de rire.

Le silence se répercuta entre nous. Cinq secondes. Dix.

« Ils disent que vous êtes une sorcière. » Encore ce mot. Elle redressa la tête d'un air de défi. « C'est vrai ? »

Je haussai les épaules, bus une nouvelle gorgée. « Qui dit ça ?

— Joline Drou. Caroline Clairmont. Toutes ces grenouilles de bénitier autour du curé Reynaud. Je les ai entendues discuter devant l'église Saint-Jérôme. Votre fille racontait ça aux autres enfants. Une histoire qui avait trait aux esprits. » Il y avait de la curiosité dans sa voix, mais aussi une hostilité sous-jacente que je ne comprenais pas. « Aux esprits ! » s'esclaffa-t-elle.

Je dessinai l'esquisse d'une spirale sur le contour jaune de ma tasse. « Je croyais que vous vous moquiez de ce que ces gens-là avaient à dire.

— Je suis curieuse. » À nouveau ce ton de défi, comme si elle craignait d'être appréciée. « Et puis vous avez parlé à Armande l'autre jour. Personne ne parle à Armande. À part moi. » Armande Voizin. La vieille dame des Marauds.

« Je l'aime bien, expliquai-je simplement. Pourquoi ne devrais-je pas lui parler ? »

Joséphine serra les poings contre le comptoir. Elle paraissait dans tous ses états, et sa voix se brisa comme du verre gelé. « Mais elle est folle, voilà pourquoi ! » Elle agita ses doigts contre sa tempe pour indiquer vaguement le problème. « Je vais vous dire quelque chose, reprit-elle. Il y a une ligne qui traverse Lansquenet — d'un de ses doigts calleux, elle dessina une ligne sur le comptoir —, et si vous la franchissez, si vous n'allez pas à confesse, si vous ne respectez pas votre mari, si vous ne lui préparez pas trois repas par jour et ne restez pas assise près du feu à nourrir de chastes pensées et à attendre qu'il rentre à la maison, si vous n'avez pas d'enfants... et si vous n'apportez pas de fleurs aux enterrements de vos amis ou ne passez pas l'aspirateur dans le salon ou... ne bêchez pas... votre... jardin ! » Elle avait la figure cramoisie d'avoir tant parlé. Sa fureur était intense, énorme. « Alors vous êtes folle ! cracha-t-elle. Vous êtes folle, vous êtes anormale et les gens... parlent de vous... dans votre dos et... et... et... »

Elle s'interrompit, et son expression angoissée se dissipa. Je la vis qui regardait derrière moi par-delà la vitrine, mais le reflet de la glace me masquait ce qu'elle pouvait voir. C'était comme si un store était tombé sur son visage vide, fuyant, sans espoir.

« Excusez-moi. Je me suis un peu emballée. » Elle avala une dernière gorgée de chocolat. « Je ne devrais pas vous parler. Vous ne devriez pas me parler. Les choses vont déjà se passer assez mal comme ça.

— C'est ce que dit Armande ? demandai-je gentiment.

— Il faut que je m'en aille. » Je la vis appuyer ses poings contre son sternum, dans ce geste rageur qui lui semblait si caractéristique. « Il faut que je m'en aille. » Ses traits avaient retrouvé leur expression de désarroi : sa bouche avait un rictus paniqué qui lui donnait presque un visage d'idiote. Et pourtant la femme furieuse et tourmentée qui m'avait parlé quelques secondes plus tôt n'avait rien d'une idiote. Quelle chose — quelle *personne* — avait-elle vue pour la faire réagir de cette façon-là ? Lorsqu'elle quitta La Praline, avançant tête baissée contre un blizzard imaginaire, je me rendis à la fenêtre pour l'observer. Personne ne l'aborda. Personne ne semblait regarder dans sa direction. C'est alors que je remarquai Reynaud qui se tenait devant le porche de l'église. Reynaud et un homme au crâne dégarni que je ne reconnus pas. Tous deux contemplaient fixement la devanture de La Praline.

Reynaud ? Pouvait-il être la cause de sa terreur ? J'éprouvai un pincement de contrariété à la pensée que c'était peut-être lui qui avait prévenu Joséphine contre moi. Et pourtant elle avait semblé pleine de dédain, non de peur, quand elle avait cité son nom. Le deuxième homme était petit mais costaud, une chemise à carreaux aux manches relevées sur des avant-bras d'un rouge luisant, de petites lunettes d'intellectuel en étrange désaccord avec les traits épais de son visage charnu. Il émanait de lui des ondes d'animosité diffuse, et je finis par me rendre compte que je l'avais déjà vu. Affublé d'une barbe blanche et d'une tunique rouge, lançant des bonbons dans la foule. Au carnaval. Le Père Noël, jetant des sucreries à l'assistance comme s'il espérait éborgner quelqu'un. À ce moment-là, un groupe d'enfants s'approcha de la vitrine et je fus incapable d'en voir davantage, mais je crus avoir compris pourquoi Joséphine s'était éclipsée si précipitamment.

« Lucie, est-ce que tu vois cet homme sur la place ? Celui à la chemise rouge ? Qui est-ce ? »

L'enfant fait la grimace. Les souris en chocolat blanc sont son péché mignon : cinq pour dix francs. J'en glisse deux supplémentaires dans son cornet de papier. « Tu le connais, n'est-ce pas ? »

Elle acquiesce. « M. Muscat. Le monsieur du café. » Je connais l'endroit, un sinistre petit troquet au bout de l'avenue des Francs-Bourgeois. Une demi-douzaine de tables de métal sur le trottoir, un parasol Orangina décoloré. Une enseigne vétuste qui indique : Café de la République. Agrippant son cornet de friandises, la petite fille fait demi-tour pour s'en aller, hésite, se retourne. « Vous ne devinerez jamais ses préférés *à lui*, dit-elle. Il n'en a pas.

— J'ai du mal à le croire, répondis-je en souriant. Tout le monde a des friandises préférées. Même M. Muscat. »

Lucie réfléchit un moment. « Peut-être que ses préférés, ce sont ceux qu'il prend aux autres », déclare-t-elle paisiblement. Puis elle disparaît, m'adressant un petit signe par la vitrine.

« Dites à Anouk que nous comptons aller aux Marauds après l'école ! »

« Je lui dirai. » Les Marauds. Je me demande ce qu'ils trouvent là-bas pour les amuser. La rivière avec ses berges brunâtres et nauséabondes. Les rues étroites que jonchent les détritus. Une véritable oasis pour les enfants. Des cachettes, des pierres plates pour faire des ricochets sur l'eau stagnante. Des secrets chuchotés, des bâtons en guise d'épées et des boucliers de feuilles de rhubarbe. Les batailles livrées dans les massifs de ronces, les tunnels, les explorations, les chiens errants, les rumeurs, les trésors dérobés… Anouk est rentrée de l'école hier avec une nouvelle insouciance dans sa démarche et un dessin à me montrer.

« C'est moi. » Une silhouette en salopette rouge surmontée d'un gribouillis de cheveux noirs. « Avec Pantoufle. » Le lapin est juché sur son épaule comme un perroquet, les oreilles dressées. « Et Jeannot. » Une silhouette de garçon coloriée en vert, une main tendue. Les deux enfants sourient. Il semble que les mères — même les mères maîtresses d'école — n'aient pas le droit de pénétrer dans les Marauds. La figurine en pâte à modeler trône encore au chevet d'Anouk, et elle a collé le dessin sur le mur juste au-dessus.

« Pantoufle m'a dit ce que je devais faire. » Elle le prend tout naturellement dans ses bras. Sous cette lumière je le vois très distinctement, on dirait un bébé à moustaches. Je me dis parfois que je ferais mieux de décourager cette lubie, mais je ne peux supporter d'infliger à ma fille une telle solitude. Peut-être, si nous pouvons rester ici, Pantoufle cédera-t-il enfin la place à des camarades plus réels.

« Je suis contente que vous ayez réussi à rester amis, lui dis-je en embrassant sa tête bouclée. Demande à Jeannot s'il veut venir ici un de ces jours prochains, pour m'aider à défaire la vitrine. Tu pourras amener aussi tes autres amis.

— La maison en pain d'épice ? » Ses yeux s'ensoleillent. « Oh *oui* ! » Sautillant dans la pièce avec une brusque exubérance, manquant renverser un tabouret, contournant un obstacle imaginaire d'un bond de géant, puis gravissant les marches trois par trois — « Prem's, Pantoufle ! » Un énorme ramdam alors qu'elle rabat la porte contre le mur — *bam-bam* ! Soudain, une délicieuse bouffée d'amour pour elle, m'envahissant, comme toujours sans crier gare.

Ma petite étrangère. Jamais immobile, jamais silencieuse.

M'étant servi une autre tasse de chocolat, je me retournai en entendant le carillon de la porte. Une seconde, je vis la figure de l'homme sans aucun masque, remarquai son regard appréciateur, son menton projeté en avant, ses épaules carrées, ses veines qui saillaient sur la peau nue et luisante de ses avant-bras. Il sourit, un sourire mince dépourvu de chaleur.

« Monsieur Muscat, c'est cela ? » Je me demandai ce qu'il voulait. Il ne semblait pas à sa place, à examiner ainsi, tête baissée, les articles du magasin. Son regard remonta vers moi et, l'air de rien, se posa brièvement sur mes seins ; une fois, deux fois.

« Qu'est-ce qu'elle voulait ? » Sa voix était douce mais chargée d'un accent très prononcé. Il secoua la tête une fois, comme en signe d'incrédulité. « Que diable est-elle venue faire dans un endroit comme celui-là ? » Il indiqua un plateau de dragées à cinquante francs le paquet. « Les trucs de ce genre, hé ? » Il quémandait ma réponse, les mains écartées. « Des trucs de mariage et de baptême. Qu'est-ce qu'elle a à faire de trucs de mariage et de baptême ? » Il sourit de nouveau. Désormais enjôleur, il s'essayait au charme, mais cela en pure perte. « Qu'est-ce qu'elle a acheté ?

— Je suppose que vous parlez de Joséphine.

— Ma femme. » Il prononça ces mots avec une intonation bizarre, une sorte d'irrévocabilité absolue. « C'est bien les femmes. Vous vous tuez au travail pour gagner de quoi vivre et qu'est-ce qu'elles font, hé ? Elles gaspillent tout à des... » Un autre geste vers les rangées de chocolats fantaisie, les guirlandes de fruits confits, le papier argenté, les fleurs en soie. « C'était quoi ? Un cadeau ? » Sa voix était chargée de soupçon. « Pour qui est-ce qu'elle achète des cadeaux ? Pour elle ? » Il eut un rire bref, comme si c'était là une idée absurde.

Je ne voyais pas en quoi cela le regardait. Mais il y avait une sorte d'agressivité dans son attitude, une nervosité au niveau de ses yeux et de ses mains gesticulantes, qui m'incitait à me méfier. Pas pour moi-même — j'avais appris mille façons de me débrouiller durant les longues années passées avec Mère —, mais pour Joséphine. Avant d'avoir pu l'empêcher, une image vint m'assaillir : une phalange ensanglantée enveloppée d'un nuage de fumée. Je fermai les poings sous le comptoir. Il n'y avait rien en cet homme que j'eus envie de voir.

« Je crois que vous avez peut-être mal compris, lui dis-je. J'ai invité Joséphine à entrer boire une tasse de chocolat. En amie.

— Oh. » Il parut un instant décontenancé. Puis il éclata à nouveau de ce rire qui évoquait un aboiement. Le rire en question était presque sincère à présent : un réel amusement se mêlait au mépris. « Vous, vous voulez être amie avec Joséphine ? » À nouveau le regard qui jauge. Il nous comparait toutes les deux, ses yeux brûlants se posant sur mes seins au-dessus du comptoir. Lorsqu'il reprit la parole, c'était avec une caresse dans la voix, une inflexion charmeuse qu'il croyait irrésistible. « Vous êtes nouvelle par ici, pas vrai ? »

Je fis oui de la tête.

« Peut-être pourrions-nous nous retrouver un de ces jours. Vous savez. Pour faire connaissance.

— Peut-être. » J'avais pris mon ton le plus désinvolte. « Peut-être pourriez-vous demander à votre femme de se joindre à nous », ajoutai-je onctueusement.

Un temps d'arrêt. Il me dévisagea de nouveau, d'un regard insistant et sournois où se lisait la suspicion. « Elle ne serait pas allée vous raconter des choses, des fois ? »

Neutre : « Quel genre de choses ? »

Une brève dénégation de la tête. « Rien. Rien. Elle bavarde, c'est tout. Elle ne fait que bavarder. Elle ne fait que ça, hé ? À longueur de journée. » Là encore, le bref éclat de rire dénué de gaieté. « Vous vous en rendrez compte assez vite », ajouta-t-il avec une satisfaction acide.

Je murmurai quelques paroles sans grande portée. Puis, sans réfléchir, je sortis un petit paquet d'amandes au chocolat de sous le comptoir, et le lui tendis.

« Peut-être pourrez-vous donner ceci à Joséphine de ma part, dis-je d'un ton léger. Je m'apprêtais à les lui offrir, mais j'ai oublié. »

Il me fixa du regard, mais il ne bougea pas. « Les lui *offrir* ? répéta-t-il.

— Gracieusement. Offert par la maison. » Je lui adressai mon sourire le plus engageant. « Un cadeau. »

Son sourire s'élargit. Il se saisit des chocolats dans leur joli sachet argenté. « Je veillerai à les lui remettre, annonça-t-il, fourrant le paquet dans la poche de son jean.

— Ce sont ses bonbons préférés, lui précisai-je.

— Vous ne tiendrez pas longtemps dans ce boulot si vous n'arrêtez pas de distribuer des cadeaux à tout-va, dit-il avec condescendance. Vous mettrez la clef sous la porte au bout d'un mois. » À nouveau ce regard dur et vorace, comme si j'étais moi-même un chocolat qu'il brûlait d'impatience de déshabiller de son papier.

« Nous verrons », dis-je d'un ton affable, et je le

regardai quitter le magasin et rentrer chez lui, marchant d'un pas fanfaron, les épaules rentrées comme un James Dean trapu. Il n'attendit même pas d'avoir disparu de ma vue pour sortir de sa poche les chocolats de Joséphine et ouvrir le paquet. Peut-être se doutait-il que j'étais en train de l'observer. Un, deux, trois, sa main se portait à sa bouche avec une régularité paresseuse, et il n'avait pas fini de traverser la place que l'emballage argenté était déjà en boule dans un de ses poings carrés, les chocolats avalés. Je l'imaginai en train de les enfourner comme un chien glouton qui veut terminer sa pâtée avant d'aller voler la gamelle d'un autre. Passant devant la boulangerie, il lança la boule argentée en direction de la poubelle qui se trouvait à l'extérieur mais il loupa son coup, et l'emballage cogna sur le rebord et atterrit sur les dalles. Reprenant sa route, il dépassa l'église et descendit l'avenue des Francs-Bourgeois sans regarder en arrière, ses grosses chaussures allumant sous ses pieds des étincelles sur les pavés bien lisses.

12

Vendredi 21 février

Le temps a de nouveau viré au froid. La girouette de Saint-Jérôme a tourné toute la nuit avec une indécision inquiète, grinçant de manière stridente sur ses amarres rouillées comme pour dissuader les intrus. La matinée a commencé dans un brouillard tellement dense que même le clocher de l'église, à vingt pas de la boutique, paraissait lointain et fantomatique ; la cloche de la messe retentissait sourdement dans l'air cotonneux tandis que, cols relevés contre le brouillard, approchaient les rares courageux venus recueillir l'absolution.

Quand elle eut terminé son lait du matin, j'enveloppai Anouk dans son manteau rouge et, en dépit de ses protestations, lui enfonçai un gros bonnet de laine sur la tête.

« Tu ne manges rien ? »

Elle secoua énergiquement la tête, et piqua une pomme dans un plat à côté du comptoir.

« Et mon baiser ? » C'est devenu un rituel du matin.

M'entourant le cou de ses bras polissons, elle me pourlèche le visage, s'écarte d'un bond avec un gloussement, m'envoie un baiser depuis la porte de la boutique et se précipite sur la place du village. M'essuyant la figure, je mime un dégoût épouvanté. Elle rit avec volupté, darde une petite langue dans ma direction, claironne un « *Je t'aime !* », puis s'élance dans le brouillard tel un serpentin rouge vif, son cartable traînant derrière elle. Je sais que d'ici à trente secondes le bonnet de laine sera relégué au fond du cartable, en compagnie des livres, des papiers et autres rappels indésirables du monde des grandes personnes. Une seconde encore, je distingue Pantoufle, bondissant dans son sillage, et m'empresse de chasser cette image contrariante. Une brusque sensation d'extrême solitude — comment affronter une journée entière sans elle ? — et, non sans difficulté, je réprime un ardent désir de la rappeler.

Six clients ce matin. Parmi eux Guillaume, qui revient de chez le boucher avec un morceau de boudin enveloppé dans du papier.

« Charly aime le boudin, me dit-il avec grand sérieux. Il ne mange pas très bien ces temps-ci, mais je suis sûr qu'il va adorer ça.

— N'oubliez pas que vous devez manger vous aussi, lui rappelé-je gentiment.

— Bien sûr. » Il esquisse son doux sourire d'excuse. « Je mange comme un ogre. Vraiment, croyez-moi. » Il me lance soudain un regard accablé. « Bien sûr, c'est le carême, reprend-il. Vous ne croyez pas que les bêtes doivent observer le jeûne du carême, dites ? »

Je secoue la tête devant son air désemparé. Il a un petit visage, aux traits délicats. Le genre d'homme à casser les biscuits en deux et à en garder l'autre moitié pour plus tard.

« Je crois que vous devriez tous les deux prendre mieux soin de vous. »

Guillaume gratte l'oreille de Charly. Le chien

semble apathique, à peine intéressé par le contenu du paquet qui se trouve dans le panier à côté de lui.

« On se débrouille. » Son sourire survient aussi automatiquement que son mensonge. « Vraiment, on se débrouille. » Il termine sa tasse de *chocolat espresso.*

« C'était excellent, déclare-t-il comme toujours. Mes compliments, madame Rocher. » J'ai renoncé depuis longtemps à lui demander de m'appeler Vianne. Son sens des convenances le lui interdit. Il laisse l'argent sur le bar, porte la main à son vieux chapeau de feutre et ouvre la porte. Charly se met debout tant bien que mal et lui emboîte le pas, vacillant légèrement d'un côté. À peine la porte s'est-elle refermée derrière eux que je vois Guillaume se pencher pour le prendre dans ses bras.

À l'heure du déjeuner, j'ai reçu une autre visite. Je l'ai reconnue tout de suite malgré le vilain pardessus masculin qu'elle affectionne, le minois fripon de pomme d'hiver sous le chapeau de paille noir, les longues jupes noires par-dessus les lourdes bottes.

« Madame Voizin ! C'est vrai, vous aviez dit que vous passeriez ! Laissez-moi vous préparer quelque chose à boire. » Les yeux brillants de la vieille dame parcouraient la boutique d'un air appréciateur. Je la sentais qui notait le moindre détail. Son regard vint à se poser sur le menu d'Anouk :

CHOCOLAT CHAUD	10 F
CHOCOLAT EXPRESSO	15 F
CHOCOCCINO	12 F
MOKA	12 F

Elle hocha la tête en signe d'approbation. « Cela fait des années que je n'ai pas vu une boutique comme ça. J'avais presque oublié que ce genre d'endroit existait. » Il y a une énergie dans sa voix, une vigueur dans ses mouvements, qui démentent son âge. Un pli d'humour se dessine sur sa bouche. Il me fait penser à ma mère. « J'adorais le chocolat dans le temps », déclara-t-elle.

Tandis que je lui servais un grand verre de moka en ajoutant à la mousse une goutte de kahlua, elle inspecta les tabourets de bar avec une certaine méfiance.

« Vous n'espérez pas que je grimpe là-haut, quand même ? »

J'éclatai de rire. « Si j'avais su que vous veniez, j'aurais apporté une échelle. Attendez un instant. » Je rapportai de la cuisine le vieux fauteuil orange du Poitou. « Essayez ça. »

Armande s'y affala et attrapa son verre à deux mains. Elle paraissait aussi impatiente qu'une enfant, les yeux étincelants, l'air littéralement aux anges.

« *Mmmm.* » C'était plus qu'un jugement favorable. C'était quasi de la vénération. « *Mmmmm.* » Elle avait fermé les yeux pendant qu'elle goûtait le breuvage. Son plaisir était presque effrayant.

« C'est du vrai de vrai, n'est-ce pas ? » Elle se tut un moment, plissa ses yeux brillants pour se concentrer. « Il y a de la crème et… de la cannelle, je crois… et puis quoi d'autre ? Du Tia Maria ?

— Pas loin, répondis-je.

— Ce qui est défendu a toujours meilleur goût de toute façon, déclara Armande en essuyant avec satisfaction la mousse qui lui ourlait les lèvres. Mais ça — elle rebut une gorgée, goulûment —, c'est meilleur que tout ce dont je me souviens, même du temps de mon enfance. Je parie qu'il y a dix mille calories là-dedans. Ou même encore plus.

— Pourquoi est-ce que ce serait défendu ? » J'étais curieuse. Petite et ronde comme une perdrix, Armande, contrairement à sa fille, ne semble pas du genre à surveiller sa ligne.

« Oh, les docteurs ! répondit Armande d'un air agacé. Vous savez comme ils sont. Il faut toujours qu'ils disent quelque chose. » Elle s'interrompit pour aspirer une autre gorgée avec sa paille. « Oh, ce que c'est bon. Si bon. Cela fait des années que Caro essaie de me convaincre d'aller dans une espèce de maison de retraite. Elle n'aime pas l'idée que j'habite à côté. Elle n'aime pas avoir à se rappeler d'où elle vient. » Elle s'esclaffa. « Elle dit que je suis malade. Que je ne peux pas prendre soin de moi. Elle m'envoie ce maudit médecin pour me dire ce que j'ai le droit de manger et ce que je n'ai pas le droit de manger. On jurerait qu'ils tiennent à ce que je vive éternellement.

— Je suis sûre que Caroline est très attachée à vous », affirmai-je en souriant.

Armande me lança un regard moqueur. « Ah, vous êtes sûre ? » Elle eut un ricanement un peu vulgaire. « Ne me la faites pas à moi, ma petite. Vous savez parfaitement que ma fille ne s'intéresse à personne d'autre qu'elle-même. Je ne suis pas idiote. » Un silence, tandis qu'elle plissait ses yeux pétillants et chargés de défi pour me dévisager. « C'est pour le petit que j'ai de la peine, reprit-elle.

— Le petit ?

— Luc, il s'appelle. Mon petit-fils. Il aura quatorze ans en avril. Vous l'avez sans doute vu sur la place. »

Je me souvenais vaguement de lui : un garçon terne, outrageusement propre dans son pantalon de flanelle impeccable et sa veste de tweed, avec des yeux gris-vert un peu froids sous une maigre frange. Je hochai la tête.

« J'ai fait de lui le bénéficiaire de mon testament, m'annonça Armande. Un demi-million de francs. En fidéicommis jusqu'à son dix-huitième anniversaire. » Elle haussa les épaules. « Je ne le vois jamais, ajouta-t-elle brièvement. Caro ne veut pas. »

Je les avais vus tous les deux. Je me souviens maintenant : le garçon tenait le bras de sa mère tandis qu'ils passaient devant la boutique en se rendant à l'église. De tous les enfants de Lansquenet, il est le seul à n'avoir jamais acheté de bonbons à La Céleste Praline, même s'il me semble bien l'avoir vu une fois ou deux regarder à travers la vitrine.

« La dernière fois qu'il est venu me voir, il avait dix ans. » La voix d'Armande sonnait anormalement faux. « Donc, il y a cent ans, en ce qui le concerne. » Elle termina son chocolat et reposa le verre sur le comptoir avec un claquement de langue définitif. « C'était son anniversaire, je me souviens. Je lui avais offert un recueil des poésies de Rimbaud. Il était très… poli. » Son ton trahissait une certaine amertume. « Bien sûr je l'ai vu dans la rue plusieurs fois depuis, précisa-t-elle. Je ne peux pas me plaindre.

— Pourquoi n'allez-vous pas le voir ? demandai-je avec curiosité. Vous pourriez sortir avec lui, discuter, apprendre à le connaître ? »

Armande secoua la tête. « Nous sommes brouillées, Caro et moi. » Sa voix était soudain bougonne. L'illusion de la jeunesse avait disparu en même temps que son sourire, et elle parut tout à coup effroyablement vieille. « Elle a honte de moi. Dieu sait ce qu'elle est allée raconter au petit. » Elle agita la tête. « Non. C'est trop tard. Je m'en rends compte à l'expression qu'il a — cette expression *polie* —, ces petits messages aussi polis qu'insignifiants sur ses cartes de Noël. Un garçon tellement bien élevé... » Son rire était amer. « Un garçon tellement poli et tellement bien élevé. »

Elle se tourna vers moi et m'adressa un radieux sourire plein de courage. « Si je pouvais savoir ce qu'il fait, reprit-elle. Savoir ce qu'il lit, quelle est son équipe favorite, qui sont ses amis, comment il se débrouille à l'école. Si je pouvais savoir ça...

— Eh bien ?

— Je pourrais me jouer la comédie... » Une seconde, je vis qu'elle était au bord des larmes. Puis un silence, un effort, la volonté qui se raffermit. « Vous savez, je crois que je boirais bien un autre de vos délicieux chocolats chauds. Vous m'en préparez un ? » C'était de la bravade, mais j'admirai cet héroïsme plus que je ne saurais dire. Qu'elle soit encore capable de jouer les rebelles malgré son chagrin, que ses mouvements dénotent encore un semblant de fanfaronnade tandis qu'elle avale à grand bruit son chocolat, les coudes appuyés sur le comptoir...

« Sodome et Gomorrhe à la paille ! *Mmmm !* Je crois que je viens de mourir et de monter au ciel. Je n'en approcherai jamais autant, en tout cas.

— Je pourrai obtenir des nouvelles de Luc, si vous voulez. Et vous les transmettre. »

Armande pesa cette proposition sans rien dire. Sous ses paupières baissées, je la sentais qui m'observait. Qui mesurait ce que je valais.

Enfin, elle parla. « Tous les garçons aiment les friandises, non ? » Sa voix était guillerette. Je lui concédai que c'était le cas pour la plupart d'entre eux. « Et les amis de Luc viennent ici aussi, je suppose ? » Je lui expliquai que je ne savais pas qui étaient ses amis, mais que la majorité des enfants fréquentaient régulièrement ma boutique.

« Je reviendrai vous voir, décida Armande. J'aime beaucoup votre chocolat, même si vos sièges sont épouvantables. Qui sait, je pourrai devenir une habituée.

— Vous serez la bienvenue. »

Un autre silence. Je compris qu'Armande Voizin faisait les choses à sa manière, à son rythme, refusant d'être bousculée ou conseillée. Je la laissai réfléchir.

« Tenez. Prenez ceci. » Elle s'était décidée. D'un geste brusque, elle posa sur le comptoir un billet de cent francs.

« Mais je…

— Si vous le voyez, achetez-lui une boîte de ce qu'il aime. Ne lui dites pas que ça vient de moi. »

Je pris le billet.

« Et ne vous laissez pas impressionner par sa mère. Elle a sûrement déjà commencé son travail de sape, à répandre ses commérages avec son horrible condescendance. Mon unique enfant, et il a fallu qu'elle devienne une des Sœurs du Salut de la brigade de Reynaud… » Ses yeux se plissèrent avec espièglerie, creusant dans ses joues rondes un réseau de fossettes. « Il circule déjà des rumeurs sur votre compte, m'avertit-elle. Vous devinez le genre. Si vous vous liez avec moi, cela ne fera qu'aggraver les choses.

— Je crois que j'y survivrai, répondis-je en riant.

— Je le crois aussi. » Elle me dévisagea, subitement attentive, sa voix dépouillée de son accent taquin. « Il y a quelque chose en vous, dit-elle avec douceur. Quelque chose de familier. Vous n'avez pas l'impression, par hasard, que nous nous sommes déjà rencontrées, avant cette autre fois aux Marauds ? »

Lisbonne, Paris, Florence, Rome. Tellement de gens. Tellement d'existences entrecoupées, fugitivement entrecroisées, effleurées par les entrelacements frénétiques de notre itinéraire… Mais je pensais que non.

« Et il y a une odeur. Comme une odeur de brûlé, cette odeur que dégage la foudre en été dix secondes après être tombée. Un parfum d'orage d'été et de champs de blé sous la pluie… » Elle avait une expression extasiée, son regard scrutait le mien. « C'est la vérité, n'est-ce pas ? Ce que j'ai dit ? Ce que vous êtes ? »

À nouveau ce mot.

Elle éclata d'un rire enchanté et s'empara de ma main. Sa peau était fraîche, on aurait dit du feuillage, non de la chair. Elle retourna ma main pour examiner la paume. « Je le savais ! » Ses doigts suivirent ma ligne de vie, ma ligne de cœur. « Je l'ai su à la minute où je vous ai vue ! » Pour elle-même, tête penchée, la voix si basse qu'elle était à peine plus qu'un souffle contre ma main. « Je le savais. Je le savais. Mais je n'aurais jamais cru vous voir ici, dans cette ville. » Elle me jeta un coup d'œil perçant mâtiné d'inquiétude.

« Reynaud est au courant ?

— Je ne suis pas sûre. » C'était vrai ; je n'avais aucune idée de ce dont elle parlait. Mais je le sentais dans l'air moi aussi, ce parfum qui règne lorsque les vents sont en train de tourner, ce climat de révélation. Un lointain parfum de feu et d'ozone. Un grincement de mécanisme laissé longtemps inemployé, la machine infernale du hasard. À moins que Joséphine n'ait raison et qu'Armande ne soit folle. Après tout, elle voyait Pantoufle.

« Ne dites rien à Reynaud, me recommanda-t-elle, ses yeux fous étincelant de gravité. Vous savez qui *il* est, n'est-ce pas ? »

Je la dévisageai. Ce qu'elle dit alors, je dus forcément me l'imaginer. À moins que nos rêves ne se soient jadis brièvement effleurés, lors d'une de nos nuits de cavale...

« *Il est l'Homme Noir.* »

Reynaud. Telle une mauvaise carte. Réapparaissant sans cesse. Éclats de rire en coulisse.

Longtemps après avoir couché Anouk, je pris les cartes de ma mère et les tirai pour la première fois depuis sa mort. Je les conserve dans une boîte de santal, et elles sont merveilleusement veloutées, imprégnées du parfum de son souvenir. Un instant, je faillis les ranger sans les lire, bouleversée par le flot de réminiscences que suscite ce parfum. New York, la vapeur qui s'élève des stands de hot-dogs. Le Café de la Paix, avec ses serveurs tirés à quatre épingles. Une bonne sœur mangeant une glace devant la cathédrale Notre-Dame. Des chambres d'hôtel bon marché, des portiers revêches, des gendarmes soupçonneux, des touristes curieux. Et au-dessus de tout cela l'ombre de *cette chose*, cette chose à la fois indéfinissable et implacable que nous fuyons.

Je ne suis pas ma mère. Je ne suis pas une fugitive. Et pourtant le besoin de voir, de *savoir*, est tellement grand que je me surprends à sortir les cartes de leur boîte et à les étaler, presque exactement comme elle, au bord du lit. Un coup d'œil derrière moi pour m'assurer qu'Anouk est toujours endormie. Je ne veux pas qu'elle devine mon malaise. Puis je bats les cartes, je les coupe, je les rebats, je les recoupe.

Dix d'Épée, la Mort. Trois d'Épée, la Mort. Deux d'Épée, la Mort. Le Chariot. La Mort. L'Hermite. La Tour. Le Chariot. La Mort.

Ces cartes sont celles de ma mère. Cela n'a rien à voir avec moi, me dis-je, bien que l'Hermite soit assez facile à identifier. Mais la Tour ? Le Chariot ? La Mort ?

La carte de la Mort, dit la voix de ma mère dans ma tête, n'augure pas forcément la mort physique du sujet mais la fin d'un mode de vie. Un changement. Un changement de vent. Est-ce que ça pourrait vouloir dire ça ?

Je ne crois pas à la divination. Pas à la manière dont elle y croyait, comme un moyen de tracer les lignes hasardeuses de notre trajectoire. Pas comme un prétexte à l'inaction, un soutien lorsque les choses vont de mal en pis, une rationalisation du chaos intérieur. J'entends sa voix, et elle a à mes oreilles la même sonorité que sur le bateau, sa force muée en obstination aveugle, son humour en désespoir visionnaire.

Et Disneyland ? Qu'est-ce que tu en penses ? Les Keys de Floride ? Les Everglades ? Il y a tant à voir dans le Nouveau Monde, tant de choses dont on n'a même pas osé rêver. C'est ça, tu crois ? C'est ça que disent les cartes ?

À ce moment-là, la Mort était sur toutes les cartes, la Mort et l'Homme Noir, qui avait commencé à signifier la même chose. Nous le fuyions, et il nous suivait, enfermé dans une boîte de santal.

En guise d'antidote, je lisais Jung et Hermann Hesse, et découvris ainsi la notion d'inconscient collectif. La divination est un moyen de nous avouer à nous-même ce que nous savons déjà. Ce que nous redoutons. Il n'y a pas de démons, mais un ensemble d'archétypes qu'ont en commun toutes les civilisations. La peur de la perte — la Mort. La peur du déplacement — la Tour. La peur du transitoire — le Chariot.

Et pourtant ma mère est morte.

Je rangeai les cartes avec tendresse dans leur boîte parfumée. Au revoir, maman. C'est ici que notre voyage s'arrête. C'est ici que nous resterons pour affronter ce que le vent nous apportera. Je ne tirerai plus les cartes.

13

Dimanche 23 février

Bénissez-moi, mon père, parce que j'ai péché. Je sais que vous m'entendez, mon père, et il n'y a personne d'autre à qui j'aie envie de me confesser. Certainement pas à l'évêque, bien à l'abri dans son lointain diocèse de Bordeaux. Et l'église me paraît tellement vide. Je me sens tout bête au pied de l'autel, lorsque je lève les yeux sur Notre-Seigneur au milieu de ses dorures et de ses souffrances : l'or s'est terni sous la fumée des cierges, et cette pellicule sombre Lui confère une apparence sournoise et dissimulée ; quant à la prière, qui était au début une telle bénédiction, une telle source de joie, elle est à présent un fardeau, un cri poussé sur le flanc d'une funeste montagne qui risque à tout moment de m'engloutir sous son avalanche.

Est-ce le doute, mon père ? Ce silence en moi, cette incapacité à prier, à être purifié, mortifié... est-ce ma faute ? Je regarde cette église qui est ma vie et j'essaie d'éprouver de l'amour pour elle. D'éprouver, comme vous, de l'amour pour les statues : saint Jérôme avec son nez ébréché, la Vierge avec son sourire, Jeanne d'Arc avec son étendard, saint Francis avec ses pigeons. En ce qui me concerne, je n'aime pas les oiseaux. C'est peut-être un péché vis-à-vis du saint patron à qui je dois mon nom, mais c'est plus fort que moi. Leurs gloussements, leurs déjections — jusqu'aux portes de l'église, les murs striés par les dégoulinades verdâtres de leurs fientes — le vacarme qu'ils font pendant les sermons. J'empoisonne les rats qui infestent la sacristie et y grignotent les vêtements sacerdotaux. Ne devrais-je pas également empoisonner les pigeons qui troublent mon office ? J'ai essayé, mon père, mais en vain. Peut-être sont-ils protégés par saint Francis.

Si seulement je pouvais être plus méritant. Mon manque de mérite me consterne, car mon intelligence — qui dépasse de loin celle de mes ouailles — n'est bonne qu'à accentuer la faiblesse, la médiocrité du vaisseau que Dieu a choisi pour le servir. Est-ce là ma destinée ? J'avais rêvé de choses plus nobles, de sacrifices, de martyres. À la place, je gaspille mon temps en des préoccupations qui sont indignes de moi, indignes de vous.

Mon péché est le péché de mesquinerie, mon père. C'est pour cette raison que Dieu est silencieux dans Sa maison. J'en suis conscient, mais je ne sais comment guérir le mal. J'ai accru l'austérité de mon jeûne de carême, choisissant de le poursuivre même les jours où certains écarts sont permis. Aujourd'hui, par exemple, j'ai versé ma libation dominicale dans les hortensias et mon moral s'en est incontestablement trouvé rehaussé. Pour l'heure, l'eau et le café sont les seules boissons qui accompagnent mes repas, le café noir et sans sucre pour en accuser l'amertume. Aujourd'hui, j'ai mangé une salade de carottes avec des olives — l'équivalent des racines et des baies dans le désert. C'est vrai, j'ai un peu la tête qui tourne, mais la sensation n'est pas désagréable.

J'éprouve un pincement de culpabilité à la pensée que même mes privations me procurent du plaisir, et je prends la résolution de me placer sur le chemin de la tentation. Je resterai cinq minutes devant la vitrine de la rôtisserie, à contempler les poulets sur la broche. Si Arnauld me taquine, encore mieux. De toute manière, il devrait être fermé pour le carême.

Quant à Vianne Rocher... J'ai à peine pensé à elle ces jours derniers. Je passe devant sa boutique en regardant ailleurs. Elle a prospéré en dépit de la saison et la désapprobation des éléments sensés de Lansquenet, mais j'attribue cette réussite au caractère nouveau d'une telle boutique. L'engouement retombera. Nos paroissiens ont déjà assez peu d'argent pour leurs besoins quotidiens sans aller subventionner un magasin plus adapté aux grandes villes.

La Céleste Praline. Même le nom est une insulte délibérée. Je vais prendre le car pour Agen et me plaindre à l'agence immobilière. Elle n'aurait jamais dû avoir le droit de prendre ce bail, de toute façon. La situation centrale de la boutique lui assure une prospérité inévitable, encourage la tentation. L'évêque devrait en être informé. Peut-être parviendrait-il à exercer une influence que je ne possède pas. Je vais lui écrire aujourd'hui. Je la vois quelquefois dans la rue. Elle porte un imperméable jaune avec des marguerites vertes, un vêtement d'enfant exception faite de sa longueur, légèrement malséant sur une adulte. Ses cheveux demeurent découverts même sous la pluie, aussi brillants et lisses que la peau d'un phoque. Elle les essore comme une longue corde quand elle atteint l'auvent. Il y a souvent des gens qui attendent là-dessous, s'abritant de la pluie sans fin et admirant la vitrine. Elle a installé un radiateur électrique à présent, assez proche du comptoir pour apporter de la chaleur mais pas suffisamment pour abîmer ses marchandises, et avec les tabourets, les cloches en verre remplies de gâteaux et de tartes, les chocolatières en argent reposant sur la plaque, la boutique ressemble plus à un salon de thé qu'à un magasin. Il y a des jours où j'y aperçois une dizaine de personnes, quand ce n'est pas davantage ; certaines sont debout, d'autres, appuyées au comptoir capitonné, bavardent. Le dimanche et le mercredi après-midi, les odeurs de pâtisserie emplissent l'air humide et elle s'adosse à la porte, de la farine jusqu'aux coudes, lançant aux passants des remarques espiègles. Je n'en reviens pas du nombre de gens qu'elle connaît par leurs noms — j'ai mis six mois avant de connaître la totalité de mes fidèles —, et elle semble toujours avoir une question à poser ou une observation à faire sur leurs vies, leurs problèmes. L'arthrite de Poitou. Le service militaire du fils de Lambert. Narcisse et ses orchidées primées. Elle connaît même le nom du chien de Duplessis. Oh, elle est astucieuse. Impossible de lui battre froid. Il faut répondre, sinon on passe pour un grossier personnage. Même moi, je suis obligé de sourire et d'esquisser un signe de tête alors qu'intérieurement je bous de colère. Sa fille suit son exemple, courant en liberté dans les Marauds en compagnie d'une bande de filles et de garçons plus âgés. Huit ou neuf ans, pour la plupart, et ils la traitent avec affection, comme une petite sœur, une mascotte. Ils sont toujours ensemble à courir, à crier, à mimer avec leurs bras des avions bombardiers et à se tirer dessus, à chanter en chœur, à pousser des sifflets. Jean Drou est parmi eux, malgré les efforts de sa mère. Une fois ou deux, elle a essayé de le lui interdire, mais il devient plus désobéissant chaque jour, se glissant par la fenêtre de sa chambre lorsqu'elle l'y enferme. Mais j'ai des soucis plus graves, mon père, que la mauvaise conduite de quelques morveux indisciplinés. En passant près des Marauds avant la messe aujourd'hui, j'ai vu, amarré au bord de la Tannes, une péniche du genre que vous et moi connaissons bien. Un rafiot misérable, peint en vert mais piteusement écaillé, une cheminée en fer-blanc crachant de nocives fumées noires, un toit en tôle ondulée, pareil aux toits des baraques dans les bidonvilles de Marseille. Vous et moi nous savons ce que cela signifie. Ce qu'il va en découler. Ces premiers pissenlits printaniers qui pointent leurs têtes dans l'herbe détrempée du bas-côté. Chaque année, ils tentent le coup, remontant la rivière depuis les villes et les quartiers pauvres ou, pis encore, depuis des régions plus lointaines comme l'Algérie ou le Maroc. Cherchant du travail. Cherchant un endroit où s'installer, où élever des enfants… J'ai prononcé un sermon à leur encontre ce matin, mais je sais que, malgré cela, certains de mes paroissiens — parmi lesquels Narcisse — leur feront bon accueil rien que pour me braver. Ce sont des vagabonds. Ils n'ont aucun respect ni aucune valeur. Ce sont les gitans des rivières, des propagateurs de maladies, des voleurs, des menteurs, des assassins quand ils sont assurés de l'impunité. Qu'on les autorise à rester et ils gâcheront tout ce pour quoi nous avons travaillé, père. Toute notre éducation. Leurs enfants galoperont avec les nôtres jusqu'à ce que tout ce que nous avons fait pour eux soit anéanti. Ils nous voleront l'esprit de nos enfants. Leur enseigneront la haine et l'irrespect envers l'Église. Leur enseigneront la paresse et la crainte des responsabilités. Leur enseigneront le crime et l'euphorie des drogues. Ont-ils déjà oublié ce qui s'est passé cet été-là ? Sont-ils assez sots pour croire que la même chose ne se reproduira pas ?

Je me suis rendu à la péniche cet après-midi. Deux de plus s'y étaient déjà ajoutées, une rouge et une noire. La pluie avait cessé et il y avait une corde à linge tendue entre les deux nouvelles, à laquelle étaient mollement suspendus des vêtements d'enfants. Sur le pont de la péniche noire, un homme était assis, me tournant le dos, en train de pêcher. De longs cheveux roux attachés par un bout de chiffon, des bras nus tatoués au henné jusqu'à l'épaule. Je suis resté là à contempler les bateaux, fasciné par leur délabrement, par leur pauvreté pleine de défi. Que recherchent donc ces gens-là ? Nous sommes un pays prospère. Une puissance européenne. Il devrait y avoir des emplois pour ces gens-là, des emplois utiles, des logements décents. Alors pourquoi, dans ces conditions, choisissent-ils de vivre de cette façon-là, dans l'oisiveté et la misère ? Sont-ils à ce point paresseux ? Pour se protéger, le rouquin sur le pont de la péniche noire fit le signe des cornes dans ma direction, puis se remit à pêcher.

« Vous ne pouvez pas rester ici, criai-je depuis la rive. C'est une propriété privée. Vous devez partir. »

Des rires et des quolibets me parvinrent des bateaux. Je sentis mes tempes palpiter de fureur, mais je gardai mon calme. « Vous pouvez me parler, m'écriai-je à nouveau. Je suis prêtre. Nous pouvons peut-être trouver une solution. »

Plusieurs visages étaient apparus aux fenêtres et aux portes des trois bateaux. Je dénombrai quatre enfants, une jeune femme avec un bébé, et trois ou quatre personnes plus âgées, enveloppées dans la non-couleur grisâtre qui caractérise ces gens-là, leurs traits pointus et suspicieux. Je remarquai que tout ce petit monde se tournait vers le rouquin pour savoir comment réagir. Je m'adressai à lui : « Hé, vous ! »

Son attitude trahissait une intense concentration mêlée d'une déférence ironique.

« Pourquoi ne me rejoignez-vous pas pour qu'on puisse discuter ? Je m'expliquerai mieux si je n'ai pas à crier d'un côté à l'autre de la rivière.

— Allez-y, expliquez », répondit-il. Il parlait avec un accent marseillais si prononcé que j'avais du mal à saisir ses paroles. « Je vous entends parfaitement. » Ses amis sur les autres bateaux se donnèrent des coups de coude en ricanant. J'attendis patiemment le silence.

« Ceci est une propriété privée, répétai-je. Je crains que vous ne puissiez rester ici. Il y a des gens qui vivent sur ces berges. » J'indiquai les maisons en bord de rivière le long de l'avenue des Marais. Nombre d'entre elles, il est vrai, sont aujourd'hui désertées, dégradées par l'humidité et le manque d'entretien, mais certaines sont encore habitées.

Poil-de-Carotte me lança un regard de mépris. « Il y a aussi des gens qui vivent ici, dit-il, indiquant les bateaux.

— J'entends bien, toutefois… »

Il me coupa la parole. « Ne vous en faites pas, répliqua-t-il d'un ton catégorique. Nous ne restons pas longtemps. Nous devons effectuer des réparations et faire un stock de provisions. Nous ne le pouvons pas en pleine nature. Nous serons là deux semaines, peut-être trois. Je pense que vous tiendrez le choc, hé ?

— Peut-être un village plus important… » Son insolence me hérissait, mais je demeurai impassible. « Une ville comme Agen, peut-être… »

114

D'un ton sec : « Pas question. C'est de là que nous venons. »

Je n'en doutais pas. Ils sont intraitables à Agen avec les vagabonds. Si seulement nous avions notre propre police à Lansquenet…

« J'ai un problème avec mon moteur. J'ai perdu de l'huile sur des kilomètres. Il faut que je répare ça avant de pouvoir repartir.

— Je ne crois pas que vous trouverez ce que vous cherchez dans le coin, répondis-je en bombant la poitrine.

— Eh bien, chacun voit les choses comme il veut. » Il paraissait détaché, presque amusé. Une des vieilles femmes pouffa de rire. « Même les prêtres ont droit à leur opinion. » Encore des éclats de rire. Je conservai ma dignité. Ces gens-là ne méritent pas ma colère.

Je tournai les talons.

« Tiens, tiens, monsieur le curé ! » La voix avait retenti juste derrière moi, et je sursautai involontairement. Armande Voizin émit un petit gloussement. « Nerveux, hein ? me lança-t-elle avec malice. Normal. Tu es en dehors de ton territoire ici, pas vrai ? Quelle est ta mission, cette fois-ci ? Convertir les hérétiques ?

— Madame… » En dépit de son insolence, je lui adressai un signe de tête plein de politesse. « J'espère que vous êtes en bonne santé.

— Ah, vraiment ? » Ses yeux noirs pétillaient d'ironie. « J'avais pourtant l'impression que tu mourais d'impatience de m'administrer les derniers sacrements.

— Pas du tout, madame, protestai-je avec une froide dignité.

— Tant mieux. Parce que la vieille brebis que je

suis ne rejoindra jamais le troupeau, déclara-t-elle. Trop coriace pour toi, de toute façon. Je me souviens que ta mère disait… »

Je la rabrouai plus sèchement que je ne l'aurais voulu. « J'ai bien peur, madame, de ne pas avoir de temps pour des papotages, aujourd'hui. Ces gens…, expliquai-je en montrant les gitans de la rivière. Je dois m'occuper de ces gens avant que la situation ne devienne ingérable. J'ai les intérêts de mes paroissiens à protéger.

— Quel beau parleur ! déclara Armande avec indolence. *Les intérêts de mes paroissiens.* Je me souviens du temps où tu n'étais qu'un petit garçon, à jouer aux cow-boys et aux Indiens dans les Marauds. Qu'est-ce qu'ils t'ont appris à la ville, à part la componction et la suffisance ? »

Je lui décochai un regard furieux. Seule de tout Lansquenet, elle prend un malin plaisir à me rappeler un passé qu'il vaut mieux oublier. Il me vient à l'esprit que, quand elle mourra, ce souvenir mourra avec elle, et j'en suis presque content.

« Peut-être qu'à vous l'idée vous plaît que des vagabonds envahissent les Marauds, lui rétorquai-je d'un ton acerbe. Mais il y a d'autres citoyens — parmi lesquels votre fille — qui savent bien que si vous permettez à ces gens-là de poser un pied dans la porte… »

Armande s'esclaffa. « Elle parle même comme toi. Des enfilades de clichés curaillons et de platitudes cocardières. Moi, il me semble que ces gens-là ne font de mal à personne. Pourquoi partir en croisade pour les expulser alors qu'ils ne tarderont pas à repartir, de toute façon ?

— De toute évidence, vous refusez de comprendre le problème, répliquai-je en haussant les épaules.

— Eh bien, j'ai déjà dit à Roux, là-bas, expliqua-t-elle avec un geste sournois vers l'homme de la péniche noire, je lui ai dit que lui et ses amis seraient les bienvenus aussi longtemps qu'il lui faudrait pour réparer son moteur et constituer des réserves de victuailles. » Elle me lança un regard rusé et triomphant. « Alors vous ne pouvez pas prétendre qu'il y a violation de propriété. Ils sont ici, devant ma maison, avec ma bénédiction. » Elle prononça ce dernier mot avec une insistance particulière, comme pour se moquer de moi.

« Tout comme leurs amis, quand ils arriveront. » Elle me décocha un autre de ses regards effrontés. « *Tous* leurs amis. »

Eh bien, j'aurais dû m'y attendre. Elle l'aurait fait, ne serait-ce que pour me narguer. Elle appré-cie la notoriété que la chose lui rapporte, de savoir qu'en tant que la plus ancienne résidente du village une certaine licence lui est accordée. Inutile de se disputer avec elle, mon père. Nous le savons déjà. Elle tirerait plaisir de cette dispute autant qu'elle se régale du contact avec ces gens, leurs histoires, leurs vies. Pas étonnant qu'elle ait déjà appris leurs noms. Je ne lui offrirai pas la satisfaction de me voir sup-plier. Non, je dois traiter cette affaire par d'autres méthodes.

Armande m'a appris une chose, en tout cas. D'autres vont arriver. Combien, l'avenir nous le dira. C'est ce que je redoutais. Trois aujourd'hui. Com-bien d'autres demain ?

Je suis passé voir Clairmont en venant ici. Il va répandre la rumeur. Je prévois une certaine résis-tance — Armande a encore des amis —, il faudra peut-être pas mal de persuasion pour convaincre Narcisse. Mais, en général, je m'attends à la coopération des habitants. Je suis encore quelqu'un dans ce village. Mon opinion a du poids. J'ai également parlé à Muscat. Il voit défiler presque tout le monde dans son café. Il est le responsable de l'Association des résidents. C'est un homme plein de bon sens malgré ses défauts, un bon pratiquant. Et si une intervention musclée se révélait nécessaire — bien sûr, nous déplorons tous la violence, mais avec ces gens-là nous ne pouvons en exclure l'éventualité —, eh bien, je suis certain que Muscat serait d'accord.

Armande a appelé cela une croisade. Elle a formulé le mot comme une insulte, je le sais, malgré tout... je ressens comme une bouffée d'exaltation à la pensée de ce conflit. Pourrait-il s'agir là de la tâche pour laquelle Dieu m'a choisi ?

C'est pour cette raison que je suis venu à Lansquenet, mon père. Pour me battre pour mes semblables. Pour les sauver de la tentation. Et quand Vianne Rocher verra la puissance de l'Église — l'influence que j'exerce sur toutes les âmes de la communauté sans exception —, alors elle saura qu'elle a perdu. Quelles que soient ses espérances, quelles que soient ses ambitions. Elle comprendra qu'elle ne peut rester. Qu'elle ne peut lutter et espérer remporter la victoire.

C'est moi qui triompherai.

14

Lundi 24 février

Caroline Clairmont est passée juste après la messe. Son fils était avec elle, son cartable en bandoulière, un grand garçon au visage blême et impassible. Elle portait une liasse de cartes jaunes rédigées à la main.

Je leur souris à tous les deux. La boutique était presque vide — le premier de mes habitués n'arrive que vers neuf heures environ, et il était huit heures et demie. Seule Anouk était assise au comptoir, un bol de lait à moitié terminé et un pain au chocolat devant elle. Elle lança un coup d'œil joyeux au garçon, le salua en agitant vaguement sa pâtisserie vers lui, et retourna à son petit déjeuner.

« Et pour vous, madame ? »

Caroline regardait autour avec une expression d'envie et de réprobation. Le garçon braquait les yeux droit devant, mais je vis qu'il se retenait de les poser sur Anouk. Il affichait un air poli et maussade, et ses yeux brillants étaient indéchiffrables sous la frange trop longue.

« Oui. » Caroline avait la voix fluette et faussement enjouée ; son sourire, sucré comme du glaçage, vous agaçait les dents. « Je distribue ceci, annonça-t-elle en brandissant son paquet d'affichettes, et je me demandais si vous voudriez bien en mettre une dans votre vitrine. » Elle me la tendit. « Tous les autres ont accepté », ajouta-t-elle, comme si cela pouvait influer sur ma décision.

Je pris l'affichette. De superbes majuscules proclamaient hardiment, noir sur jaune :

INTERDIT AUX COLPORTEURS
ET AUX VAGABONDS.
LA DIRECTION SE RÉSERVE
LE DROIT DE REFUSER DE SERVIR.

« Pourquoi mettrais-je cette affiche ? demandai-je, perplexe. Pourquoi refuserais-je de servir qui que ce soit ? »

Caroline me jeta un regard de pitié méprisante. « Bien sûr, vous êtes nouvelle ici, dit-elle avec un sourire mielleux. Mais nous avons eu des problèmes dans le passé. C'est juste une précaution, de toute manière. Je doute fort que vous receviez une visite de ces gens-là. Mais mieux vaut prévenir que guérir, vous ne croyez pas ? »

Je ne comprenais toujours pas. « Guérir quoi ?

— Eh bien, je veux parler des gitans. Les gens de la rivière. » Il y avait une note d'impatience dans sa voix. « Ils sont revenus, et ils voudront — elle esquissa une moue de dégoût pleine d'élégance —, enfin ils voudront faire ce que font ces gens-là.

— Et alors ? insistai-je avec douceur.

— Eh bien, nous devons leur montrer qu'il n'en est pas question ! » Caroline s'énervait. « Nous allons tous tomber d'accord pour ne pas servir ces gens-là. Les forcer à retourner d'où ils viennent.

— Oh. » Je réfléchis à la teneur de ses propos.

« Est-ce que nous avons le droit de refuser de les servir ? m'enquis-je avec curiosité. S'ils ont de l'argent pour payer, est-ce que nous pouvons refuser ? »

Impatiente : « Bien sûr que nous pouvons ! Qui nous en empêchera ? »

Je méditai un moment, puis lui rendis son affichette jaune. Caroline me dévisagea. « Vous refusez ? » Sa voix monta d'une demi-octave, perdant par là même une grande partie de sa distinction.

Je haussai les épaules. « M'est avis que si quelqu'un veut dépenser son argent ici, ce n'est pas à moi de l'en empêcher.

— Mais la communauté… persista Caroline. Vous ne voulez quand même pas que des gens de cette espèce… des nomades, des voleurs, des Arabes, pour l'amour du ciel… »

Rapide succession de souvenirs : la mine renfrognée des portiers new-yorkais, l'air dégoûté des grandes dames parisiennes, le comportement gêné des touristes du Sacré-Cœur qui, appareil photo à la main, détournaient la tête pour ne pas voir la petite mendiante à la robe trop courte et aux jambes trop longues… Caroline Clairmont a beau avoir été élevée à la campagne, elle sait combien il est capital de savoir dénicher la bonne modiste. Le foulard discret qu'elle porte autour de la gorge est estampillé Hermès, et son parfum est « Coco » de Chanel. Je répondis avec plus de sécheresse que je ne l'aurais voulu :

« J'ai l'impression que la communauté ferait mieux de s'occuper de ses propres affaires. Il n'est pas de mon droit — ni de celui de *quiconque* — de décider comment ces gens-là devraient mener leur vie. »

Caroline me lança un regard venimeux. « Bon, eh bien, si c'est là votre sentiment, siffla-t-elle pleine de morgue en se tournant vers la porte, alors, je ne vous

retarderai pas plus longtemps dans vos affaires. »
Une légère insistance sur ce dernier mot, un regard
hautain en direction des sièges vides. « J'espère seulement que vous ne regretterez pas votre décision,
c'est tout.

— Pourquoi la regretterais-je ? »

Elle haussa les épaules avec irritation. « Eh bien,
s'il y a des problèmes, ou n'importe quoi… » À son
ton, je compris que la conversation touchait à sa
fin. « Ces gens-là peuvent causer toutes sortes de
problèmes, vous savez. La drogue, la violence… »
L'aigreur de son sourire suggérait que, s'il se produi-
sait un quelconque problème de ce type, elle serait
enchantée de m'en voir la victime. Le garçon me
fixait des yeux sans comprendre.

« J'ai vu ta grand-mère l'autre jour, lui annonçai-je
avec un sourire. Elle m'a raconté plein de choses sur
toi. » Le garçon rougit et marmonna quelque chose
d'inintelligible.

Caroline se raidit. « J'ai appris qu'elle était venue
ici », dit-elle. Elle se força à sourire. « Vous ne devriez
vraiment pas encourager ma mère, ajouta-t-elle avec
une gaieté feinte. Elle est déjà bien assez infernale.

— Ah… moi, je l'ai trouvée d'une compagnie très
divertissante, répliquai-je sans quitter des yeux le garçon. Tout à fait originale. Et *extrêmement* vive.

— Pour son âge, précisa Caroline.

— Pour n'importe quel âge, rectifiai-je.

— Eh bien, je suis sûre qu'elle donne cette impression aux inconnus, dit Caroline d'un ton pincé. Mais
pour sa famille… » Elle m'adressa un autre de ses
sourires réfrigérants. « Il faut que vous compreniez
que ma mère est très vieille, expliqua-t-elle. Son
esprit n'est plus ce qu'il était. Sa perception de la
réalité… » Elle s'interrompit avec un geste nerveux.

« Je suis sûre que je n'ai pas besoin de vous mettre les points sur les *i*.

— Non, en effet, répondis-je d'un ton affable. Cela ne me regarde pas, après tout. » Je vis ses yeux se plisser tandis qu'elle recevait ce coup de griffe. Elle était peut-être sectaire, mais pas stupide.

« Je veux dire… » Elle pataugea un moment. L'espace d'une seconde, je crus entrevoir une lueur d'humour dans les yeux du garçon, mais c'était peut-être mon imagination. « Je veux dire que ma mère ne sait pas toujours ce qui lui convient le mieux. » Elle avait repris le dessus, son sourire aussi laqué que ses cheveux. « Cette boutique, par exemple… »

Je l'encourageai d'un signe de tête. « Ma mère est diabétique, expliqua Caroline. Le médecin l'a prévenue à de multiples reprises d'éviter le sucre dans son régime. Elle refuse d'écouter. Elle ne veut pas se plier au traitement. » Caroline jeta un coup d'œil à son fils avec une sorte de triomphe. « Dites-moi, madame Rocher, est-ce que c'est normal ? Est-ce que c'est une manière normale de se comporter ? » Sa voix grimpait de nouveau, se parant d'une inflexion stridente et exaspérée. Son fils paraissait un peu mal à l'aise et regarda sa montre.

« Maman, je vais être en r-retard. » Sa voix était neutre et polie. À moi : « Excusez-moi, madame, il faut que j'aille à l'éc-cole.

— Tiens, prends donc un de mes chocolats. Cadeau de la maison. » Je lui tendis la friandise dans un tortillon de cellophane.

« Mon fils ne mange pas de chocolat, déclara Caroline d'un ton acerbe. Il est hyperactif. De santé fragile. Il sait que ce n'est pas bon pour lui. »

Je regardai le garçon. Il ne m'avait l'air ni de santé

fragile ni hyperactif, seulement assommé d'ennui et quelque peu intimidé.

« Elle pense énormément à toi, repris-je. Ta grand-mère. Peut-être que tu pourrais passer ici lui dire bonjour un de ces jours. C'est une de mes habituées. » Les yeux vifs du gamin dansèrent un instant sous ses cheveux raides d'un châtain terne.

« Peut-être. » Sa voix était dénuée d'enthousiasme.

« Mon fils n'a pas le temps de traîner dans les confiseries, déclara Caroline avec hauteur. Mon fils est un garçon intelligent. Il sait ce qu'il doit à ses parents. » Il y avait comme une menace dans ses paroles, une suffisance pleine de certitude. Elle fit volte-face pour devancer Luc, qui se trouvait déjà dans l'embrasure de la porte, avec son cartable qui se balançait.

« Luc. » J'avais parlé d'une voix basse, persuasive. Il se retourna à contrecœur. Je ne m'en étais pas rendu compte mais je m'efforçais d'atteindre son âme, de voir au-delà de ce visage poli dépourvu d'expression, et je vis... je vis...

« Ça t'a plu, Rimbaud ? » Je parlai sans réfléchir, la tête grouillante d'images.

Un instant, le gamin afficha un air coupable. « Quoi ?

— Rimbaud. Elle t'a bien donné un livre de ses poèmes pour ton anniversaire, non ?

— Ou-oui. » La réponse était presque inaudible. Ses yeux — ils sont d'un gris-vert étincelant — se levèrent et rencontrèrent les miens. Je le vis qui secouait imperceptiblement la tête, comme pour m'avertir. « Mais je n-ne les ai pas lus, déclara-t-il d'une voix plus forte. Je ne suis pas fa-fana de p-poésie. » Un livre tout écorné, soigneusement caché au fond d'une armoire à vêtements. Un garçon se murmurant les vers magnifiques avec une étonnante ferveur. S'il te plaît, viens, chuchotai-je en silence. S'il te plaît, pour Armande.

Un reflet brilla dans ses yeux. « Il faut que j'y aille maintenant. »

Caroline attendait à la porte avec impatience.

« S'il te plaît. Prends ça. » Je lui tendis le minuscule paquet de chocolats. Ce garçon avait des secrets. Je les sentais qui ne demandaient qu'à s'échapper. Prestement, demeurant en dehors du champ de vision de sa mère, il s'empara du paquet, sourit. Les mots qu'il prononça en partant, j'aurais presque pu les avoir rêvés.

« Dites-lui que je viendrai, chuchota-t-il, quand M-maman ira chez le c-coiffeur. » Puis il disparut.

Je fis part de leur visite à Armande lorsqu'elle passa à la boutique ce jour-là. Elle secoua la tête et se tordit de rire quand je lui rapportai ma conversation avec Caroline.

« Hé, hé, hé ! » Bien calée dans son fauteuil défoncé, une tasse de moka dans sa vieille main délicate, elle ressemblait plus que jamais à une pomme ridée. « Ma pauvre Caro. Elle n'aime pas qu'on lui rappelle le passé, on dirait ? » Elle sirotait son breuvage avec jubilation. « Pour qui elle se prend, hé ? se récria-t-elle d'un ton un peu grincheux. À vous dire ce que j'ai le droit et ce que je n'ai pas le droit de manger. Je serais diabétique, paraît-il ? C'est ce que le docteur aimerait que tout le monde croie, grommela-t-elle. Eh bien, je suis encore en vie, non ? Je fais attention. Mais ça ne leur suffit pas à eux, non. Il faut qu'ils fassent la loi. » Elle secoua la tête d'un air affligé. « Ce pauvre gamin. Il bégaie, vous avez remarqué ? » J'acquiesçai.

« C'est la faute de sa mère, commenta Armande avec mépris. Si elle l'avait laissé tranquille… mais non. Toujours à le corriger. Toujours sur son dos. À aggraver les choses. À prétendre à longueur de temps qu'il y a un problème chez lui. » Elle poussa un grognement de dérision. « Il n'y a chez lui aucun problème auquel une bonne dose de vie ne puisse remédier, déclara-t-elle, catégorique. Qu'il coure donc un bon coup sans s'inquiéter de ce qui arriverait s'il se cassait la figure. Qu'elle le lâche un peu ! Qu'elle le laisse *respirer !* »

Je dis qu'il était normal qu'une mère protège ses enfants.

Armande me lança un de ses regards ironiques. « Vous appelez ça comme ça ? Comme le gui protège le pommier ? » Elle s'esclaffa. « J'avais des pommiers dans mon jardin autrefois, me raconta-t-elle. Le gui les a tous fait crever, les uns après les autres. Saleté de plante : elle n'a l'air de rien, elle fait de jolies baies, elle n'a aucune force en elle-même, mais Seigneur ! quel parasite ! » Elle sirota une autre gorgée de son chocolat. « Et elle empoisonne tout ce qu'elle touche. » Elle eut un signe de tête entendu. « Voilà ma Caro, conclut-elle. C'est elle tout craché. »

Guillaume refit un saut chez moi après le déjeuner. Il ne s'arrêta que pour dire bonjour, m'expliquant qu'il allait chercher ses journaux. Guillaume a beau ne jamais voir de films, c'est un fana des revues de cinéma, et chaque semaine il en reçoit un colis entier : *Vidéo* et *Ciné-Club, Télérama* et *Film Express.* Il possède la seule antenne parabolique du village, et dans sa modeste maisonnette, il y a un téléviseur à écran large et un magnétoscope Toshiba posé sur un support au-dessus d'une bibliothèque entière de cassettes vidéo. Je remarquai qu'il avait recommencé à porter Charly : dans les bras de son maître, le chien avait l'œil terne et amorphe.

À intervalles réguliers, Guillaume caressait la tête du chien avec ce geste familier de tendresse et de résignation.

« Comment va-t-il ?

— Oh, il a ses bons jours, dit Guillaume. Il a encore des mois à vivre. » Et ils se remirent en route, le fringant petit homme étreignant son chien brun aux yeux tristes comme si sa vie en dépendait.

Joséphine Muscat passa devant la boutique mais ne s'arrêta pas. Je fus un peu déçue de ne pas la voir entrer, car j'avais espéré discuter à nouveau avec elle, mais elle me lança simplement un regard affolé au passage, les mains profondément enfoncées dans ses poches. Je remarquai qu'elle avait le visage bouffi, les paupières presque closes, mais c'était peut-être pour affronter la neige fondue, les mâchoires hermétiquement scellées. Une grosse écharpe de couleur indéfinissable lui entourait la tête comme un bandage. Je l'appelai, mais elle ne répondit pas, accélérant l'allure comme pour fuir un danger imminent.

Je haussai les épaules et la laissai partir. Ces choses-là prennent du temps. Quelquefois une éternité.

Toujours est-il que, plus tard, alors qu'Anouk jouait aux Marauds et que j'avais terminé ma journée, je me retrouvai à flâner dans l'avenue des Francs-Bourgeois en direction du Café de la République. C'est un petit bistro minable, avec l'immuable *spécialité du jour* inscrite sur ses vitres, et un auvent miteux qui réduisait davantage encore la luminosité ambiante. À l'intérieur, une paire de juke-boxes silencieux flanquent les tables rondes auxquelles s'installent les rares clients, discutant avec morosité de sujets sans importance en buvant d'interminables demis et cafés crème. Il règne dans l'air cette écœurante odeur huileuse de plats réchauffés au micro-ondes, et un brouillard de fumée à couper au couteau flotte dans la salle, même si, apparemment, personne n'a de cigarette. J'ai repéré une des affichettes jaunes de Caroline Clairmont à un emplacement de choix près de la porte ouverte. Un crucifix noir est accroché au-dessus.

Jetant un œil à l'intérieur, j'hésitai, puis j'entrai dans le café.

Muscat était au bar. Il me lorgna tandis que j'avançais, et sa bouche s'étira. Presque imperceptiblement, je vis ses yeux se porter sur mes jambes, sur mes seins — *clic-clic*, ils s'allumèrent comme les cadrans d'une machine à sous. Il posa une main sur la pompe à bière, fléchissant un de ses lourds avant-bras. « Que puis-je vous offrir ?

— Un café-cognac, s'il vous plaît. »

Le café arriva dans une petite tasse marron avec, à côté, deux morceaux de sucre dans leur emballage de papier. Je l'emportai avec moi à une table située près de la fenêtre. Deux vieillards, dont l'un arborait la Légion d'honneur sur son revers élimé, me toisèrent d'un air soupçonneux.

« Z'avez besoin de compagnie ? demanda Muscat, narquois, depuis son comptoir. C'est juste que vous avez l'air un peu… *esseulée*, assise là sans personne.

— Non merci, répondis-je poliment. En fait, j'espérais voir Joséphine aujourd'hui. Est-ce qu'elle est là ? »

Muscat me regarda d'un air revêche, sa bonne humeur évanouie. « Ah oui, votre amie de cœur, dit-il d'une voix sèche. Eh bien, vous l'avez manquée. Elle vient juste de monter s'allonger un peu. Une de ses migraines. » Il se mit à essuyer un verre avec une surprenante férocité. « Elle passe l'après-midi entier à faire les boutiques, alors, bon sang, évidemment, le soir venu, elle est obligée d'aller s'étendre pendant que moi je fais tout le travail.

— Est-ce qu'elle va bien ? »

Il me dévisagea. « Bien sûr qu'elle va bien. » Son ton était cinglant. « Pourquoi est-ce qu'elle n'irait pas bien ? Si sa foutue majesté daignait lever son gros cul une fois de temps en temps, peut-être même qu'on réussirait à maintenir cette affaire à flot… » Plongeant dans le verre son poing emmailloté du torchon, sous l'effort, il laissa échapper un grognement.

« Je veux dire… reprit-il avec un geste expressif. Je veux dire, regardez un peu cet endroit. » Il me considéra comme s'il s'apprêtait à dire autre chose, puis son regard me quitta pour se diriger vers la porte.

« Hé ! » Je compris qu'il s'adressait à quelqu'un que je n'arrivais pas à voir de là où j'étais. « Vous n'écoutez donc rien, vous autres ? Je suis fermé ! »

J'entendis une voix d'homme répondre quelque chose d'indistinct. Muscat sourit de son immense sourire dépourvu de gaieté. « Vous ne savez donc pas lire, bande d'idiots ? » Derrière le bar, il indiqua la sœur jumelle de l'affichette que j'avais vue à la porte. « Allez, allez, du balai ! »

Je me mis debout pour voir ce qui se passait. Cinq personnes se tenaient, indécises, à l'entrée du café, deux hommes et trois femmes. Ils m'étaient inconnus tous les cinq, sans autre signe distinctif que leur indicible étrangeté ; leurs pantalons rapiécés, leurs bottes de travail, leurs tee-shirts décolorés les désignaient comme des marginaux. Cette misère, je la connaissais par cœur. Elle avait été la mienne autrefois. L'homme qui avait parlé avait des cheveux roux qu'un bandana vert empêchait de tomber sur son visage. Ses yeux étaient méfiants, son intonation soigneusement neutre.

« Nous ne vendons rien, expliqua-t-il. Nous voulons seulement boire une ou deux bières et des cafés. Nous ne vous causerons pas d'ennuis. »

Muscat le regarda avec mépris. « J'ai dit : nous sommes fermés. »

Une des femmes, une jeune souillon maigrichonne au sourcil percé d'un anneau, tira sur la manche du rouquin. « Ça ne sert à rien, Roux. Mieux vaut…

— Attendez une minute ! s'écria Roux en écartant la main de la fille avec impatience. Je ne comprends pas. La dame qui était là il y a un instant… votre femme… elle s'apprêtait à…

— *Rien à foutre* de ma femme ! s'exclama Muscat d'une voix perçante. Ma femme, elle trouverait pas son propre cul même avec ses deux mains et une lampe de poche ! C'est *mon* nom qui est au-dessus de la porte, et je vous dis… que nous sommes… *fermés* ! » Il avait contourné le comptoir et avancé de trois pas : les mains sur les hanches, il barrait à présent la porte d'entrée, tel un cow-boy obèse dans un western-spaghetti. J'apercevais ses phalanges qui luisaient d'un éclat jaunâtre au niveau de sa ceinture, j'entendais sa respiration qui sifflait. Il était congestionné de fureur.

« D'accord. » Roux avait le visage impassible. Il lança un coup d'œil appuyé et hostile aux quelques clients disséminés dans la salle. « Fermé… » Un autre coup d'œil dans la salle. Un instant, nos regards se croisèrent. « Fermé pour *nous*, constata-t-il calmement.

— Pas aussi bête que ça, on dirait ? fit Muscat avec une jubilation amère. On en a assez bavé avec vos copains la dernière fois. Cette fois, on se laissera pas faire !

— Okay. » Roux se retourna pour partir. Muscat le suivit quelques mètres : il marchait d'un pas raide, comme un chien qui flaire la bagarre.

Je le dépassai sans un mot, laissant mon café à demi terminé sur la table. J'espère qu'il ne s'attendait pas à un pourboire…

Je rattrapai les nomades de la rivière à mi-hauteur de l'avenue des Francs-Bourgeois. Il s'était remis à bruiner, et tous les cinq avaient une mine sinistre et renfrognée. J'apercevais maintenant leurs bateaux, là-bas aux Marauds, une douzaine, deux douzaines, une véritable flottille multicolore de vert, de jaune, de bleu, de blanc, de rouge, certains arborant des étendards de linge mouillé, d'autres présentant des variations bigarrées des *Mille et une Nuits*, avec des motifs de tapis volants et de licornes merveilleuses qui se reflétaient dans l'eau verdâtre.

« Je suis navrée de ce qui est arrivé, leur dis-je. Ce ne sont pas des gens très accueillants, les gens de Lansquenet-sous-Tannes. »

Roux me jaugea d'un œil morne.

« Je m'appelle Vianne. Je tiens la chocolaterie juste en face de l'église. La Céleste Praline. » Il m'observait, attendant la suite. Je me revis moi-même dans son visage soigneusement dénué d'expression. J'eus envie de lui dire — de leur dire à tous — que je connaissais leur rage et leur humiliation, que je les avais connues moi aussi, qu'ils n'étaient pas seuls. Mais je connaissais également leur fierté, ce défi dérisoire qui subsiste une fois que tout le reste vous a été arraché. La dernière chose qu'ils désiraient, je le savais, c'était de la compassion.

« Pourquoi ne feriez-vous pas un saut chez moi demain ? demandai-je d'un ton léger. Je ne fais pas de bière, mais je pense que vous apprécierez mon café. »

Il me regarda soudain avec attention, comme s'il pensait que je me moquais de lui.

« Je vous en prie, venez, insistai-je. Venez boire un café et manger une tranche de gâteau. Aux frais de la maison. Vous tous. » La fille maigrichonne regarda ses amis et haussa les épaules. Roux imita son geste. « Peut-être. » Sa voix ne promettait rien.

« Nous avons un emploi du temps chargé ! s'exclama la fille d'un ton effronté.

— Trouvez un créneau », suggérai-je avec un sourire.

De nouveau, ce regard méfiant qui me jaugeait. « Peut-être. »

Je les regardai s'enfoncer dans les Marauds alors qu'Anouk escaladait à toute allure la colline pour me rejoindre, les basques de son manteau rouge battant comme les ailes d'un oiseau exotique. « Maman, maman ! Regarde, les bateaux ! »

Nous admirâmes quelque temps les embarcations : les barges plates, les grandes péniches aux toits de tôle ondulée, les cheminées en tuyau de poêle, les fresques, les drapeaux multicolores, les devises, les symboles censés les prémunir contre les accidents et les naufrages, les petits esquifs, les cannes à pêche, les nasses à écrevisses hissées pour la nuit contre la ligne de flottaison, les tentes en lambeaux qui abritaient les ponts, les prémices de feux de camp dans des bidons en acier installés sur la berge… Il régnait une odeur de feu de bois, une odeur d'essence et de poisson qui frit, de lointains échos de musique nous parvenaient de l'autre rive alors qu'un saxophone entamait sa plainte mélodieuse aux accents effroyablement humains. Au milieu de la Tannes, je pouvais distinguer la silhouette d'un homme aux cheveux roux qui se tenait seul sur le pont d'une péniche noire. Comme je l'observais, il leva le bras. Je lui fis signe à mon tour. La nuit était presque tombée lorsque nous reprîmes le chemin de la maison. Là-bas, dans les Marauds, un batteur s'était joint au saxophoniste, et l'écho de ses tambours se répercutait sur l'eau avec un son creux. Je passai devant le Café de la République sans jeter un regard à l'intérieur.

Je venais à peine d'atteindre le sommet de la colline que je sentis une présence à mes côtés. En me retournant, je vis Joséphine Muscat, désormais sans manteau mais avec autour de la tête une écharpe qui lui recouvrait à moitié la figure. Dans la pénombre, elle avait le teint blafard, spectral.

« Rentre vite, Anouk. Attends-moi à la maison. »

Anouk me décocha une œillade curieuse, puis se retourna et s'esquiva docilement vers le haut la colline, les pans de son manteau claquant frénétiquement contre ses jambes.

« J'ai entendu ce que vous avez fait. » La voix de Joséphine était à la fois rauque et douce. « Vous êtes partie à cause de cette histoire avec les gens de la rivière.

— Bien sûr, acquiesçai-je.

— Paul-Marie était furieux. » La note dure dans sa voix trahissait l'admiration. « Vous auriez dû entendre les choses qu'il a dites. »

J'éclatai de rire. « Par chance, je ne suis pas obligée d'entendre ce que Paul-Marie peut avoir à dire ! répliquai-je.

— Je ne suis plus censée vous adresser la parole, poursuivit-elle. Il pense que vous avez une mauvaise influence sur moi. » Elle se tut, tout me dévisageant nerveusement d'un air curieux. « Il ne veut pas que j'aie des amies, ajouta-t-elle.

— Il me semble que j'entends un peu trop parler de ce que veut Paul-Marie, dis-je avec douceur. Il ne m'intéresse pas tant que ça, au fond. Alors que vous… » Je lui effleurai le bras. « Vous, je vous trouve tout à fait intéressante. »

Elle rougit et détourna les yeux, comme si elle s'attendait à trouver une autre personne debout à ses côtés. « Vous ne comprenez pas, marmonna-t-elle.

— Je crois que si. » Du bout des doigts, j'effleurai l'écharpe qui lui cachait le visage.

« Pourquoi portez-vous ça ? demandai-je brusquement. Est-ce que vous voulez m'expliquer ? »

Elle me regarda, pleine d'espoir et de panique, puis fit non de la tête. Je tirai doucement sur l'écharpe. « Vous êtes jolie, dis-je en lui dégageant le visage. Vous pourriez être belle. »

Juste au-dessous de sa lèvre inférieure, il y avait un nouvel hématome, d'un aspect bleuâtre dans le jour déclinant. Elle ouvrit la bouche pour énoncer son mensonge machinal. « Ce n'est pas vrai, l'interrompis-je.

— Comment pouvez-vous le savoir ? s'insurgea-t-elle. Je n'ai même pas dit…

— Vous n'avez pas besoin. »

Silence. De l'autre côté de la rivière, une flûte égrenait ses notes joyeuses au milieu des roulements de batterie. Lorsqu'elle parla enfin, sa voix était chargée d'un immense dégoût de soi. « C'est stupide, n'est-ce pas ? » Ses yeux ressemblaient à de minuscules croissants. « Je ne lui en tiens jamais rigueur. Pas vraiment. Quelquefois j'oublie même ce qui s'est réellement passé. » Elle respira profondément, comme un plongeur avant de s'enfoncer dans l'eau. « Cognée dans une porte. Tombée dans l'escalier. M-marché sur un râteau… » Elle paraissait au bord du fou rire. Je percevais l'hystérie qui bouillonnait à la surface de ses paroles. « J'attire les accidents, voilà ce qu'il dit de moi. J'attire les accidents.

— C'était pour quoi cette fois-ci ? demandai-je avec douceur. C'était à cause des gens de la rivière ? »

Elle acquiesça. « Ils ne cherchaient pas d'histoires. Je m'apprêtais à les servir. » Sa voix se fit aiguë, l'espace d'une seconde. « Je ne vois pas pourquoi il faudrait que je fasse tout le temps ce que veut cette garce de Clairmont ! Oh il faut *absolument* que nous nous serrions les coudes…, la singea-t-elle avec fureur. Pour le bien de la communauté. Pour nos *enfants*, madame Muscat… » Après une aspiration laborieuse, elle retrouva sa voix naturelle. « Alors que, dans des circonstances normales, elle ne me dirait même pas *bonjour* dans la *rue*… elle ne me permettrait même pas de me chauffer aux *vapeurs* de sa *merde* ! » Elle aspira à nouveau profondément, maîtrisant avec difficulté son accès de colère.

« C'est toujours Caro ceci, Caro cela. J'ai vu la façon dont il la regarde à l'église. Pourquoi tu ne peux pas être comme Caro Clairmont ? » À présent, elle parodiait son mari, imitant sa voix d'ivrogne pleine de rage. Elle parvenait même à reproduire les tics de Muscat, son menton projeté en avant, son maintien fanfaron tout vibrant d'agressivité. « À côté d'elle, tu ressembles à une grosse truie maladroite. Elle, elle a du *style*. De la *classe*. Elle a un fils doué qui réussit à l'école. Et toi, qu'est-ce que tu as, hé ?

— Joséphine. »

Elle se tourna vers moi avec une expression accablée. « Je suis désolée. L'espace d'un instant, j'avais presque oublié où…

— Je sais, » Je sentais mes pouces qui me démangeaient de colère.

« Vous devez me trouver stupide d'être restée avec

135

lui toutes ces années. » Sa voix était sourde, ses yeux noirs de rancune.

« Non, je vous en prie. »

Elle ignora ma protestation. « Eh bien, je suis stupide, déclara-t-elle. Stupide et faible. Je ne l'aime pas… je n'arrive pas à me souvenir d'une époque où je l'aie jamais aimé… mais quand j'envisage de véritablement le quitter… » Elle s'interrompit, troublée. « Véritablement le *quitter* », répéta-t-elle d'une voix basse et songeuse.

« Non. Ça ne sert à rien. » Elle leva à nouveau les yeux vers moi et son visage était fermé, buté. « Voilà pourquoi je ne pourrai plus vous parler, m'expliqua-t-elle avec un désespoir résigné. Je ne pouvais pas vous laisser dans l'incertitude… vous méritez mieux que ça. Mais il ne peut pas en être autrement.

— Bien sûr que si ! protestai-je.

— Non, c'est comme ça. » Elle se défend âprement, désespérément, contre tout réconfort possible. « Vous ne voyez donc pas ? Je ne vaux rien. Je vole. Je vous ai déjà menti. Je vole des choses. Je le fais tout le temps ! »

Avec douceur : « Oui. Je sais. »

Cette confidence sans équivoque se pose entre nous, silencieuse comme une boule brillante sur un arbre de Noël.

« Les choses peuvent changer, lui assurai-je enfin. Paul-Marie ne gouverne pas le monde.

— Il pourrait aussi bien », répliqua Joséphine avec entêtement.

Je souris. Si l'obstination qu'elle montrait pouvait être dirigée vers l'extérieur et non vers l'intérieur, quels prodiges ne saurait-elle accomplir ? Je pouvais lui donner un coup de pouce, d'ailleurs. Je lisais ses pensées : elles étaient tellement proches, tellement désireuses de m'accueillir. Ce serait tellement facile de prendre le contrôle… Je repoussai cette idée avec agacement. Je n'avais pas le droit de forcer Joséphine à la moindre décision.

« Avant, vous n'aviez personne à qui vous adresser, dis-je. Maintenant, si.

— C'est vrai ? » Dans sa bouche, cette question était presque un aveu de défaite.

Je ne répondis pas. Qu'elle trouve elle-même la réponse.

Elle m'examina en silence pendant un moment. Ses yeux brillants reflétaient les lumières de la rivière. À nouveau ce détail me frappa : il aurait suffi d'un tout petit rien pour qu'elle devienne belle.

« Bonne nuit, Joséphine. » Je ne me retournai pas pour la regarder, mais je sais qu'elle me suivit des yeux pendant que je gravissais la colline, et qu'elle resta là, le regard fixe, longtemps après que j'eus franchi le coin de la rue et que j'eus disparu de son champ de vision.

15

Mardi 25 février

Encore cette pluie qui n'en finit pas. Elle tombe comme si un morceau du ciel avait été posé à la verticale pour déverser de la tristesse sur l'aquarium en contrebas. Les enfants, lumineux canards de plastique dans leurs imperméables et leurs bottes, braillent et pataugent en traversant la place, et leurs cris ricochent sur les nuages bas. Je travaille dans la cuisine en surveillant d'un œil les enfants dans la rue. Ce matin, j'ai défait la vitrine, la sorcière, la maison en pain d'épice et tous les animaux en chocolat devant les frimousses luisantes qui regardaient le spectacle avec curiosité, et Anouk et ses amis se sont partagé les dépouilles entre deux excursions dans les fins fonds pluvieux des Marauds. Jeannot Drou m'a observée dans la cuisine, un morceau de pain d'épice dans chaque main, les yeux brillants. Anouk se tenait derrière lui, les autres derrière elle, un mur d'yeux et de chuchotements.

« Et maintenant ? » Il a la voix d'un garçon plus âgé, une attitude de bravade désinvolte et le menton barbouillé de chocolat. « Qu'est-ce que vous allez faire maintenant ? Pour la vitrine ?

— C'est un secret, répondis-je, tout en ajoutant de

la crème de cacao au chocolat fondu que je remuais dans une cuvette en émail.

— Non, sérieusement, insista-t-il. Vous devriez faire quelque chose pour Pâques. Vous savez. Des œufs et d'autres trucs. Des poules en chocolat, des lapins, des machins comme ça. Comme dans les boutiques d'Agen. »

Je me les rappelle du temps de mon enfance, les chocolateries parisiennes avec leurs paniers d'œufs enveloppés de mince papier d'aluminium, leurs étagères de lapins et de poules, leurs cloches en chocolat, leurs fruits en pâte d'amandes et leurs marrons glacés, leurs amourettes et leurs nids en filigrane de métal remplis de petits fours et de caramels, et leurs mille et une épiphanies de voyages en tapis volant de sucre filé, plus adaptées à un harem d'Arabie qu'aux solennités de la Passion.

« Je me souviens de ma mère me racontant l'histoire des chocolats de Pâques. » Nous n'avions jamais assez d'argent pour acheter ces choses si raffinées, mais j'avais toujours droit à mon propre cornet-surprise, un cône en papier contenant mes cadeaux de Pâques, des pièces, des fleurs en papier, des œufs durs peints de vives couleurs émaillées, une boîte en papier mâché coloré — avec un décor de poules, de petits lapins, d'enfants souriant au milieu des boutons d'or, la même chaque année, qu'elle conservait avec soin pour l'année suivante — renfermant un minuscule sachet de raisins secs au chocolat enveloppés dans de la cellophane, chacun devant être savouré, longuement et languissamment, durant les heures perdues de ces nuits bizarres entre deux villes, avec les néons des enseignes d'hôtels qui clignotaient entre les lattes des volets et la respiration de ma mère, lente et comme éternelle, dans le silence ombreux.

« Elle disait toujours que la veille du vendredi saint les cloches quittaient leurs clochers et leurs beffrois à la faveur de la nuit et s'envolaient jusqu'à Rome avec des ailes magiques. » Il hoche la tête, avec cette expression de cynisme à demi incrédule propre aux gamins qui grandissent.

« Elles s'alignent devant le pape dans sa robe blanc et or, avec sa mitre et sa crosse dorée : les grosses cloches et les petites, les clochettes et les lourds bourdons, les carillons de toutes sortes, attendant patiemment la bénédiction du pontife. »

Elle regorgeait de ces graves récits enfantins, ma mère, et ses yeux pétillaient de ravissement face à tant d'absurdités. Toutes les histoires l'enchantaient — Jésus et Éostre et Ali Baba mêlant inlassablement les fils du folklore profane au tissu éclatant de la foi religieuse. La guérison miraculeuse et les voyages intersidéraux, les enlèvements par des extraterrestres et les combustions spontanées, à tout cela ma mère croyait, ou faisait semblant de croire.

« Et le pape les bénit, chacune d'elles, jusque tard dans la nuit, et, désertés, les milliers de clochers de France attendent leur retour, muets jusqu'au matin de Pâques. »

Et moi, sa fille, écoutant les yeux écarquillés les merveilleux contes apocryphes de ma mère, où les histoires de Mithra, de Baldur le magnifique, d'Osiris et de Quetzalcóatl se mêlent aux histoires de chocolats volants, de tapis volants, de la Triple Déesse, de la prodigieuse caverne en cristal d'Aladin et de la grotte d'où Jésus, au bout de trois jours, est ressuscité, amen, abracadabra, amen.

« Alors les bénédictions du pape se transforment en chocolats de toutes les formes et de tous les goûts, et les cloches se retournent à l'envers pour les rapporter. Tout au long de la nuit, elles volent, et lorsqu'elles rejoignent leurs beffrois et leurs campaniles le dimanche de Pâques, elles se remettent à l'endroit et elles commencent à se balancer pour communiquer leur joie en carillonnant à tue-tête. »

Les cloches de Paris, de Rome, de Cologne, de Prague. Les cloches de l'angélus, les cloches du glas, sonnant diversement au fil des années de notre exil. Les cloches de Pâques, retentissant si fort dans mon souvenir que cela me fait mal de les entendre.

« Alors les chocolats s'envolent par-dessus les champs et les villes. Ils dégringolent à travers les airs sous les sonneries des cloches. Certains se fracassent en heurtant le sol. Mais les enfants fabriquent des nids qu'ils placent haut dans les arbres pour recueillir les œufs qui tombent, les rochers pralinés, les poules et les lapins en chocolat, les guimauves et les amandes… »

Jeannot se tourne vers moi avec un visage exalté et un sourire immense. « *Cool !*

— Voilà donc l'histoire qui explique pourquoi on a des chocolats à Pâques. »

Respectueuse et intimidée, la voix de Jeannot se fait aiguë, comme sous l'effet d'une conviction subite :

« Faites-le ! S'il vous plaît, faites-le ! »

Je me retourne pour rouler une truffe dans la poudre de cacao. « Faire quoi ?

— Faites *ça* ! Cette histoire de Pâques. Ce serait tellement cool… avec les cloches et le pape et tout et tout… et vous pourriez organiser une fête du chocolat… une semaine entière… et nous pourrions fabriquer des nids… et préparer des chasses aux œufs de Pâques… et… » Il s'interrompt, tout agité, tirant impérieusement sur ma manche. « Madame Rocher, *s'il vous plaît.* »

Derrière lui, Anouk me scrute attentivement. En arrière-plan, une douzaine de frimousses barbouillées formulent du bout des lèvres de timides suppliques.

« Un *grand festival du chocolat...* » déclarai-je en réfléchissant. D'ici à un mois, les lilas seront en fleur. Je fabrique toujours un nid pour Anouk, avec un œuf orné de son prénom en glaçage argenté. Cela pourrait être notre propre carnaval, une fête célébrant notre intégration dans cette ville. L'idée n'a rien de nouveau pour moi, mais l'entendre énoncer par cet enfant équivaut presque à en palper concrètement la réalité.

« Il va nous falloir des affiches. » Je feins l'hésitation.

« C'est nous qui les ferons ! » Anouk est la première à le suggérer, le visage fiévreux d'excitation.

« Et des drapeaux... des banderoles...

— Des serpentins...

— Et un Jésus en chocolat sur la croix avec...

— Le pape en chocolat blanc...

— Des agneaux en chocolat...

— Des courses avec des œufs, des chasses au trésor...

— On invitera tout le monde, ce sera...

— *Cool !*

— Tellement *cool...* »

Je levai les bras pour les faire taire, pleine d'hilarité. Une volute amère de cacao en poudre s'accrocha à mon geste.

« Vous faites les affiches, leur dis-je. Le reste, je m'en charge. »

Bras tendus, Anouk me sauta au cou. Il émane d'elle une odeur de sel et d'eau de pluie, un parfum cuivré d'humus et de végétation détrempée. Ses cheveux emmêlés sont constellés de gouttelettes.

« On monte dans ma chambre ! hurla-t-elle dans mon oreille. Ils peuvent, hein, maman, dis, ils peuvent ? On peut s'y mettre tout de suite, j'ai du papier, des crayons de couleur…

— Ils peuvent », concédai-je.

Une heure plus tard, la vitrine se trouvait agrémentée d'une immense affiche — une création d'Anouk exécutée par Jeannot. Le texte, rédigé en grandes lettres tremblées de couleur verte, disait :

GRAND FESTIVAL DU CHOCOLAT
À LA CÉLESTE PRALINE
À PARTIR DU DIMANCHE DE PÂQUES.
OUVERT À TOUS.
NE TARDEZ PAS À FAIRE VOS ACHATS !

Autour du texte, diverses créatures nées de leur imagination exécutaient des cabrioles. Un personnage affublé d'une robe et d'une grande couronne figurait sans doute le pape. Des silhouettes de cloches découpées avaient été collées en grand nombre à ses pieds. Toutes les cloches souriaient.

Je passai la plus grande partie de l'après-midi à surveiller la nouvelle fournée de chocolat et à travailler à l'aménagement de la vitrine. Du papier de soie vert pour représenter l'herbe. Des fleurs en papier — des jonquilles et des marguerites, contribution d'Anouk — épinglées au cadre de la devanture. Tapissées de vert, des boîtes en fer-blanc ayant jadis contenu du cacao en poudre s'empilent les unes sur les autres pour former une montagne escarpée. Une pellicule de cellophane recouvre la montagne à la manière d'un manteau de glace. Coulant à ses pieds et s'enfonçant dans la vallée, une rivière en ruban de soie bleue, sur laquelle flotte paisiblement un groupe de péniches. Dans la vallée, un cortège de figurines en chocolat, des chats, des chiens, des lapins, certains avec des yeux en raisins secs, des oreilles de pâte d'amandes rose, des queues de réglisse avec des fleurs en sucre entre les dents... Et des souris. Partout, absolument partout, des souris. Gravissant les flancs de la colline, blotties dans les recoins, jusque sur les péniches. Des souris en sucre de coco rose et blanc, des souris en chocolat de toutes les couleurs, des souris bigarrées fourrées à la truffe et au marasquin, des souris aux teintes délicates, des souris en glaçage parsemées de grains de sucre. Et au-dessus de tout ce petit monde, resplendissant dans son costume rouge et jaune, le joueur de flûte d'Hamelin, un pipeau en sucre d'orge dans une main, son chapeau dans l'autre. J'ai des centaines de moules dans ma cuisine, des moules en plastique fin pour les œufs et les figurines, des moules en céramique pour les camées et les chocolats à la liqueur. Avec ces moules, je peux recréer n'importe quelle expression du visage et la plaquer sur une coquille creuse, ajoutant cheveux et détails à l'aide d'une poche à douille extrêmement fine, fabriquant le torse et les membres séparément et les fixant sur le corps avec des fils métalliques et du chocolat fondu. Un léger camouflage : une cape rouge, taillée dans de la pâte d'amandes. Une tunique, un chapeau de même matière, une longue plume qui caresse le sol au niveau de ses pieds chaussés de bottes. Avec ses cheveux rouges et sa tenue hétéroclite, mon joueur de flûte ressemble un peu à Roux.

C'est plus fort que moi ; la vitrine est déjà assez attrayante, mais je ne peux résister à la tentation de l'embellir encore, de baigner l'ensemble, en fermant les yeux, d'un chaleureux éclat doré. Une enseigne imaginaire qui clignote comme un phare — venez me voir. J'ai envie de donner, de rendre les gens heureux ; cela ne peut pas faire de mal, tout de même. Je me rends bien compte que cette hospitalité constitue peut-être une réaction à l'animosité de Caroline envers les nomades, mais dans la joie de l'instant, je ne vois pas le tort que cela peut faire. Je *veux* qu'ils viennent. Depuis que nous avons parlé la dernière fois je les ai aperçus de temps en temps, mais ils se comportent de façon soupçonneuse et fuyante, tels des renards urbains, prêts à opérer des razzias mais non à se laisser approcher. Le plus souvent, je vois Roux, leur ambassadeur, qui transporte des cartons ou des sacs de provisions, et aussi parfois Zézette, la fille maigrichonne au sourcil percé. Hier soir, deux enfants ont essayé de vendre de la lavande devant l'église, mais Reynaud les a fait dégager. J'ai essayé de les rappeler, mais ils étaient trop méfiants, ils m'ont dévisagée en plissant les yeux avec hostilité avant de dévaler la colline à fond de train pour rejoindre les Marauds.

J'étais tellement absorbée par mes projets et l'élaboration de ma vitrine que j'en ai perdu la notion du temps. Anouk a préparé des sandwiches à ses amis dans la cuisine, puis ils ont disparu à nouveau en direction de la rivière. J'ai allumé la radio et me suis mise à chantonner tout en travaillant, disposant soigneusement les chocolats en forme de pyramides. La montagne magique s'ouvre pour révéler un impressionnant rassemblement de merveilles entraperçues : des piles multicolores de sucre candi, de fruits glacés et de bonbons qui miroitent comme des pierres précieuses. Derrière, et protégées de la lumière par les rayonnages, se trouvent les marchandises à vendre. Je vais devoir me mettre au travail pour les articles de Pâques presque immédiatement, en prévision de l'afflux de clientèle supplémentaire. C'est une chance qu'il y ait de la place pour stocker les produits au frais dans le sous-sol de la maison. Je dois commander des boîtes-cadeaux, des rubans, de la cellophane et des garnitures. J'étais tellement occupée que c'est à peine si j'ai entendu Armande alors qu'elle poussait la porte entrouverte.

« Eh bien, bonjour ! s'écria-t-elle avec sa brusquerie habituelle. J'étais venue boire un autre de vos délicieux chocolats chauds, mais je vois que vous êtes occupée.

— Non, bien sûr que non ! protestai-je en me glissant avec précaution hors de la vitrine. Je vous attendais. Du reste, j'ai presque terminé, et mon dos me fait un mal de chien.

— Alors, si ça ne vous dérange pas... » Son comportement était différent aujourd'hui. Sa voix était un peu cassante, empreinte d'une désinvolture étudiée qui dissimulait une grande tension nerveuse. Elle portait un chapeau de paille noir que garnissait un ruban et un manteau, noir lui aussi et qui avait l'air neuf.

« Vous êtes très chic aujourd'hui », commentai-je.

Elle s'esclaffa. « Personne ne m'a fait un compliment pareil depuis un bon bout de temps, croyez-moi, répondit-elle, pointant un doigt vers un des tabourets. Est-ce que vous pensez que je pourrai monter là-dessus sans me casser une jambe ?

— Je vais vous chercher une chaise dans la cuisine », suggérai-je aussitôt. Mais la vieille dame m'arrêta d'un geste impérieux.

« Pas question ! s'exclama-t-elle en appréciant la hauteur du tabouret. J'étais une sacrée grimpeuse dans ma jeunesse. » Elle ramassa ses longues jupes, dévoilant de bonnes grosses bottes et des bas gris tout pochés aux genoux. « Surtout aux arbres. Je grimpais aux arbres et je jetais des brindilles sur la tête des passants. Ha ! » Avec un grognement de satisfaction, elle se hissa sur le tabouret, s'agrippant au comptoir pour s'aider. J'aperçus tout à coup sous sa jupe noire un inquiétant tourbillon écarlate.

Armande se percha sur le tabouret, avec une mine étonnamment réjouie. D'une main délicate, elle remit ses jupes en ordre sur le bouillonnement chatoyant de sa combinaison écarlate. « Des dessous de soie rouge ! m'annonça-t-elle avec un grand sourire, en voyant mon regard. Vous pensez sans doute que je suis une vieille folle, mais je les adore. Je porte le deuil depuis tellement d'années — chaque fois que je pourrais en toute décence remettre des couleurs, quelqu'un semble s'arranger pour casser sa pipe... — que j'ai quasiment renoncé à porter autre chose que du noir. » Elle me regarda d'un air goguenard. « Mais les *dessous*... ça, ce n'est pas la même chose. » Elle baissa la voix pour adopter un ton de conspiratrice. « Commandés à Paris, précisa-t-elle. Une fortune... » Sur son perchoir, elle fut secouée d'un rire silencieux. « Bon, alors, et ce chocolat ? »

Je lui préparai son breuvage très fort et très noir et, pensant à son diabète, y ajoutai aussi peu de sucre que je l'osai.

Armande remarqua mon hésitation et braqua un doigt accusateur sur sa tasse. « Pas de rationnement ! ordonna-t-elle. Donnez-moi le grand tralala. Copeaux de chocolat, une de ces petites cuillères en sucre candi, enfin tout, quoi ! Ne vous mettez pas à devenir comme les autres, à me traiter comme si je n'avais plus assez de tête pour me débrouiller toute seule. Est-ce que je vous parais sénile ? »

Je lui affirmai que non.

« Bien, dans ce cas. » Elle sirota la puissante mixture généreusement sucrée avec une satisfaction évidente. « C'est bon. Hmm. Très bon. Censé vous donner de l'énergie, pas vrai ? Un authentique... comment appelez-vous ça... ah oui, un stimulant ? »

J'acquiesçai.

« Un aphrodisiaque aussi, d'après ce qu'on raconte, poursuivit Armande avec malice, en m'observant à la dérobée par-dessus le rebord de sa tasse. On n'est jamais trop vieille pour se payer du bon temps ! » Son éclat de rire retentit tel un croassement. Sa voix était stridente et surexcitée, ses mains de vieille femme tremblaient. Plusieurs fois, elle porta la main au bord de son chapeau, comme pour le rajuster.

Je jetai un coup d'œil à ma montre à l'abri du comptoir, mais elle repéra mon geste.

« N'espérez pas qu'il vienne, dit-elle sèchement. Mon satané petit-fils. Moi je n'y compte pas, de toute façon. » Le moindre de ses mouvements démentait ses paroles. Les tendons de sa gorge saillaient comme ceux d'une danseuse centenaire.

Nous discutâmes un moment de sujets insignifiants : des enfants et de leur idée d'un festival du chocolat — Armande gloussa quand je lui parlai du pape en chocolat blanc et de Jésus sur sa croix — ainsi que des gitans de la rivière. Apparemment, Armande, à la grande indignation de Reynaud, a commandé elle-même et sous son nom les provisions dont ils ont besoin. Roux a proposé de la régler en liquide, mais à la place elle préfère qu'il lui répare son toit qui fuit. Histoire de faire bien enrager Georges Clairmont, souligna-t-elle avec un grand sourire espiègle.

« Il se plaît à penser qu'il est le seul à pouvoir me dépanner, déclara-t-elle avec satisfaction. Aussi casse-pieds l'un que l'autre, ces deux-là, avec leurs éternels jacassements à propos de l'affaissement du terrain et de l'humidité de ma maison. Ils veulent que je parte, voilà la vérité. Que je quitte ma jolie maison pour un affreux établissement de retraite où l'on est obligé de demander la permission pour aller aux cabinets ! » Elle était indignée, ses yeux noirs lançaient des étincelles.

« Eh bien, ils vont voir ! s'écria-t-elle. Roux était maçon, avant de vivre sur la rivière. Lui et ses amis s'en tireront très bien. Et je préfère les payer eux pour effectuer ce travail honnêtement plutôt que de voir cet imbécile me le faire pour rien. »

Elle rajusta le bord de son chapeau de ses mains nerveuses. « Je ne compte pas sur lui, vous savez. »

Je savais que ce n'était pas de la même personne qu'elle parlait. Je regardai ma montre. Quatre heures vingt. La nuit tombait déjà. Et pourtant j'avais été tellement *sûre*… Voilà ce que ça donnait, de se mêler des affaires des autres, me sermonnai-je avec colère. On causait si facilement de la souffrance à autrui, à soi-même.

« Je n'ai jamais cru qu'il viendrait, poursuivit Armande de cette voix tranchante et résolue. *Elle* s'est arrangée pour qu'il n'en ait pas envie. Elle lui a bien fait la leçon, ah ça oui. » Elle commença à se tortiller pour descendre de son perchoir. « J'ai déjà trop abusé de votre temps, reprit-elle d'un ton sec. Il faut que je sois… »

« M-Mémée. »

Elle pivote si brusquement que je suis convaincue qu'elle va tomber. Le gamin se tient tranquillement à l'entrée. Il porte un jean et un sweat-shirt bleu marine. Il a une casquette de base-ball mouillée sur la tête. Sa voix est douce et timide.

« Il a fallu que j'at-j'attende que ma m-mère s'en aille. Elle est chez le c-coiffeur. Elle ne sera pas rentrée avant s-six heures. »

Armande le regarde. Ils ne se touchent pas, mais je sens quelque chose passer entre eux comme une décharge électrique. Trop compliqué pour moi à analyser, mais il y a de la tendresse et de la colère, de la gêne, de la culpabilité… et derrière tout cela une promesse de douceur.

« Tu as l'air trempé. Je vais te préparer une boisson chaude », suggéré-je en m'éclipsant dans la cuisine. Comme je quitte la pièce, j'entends à nouveau la voix du garçon, basse et hésitante.

« Merci pour le l-livre. Je l'ai là avec moi. » Il le brandit comme un drapeau blanc. L'ouvrage n'est plus neuf, il est usé comme un livre qui a été lu et relu, avec passion et à maintes reprises. Armande prend note de ce détail, et son visage perd son expression figée.

« Lis-moi ton poème préféré », dit-elle à son petit-fils.

De la cuisine, pendant que je verse le chocolat dans deux petits verres, pendant que j'y incorpore la crème et le kahlua et que je fais suffisamment de bruit avec les casseroles et les bouteilles pour leur donner l'illusion de l'intimité, j'entends la voix du garçon qui s'élève, tout d'abord empruntée, puis de plus en plus rythmée et assurée. Je n'arrive pas à distinguer les mots, mais de loin ils composent comme une prière ou une invective. Je remarque que, lorsqu'il lit, le garçon ne bégaie pas.

Je déposai les deux verres avec précaution sur le comptoir. Au moment où j'étais revenue dans la boutique, le garçon s'était arrêté au milieu d'une phrase pour me dévisager avec une méfiance polie, les cheveux retombant sur les yeux comme la crinière d'un poney rétif. Il me remercia avec une courtoisie scrupuleuse, but son chocolat à petites gorgées avec plus de prudence que de plaisir.

« Je ne suis pas c-censé boire de chocolat, dit-il d'un air sceptique. Ma mère d-dit que le ch-chocolat me d-donne des b-boutons.

— Et moi il pourrait me tuer instantanément », s'écria Armande du tac au tac. Elle s'esclaffa en voyant sa réaction. « Allons, mon garçon, tu ne mets donc *jamais* en doute ce que dit ta mère ? Ou bien est-ce qu'elle t'a extirpé le peu de bon sens que tu avais peut-être hérité de moi ? »

Luc paraissait complètement dérouté. « C-c'est seulement c-ce qu'elle d-dit », répéta-t-il d'un air piteux.

Armande secoua la tête. « Eh bien, si j'ai envie d'entendre ce que Caro a à dire, je peux prendre rendez-vous avec elle. Mais *toi*, qu'est-ce que tu as à dire ? Tu es un petit gars intelligent, tu l'étais en tout cas : alors, quel est ton avis ? »

Luc but une autre gorgée. « Je pense qu'elle a sans doute exagéré, déclara-t-il avec un tout petit sourire. Tu m'as l'air d'aller tr-très bien.

— Je n'ai pas de boutons non plus », renchérit Armande.

Surpris, il éclata de rire. Je l'aimais mieux ainsi : ses yeux verts brillaient d'un éclat plus vif, son sourire coquin ressemblait étrangement à celui de sa grand-mère. Il demeurait sur ses gardes, mais derrière sa profonde réserve je commençais à deviner une intelligence vive et un sens de l'humour très aiguisé.

Il termina son chocolat mais refusa une part de gâteau ; Armande, quant à elle, en prit deux. Durant la demi-heure qui suivit, ils bavardèrent ensemble alors que je faisais semblant de vaquer à mes affaires. Une fois ou deux, je le surpris qui m'observait avec une curiosité circonspecte, le contact incertain qui pouvait exister entre nous se rompant dès qu'il s'établissait. Je les laissai tranquilles.

Il était cinq heures et demie lorsque tous deux s'en allèrent. Il ne fut pas question d'une autre rencontre, mais la façon désinvolte dont ils prirent congé laissait supposer qu'ils avaient l'un et l'autre la même idée en tête. Cela me surprit un peu de les voir si semblables, se tournant mutuellement autour avec cette prudence qu'ont les amis quand ils se trouvent réunis après de longues années de séparation. Ils ont tous deux les mêmes tics, le même regard direct, les mêmes pommettes en biais, le même menton pointu. Quand les traits du gamin sont au repos, cette similarité se dissipe en partie, mais quand ses traits s'animent, Luc ressemble de manière étonnante à sa grand-mère, son visage se dépouillant de cet aimable masque de politesse que déplore la vieille dame. Les yeux d'Armande brillent de mille feux sous la bordure de son chapeau. Luc paraît presque détendu, son bégaiement faisant place à une légère hésitation, à peine perceptible. Je le vois qui s'arrête à la porte, se demandant peut-être s'il doit l'embrasser. Cette fois-ci, l'aversion adolescente qu'il ressent à l'égard de tout contact physique est encore trop forte. Il lève la main en un timide geste d'adieu, puis disparaît.

Armande se tourne vers moi, les traits empourprés par le triomphe. L'espace d'une seconde, son visage est comme mis à nu, transfiguré d'amour, d'espoir et de fierté. Puis la réserve qu'elle partage avec son petit-fils réapparaît. Avec cet air de désinvolture forcée, cette inflexion bourrue dans la voix, elle me lance : « Ça m'a bien plu, Vianne. Il se peut que je revienne. » Me décochant alors un de ses regards si directs, elle tend une main pour me toucher le bras. « C'est vous qui l'avez amené ici, dit-elle. Moi, je n'aurais pas su comment m'y prendre.

— Ce serait arrivé à un moment ou un autre, affirmai-je en haussant les épaules. Luc n'est plus un enfant. Il faut bien qu'il apprenne à agir de son propre chef.

— Non, c'est vous, s'entêta Armande, qui se tenait assez près de moi pour que me parviennent les effluves de son parfum au muguet. Le vent a changé depuis que vous êtes arrivée ici. Je le sens. Tout le monde le sent. Tout est en train de bouger. Youpi ! s'exclama-t-elle avec un petit rire amusé.

— Mais je ne fais absolument rien ! me récriai-je en pouffant avec elle. Je me contente de m'occuper de mes affaires. De faire tourner ma boutique. D'être moi. » Malgré mon éclat de rire, je me sentais mal à l'aise.

« Ça n'a pas d'importance, répliqua Armande. C'est quand même vous qui en êtes responsable. Regardez tous ces changements : moi, Luc, Caro, ces gens sur la rivière — elle eut un brusque mouvement de tête en direction des Marauds —, même l'autre ostrogoth dans sa tour d'ivoire de l'autre côté de la place. Nous sommes tous en train de changer. D'aller plus vite. Comme une vieille pendule indiquant la même heure depuis des années et qu'on remonte enfin. »

Ce raisonnement se rapprochait trop des pensées qui m'avaient hantée moi-même la semaine précédente. Je secouai vigoureusement la tête. « Ce n'est pas moi, protestai-je. C'est lui. Reynaud. Pas moi. »

Une image s'impose soudain dans ma tête, telle une carte qu'on retourne. L'Homme Noir dans son clocher, faisant tourner le mécanisme de plus en plus vite, faisant retentir le carillon, faisant retentir l'alarme, nous chassant de la ville… Et cette image troublante s'accompagnait d'une autre image : celle d'un vieil homme sur un lit, des tubes dans le nez et les bras, avec l'Homme Noir penché au-dessus de lui, accablé ou triomphant, pendant que, derrière lui, un feu crépitait.

« Est-ce que c'est son père ? » Je dis les premiers mots qui me vinrent à l'esprit. « Je veux dire… le vieil homme qu'il va voir. À l'hôpital. Qui est-ce ? »

Armande me jeta un regard surpris. « Comment êtes-vous au courant ?

— Quelquefois, j'ai des… sensations… à propos des gens. » Pour une raison mystérieuse, je répugnais à reconnaître que je lisais dans le chocolat, je répugnais à employer la terminologie à laquelle ma mère m'avait tellement familiarisée.

« Des sensations. » La curiosité d'Armande avait été piquée, mais elle ne m'interrogea pas davantage.

« Alors il y a bel et bien un vieil homme ? » Je ne pouvais chasser l'idée que j'étais tombée sur quelque chose d'important. Une arme, peut-être, dans mon combat secret contre Reynaud. « Qui est-ce ? » insistai-je.

Armande eut un haussement d'épaules. « Un autre prêtre », lâcha-t-elle avec un mépris mâtiné de dégoût, sans vouloir rien ajouter.

16

Mercredi 26 février

Quand j'ai ouvert ce matin, Roux attendait à la porte. Il portait une salopette en jean, et ses cheveux étaient attachés par une ficelle. Il attendait manifestement depuis un certain temps, car sa tête et ses épaules étaient recouverts d'un voile de gouttelettes déposé par la brume matinale. Il m'adressa ce qui n'était pas tout à fait un sourire, puis regarda derrière moi à l'intérieur de la boutique où Anouk était en train de jouer.

« Bonjour, petite étrangère », lui dit-il. Cette fois, le sourire était assez authentique, éclairant brièvement son visage circonspect.

« Entrez donc, proposai-je en lui faisant signe. Vous auriez dû frapper. Je ne vous avais pas vu dehors. »

Roux marmonna quelque chose avec son fort accent marseillais et franchit le seuil d'un pas quelque peu intimidé. Il se déplace avec une étrange combinaison de grâce et de maladresse, comme s'il se sentait mal à l'aise quand il n'était pas en plein air.

Je lui servis un grand verre de chocolat noir corsé de kahlua. « Vous auriez dû amener vos amis », lui dis-je d'un ton léger.

Il répondit par un haussement d'épaules. Je le vis qui regardait autour de lui, examinant le décor avec un intérêt aussi vif que soupçonneux.

« Pourquoi ne vous asseyez-vous pas ? » demandai-je, indiquant les tabourets du comptoir.

Roux fit non de la tête. « Merci. » Il avala une gorgée de chocolat. « En fait, je me demandais si vous pourriez m'aider. Nous aider. » Il avait l'air embarrassé et furieux en même temps. « Pas avec de l'argent, s'empressa-t-il d'ajouter, comme pour m'empêcher de parler. Nous voulons bien payer, ce n'est pas ça. C'est seulement… l'organisation… qui nous pose un problème. »

Il me lança un regard de vague ressentiment. « Armande… madame Voizin… elle a dit que vous nous aideriez. »

Il m'expliqua la situation pendant que j'écoutais sans souffler mot, l'encourageant de temps à autre d'un signe de tête. Je commençais à comprendre que ce que j'avais pris pour une difficulté à s'exprimer était simplement une profonde amertume d'avoir à demander de l'aide. En dépit de son fort accent, Roux parlait avec intelligence. Il avait promis à Armande qu'il réparerait son toit, expliqua-t-il. C'était un boulot relativement facile qui ne prendrait pas plus de deux jours. Manque de chance, dans le coin, l'unique fournisseur de bois, de peinture et des autres matériaux nécessaires pour accomplir cette tâche était Georges Clairmont, lequel avait catégoriquement refusé de servir aussi bien Armande que Roux. Si Mère voulait qu'on lui répare son toit, Clairmont avait-il dit à Armande d'un ton raisonnable, alors elle n'avait qu'à lui demander à lui, et non à une bande d'escrocs vagabonds. Ce n'était pas comme s'il ne lui avait pas demandé — s'il ne l'avait pas suppliée — de le laisser effectuer bénévolement ces réparations depuis des années. Qu'elle laisse les gitans entrer dans sa maison et Dieu seul savait ce qui pouvait arriver. Des objets précieux pillés, de l'argent volé... Ça s'était déjà vu qu'une vieille femme se fasse attaquer ou tuer pour les quelques malheureux biens qu'elle possédait. Non. C'était un projet absurde, et en toute conscience il ne pouvait pas...

« Mais pour qui se prend-il ? s'écria Roux avec hargne. Il ne sait rien de nous... rien ! À l'entendre, nous sommes tous des voleurs et des meurtriers. J'ai toujours payé ce que je devais. Je n'ai jamais demandé la charité à personne, j'ai toujours travaillé...

— Reprenez donc un chocolat, suggérai-je avec douceur, en lui servant un autre verre. Tout le monde ne pense pas de la même façon que Georges et Caroline Clairmont.

— Je le sais. » Il était sur la défensive, les bras croisés devant sa poitrine.

« J'ai déjà fait appel à Clairmont pour certaines réparations, poursuivis-je. Je lui dirai que j'ai besoin de quelques travaux supplémentaires dans la maison. Si vous me donnez une liste de ce dont vous avez besoin, je vous le prendrai.

— Je paierai tout, répéta Roux, comme si cette question du règlement était une chose qu'il ne soulignerait jamais assez. L'argent n'est vraiment pas un problème.

— Bien sûr. »

Il se détendit un peu et reprit du chocolat. Pour la première fois, il sembla se rendre compte à quel point celui-ci était bon, et il m'adressa un brusque sourire d'une douceur singulière. « Elle a été bonne pour nous, Armande, dit-il. Elle nous a commandé des provisions, et des médicaments pour le bébé de Zézette. Elle nous a défendus quand votre espèce de prêtre s'est repointé.

— D'abord, ce n'est pas *mon* prêtre, rectifiai-je à la hâte. Dans son esprit, je suis autant une intruse que vous dans Lansquenet. » Roux me dévisagea d'un air étonné. « Non, vraiment, insistai-je. Je crois qu'il pense que j'exerce une influence corruptrice. Des orgies de chocolat chaque soir. Des débauches sensuelles aux heures où tous les gens respectables devraient être couchés, seuls. »

Ses yeux ont la couleur voilée du ciel d'une grande ville sous la pluie. Quand il rit, ils étincellent de malice. Anouk, qui était demeurée assise dans un silence inaccoutumé pendant qu'il parlait, réagit en éclatant de rire, elle aussi.

« Vous ne voulez pas de petit déjeuner ? claironna Anouk. Nous avons des pains au chocolat. Nous avons aussi des croissants, mais les pains au chocolat sont meilleurs.

— Je ne pense pas, fit-il en refusant de la tête. Merci. »

Je posai une des pâtisseries sur une assiette que je plaçai à côté de lui. « Cadeau de la maison, lui dis-je. Goûtez-en un, je les fais moi-même. »

De toute évidence, j'avais dit ce qu'il ne fallait pas. Je vis son visage se fermer à nouveau : la lueur d'humour dans ses yeux céda la place à cette expression désormais familière de prudence atone.

« Je peux payer, lança-t-il avec une sorte de défi. J'ai de l'argent. » Il extirpa une poignée de monnaie de la poche de sa salopette. Des pièces roulèrent sur le comptoir.

« Rangez ça, lui ordonnai-je.

— Je vous ai dit que je pouvais payer, répéta-t-il

d'un ton buté, où commençait à percer la rage. Je n'ai pas besoin… »

Je posai ma main sur la sienne. Je sentis un moment sa résistance, puis ses yeux croisèrent les miens. « Personne n'a besoin de faire quoi que ce soit », dis-je gentiment. Je compris que ma marque d'amitié avait blessé sa fierté. « Je vous ai invité. » L'expression d'hostilité demeura inchangée. « J'ai fait la même chose avec tous les autres, persistai-je. Caro Clairmont. Guillaume Duplessis. Même Paul-Marie Muscat, l'homme qui vous a chassé du café. » Je m'arrêtai une seconde, le temps qu'il enregistre. « Qu'est-ce qui vous rend si spécial, pour que vous vous permettiez de refuser quand tous les autres ont accepté ? »

Il parut alors envahi de honte, grommela quelque chose à mi-voix. Puis ses yeux rencontrèrent à nouveau les miens et il sourit. « Pardon. Je n'avais pas compris. » Il se tut quelques instants, gêné, avant de s'emparer de la pâtisserie. « Mais la prochaine fois ce sera *vous* qui serez toutes les deux invitées chez moi, dit-il avec fermeté. Et je serai extrêmement offensé si vous refusez. »

Après cette mise au point, il se laissa aller, perdant une grande part de sa réserve. Nous parlâmes de sujets neutres pendant un moment, mais nous passâmes bientôt à des choses plus personnelles. J'appris que Roux vivait sur la rivière depuis six ans, il avait d'abord voyagé seul puis avec un groupe de compagnons. Il avait autrefois été maçon, et gagnait encore sa vie en effectuant des réparations et en participant aux moissons aussi bien en été qu'en automne. Je crus comprendre que des problèmes l'avaient contraint à cette existence itinérante, mais sus me garder de lui demander des détails.

Il partit dès que mes premiers clients réguliers arrivèrent. Guillaume le salua poliment et Narcisse lui adressa son chaleureux petit signe de tête, mais je ne réussis pas à convaincre Roux de rester discuter avec eux. Au lieu de cela, il fourra dans sa bouche ce qui restait de son pain au chocolat et sortit de la boutique avec cette attitude d'insolence lointaine qu'il se croit obligé d'afficher avec les inconnus.

Au moment où il atteignait la porte, il se retourna brusquement. « N'oubliez pas mon invitation, me dit-il, comme après coup. Samedi soir, sept heures. Amenez la petite étrangère. »

Puis il disparut, avant que j'aie pu le remercier.

Guillaume s'attarda plus longtemps qu'à l'habitude sur son chocolat. Narcisse laissa la place à Georges, puis Arnauld passa acheter trois truffes au champagne — toujours la même chose, trois truffes au champagne et un air de coupable convoitise —, et Guillaume était toujours assis à sa place coutumière, une expression préoccupée sur son visage aux traits menus. Plusieurs fois j'essayai de le faire parler, mais il me répondit par monosyllabes polis, la tête ailleurs. Sous son siège, Charly était sans force et immobile.

« J'ai parlé au curé Reynaud hier, dit-il enfin, d'une manière si soudaine que je sursautai. Je lui ai demandé ce qu'il faudrait que je fasse à propos de Charly. »

Je le regardai d'un air interrogateur.

« C'est dur de lui expliquer, poursuivit Guillaume de sa voix douce et précise. Il croit que je me montre

entêté, que je me refuse à écouter l'avis du vétérinaire. Pis encore, il trouve que je me conduis de
façon stupide. Ce n'est pas comme si Charly était
un être humain, après tout… » Il se tut un instant
et, durant ce silence, je sentis tous les efforts qu'il
déployait pour rester maître de lui.

« C'est vraiment grave à ce point-là ? »

Je connaissais déjà la réponse.

Guillaume posa sur moi un regard désespéré. « Je
crois que oui.

— Je vois. »

Machinalement, il se pencha pour gratter l'oreille
de Charly. La queue du chien s'agita pour la forme,
et l'animal gémit doucement.

« Bon chien, fit Guillaume en me souriant de son
petit sourire perplexe. Le curé Reynaud n'est pas un
méchant homme. Il ne veut pas paraître cruel. Mais
dire une chose pareille… de cette façon-là…

— Qu'est-ce qu'il a dit ? »

Guillaume haussa les épaules. « Il m'a dit que cela
faisait maintenant des années que je me ridiculisais
avec ce chien. Qu'il se moquait pas mal de ce que
je faisais, mais que c'était grotesque de dorloter cet
animal comme s'il s'agissait d'un être humain, ou
de gaspiller mon argent pour lui en traitements inutiles. »

La moutarde me monta au nez. « C'était méchant
de dire ça.

— Il ne comprend pas, répéta Guillaume. Il
n'aime pas vraiment les animaux. Mais Charly et
moi, nous sommes ensemble depuis tellement longtemps… » Il y avait des larmes dans ses yeux et il eut
une brusque secousse de la tête pour les cacher.

« Je l'emmène chez le vétérinaire, là, maintenant,
dès que j'aurai fini mon chocolat. » Son verre était

vide sur le comptoir depuis plus de vingt minutes. « Ce n'est pas forcément pour aujourd'hui, après tout ? » Il y avait un accent de quasi-désespoir dans sa voix. « Il est encore vaillant. Il mange mieux ces derniers temps, je sais qu'il mange mieux. Personne ne peut m'obliger à le faire. » Il parlait à présent comme un enfant récalcitrant. « Je le saurai quand le moment sera vraiment venu. Je le saurai. »

Il n'y avait rien que je pusse dire pour le réconforter. J'essayai, pourtant. Je me baissai pour caresser Charly, sentant sous mes doigts ses os à fleur de peau. Certaines choses peuvent être guéries. Je réchauffai mes doigts, palpant l'animal avec délicatesse, m'efforçant de *voir*. La tumeur me paraissait d'ores et déjà plus grosse. Je savais que c'était sans espoir.

« C'est votre chien, Guillaume, dis-je. Vous êtes le mieux placé.

— C'est vrai. » Il sembla s'égayer un instant. « Ses médicaments l'empêchent de souffrir. Il ne gémit plus la nuit. »

Je pensai à ma mère dans les derniers mois. Sa pâleur, la façon dont la chair fondait sur son squelette, révélant une beauté délicate d'os mis à nu, de peau blanchie. Ses yeux brillants et fiévreux — *La Floride, mon cœur, New York, Chicago, le Grand Canyon, tant de choses à voir !* — et ses cris étouffés la nuit.

« Il vient un moment où on n'a plus le choix, dis-je. Ça n'a plus de sens. Se cacher derrière de bonnes raisons, se fixer des objectifs à court terme pour arriver au bout de la semaine. Au bout d'un moment, c'est l'absence de dignité qui fait plus de mal que tout le reste. On a besoin de se reposer. »

Incinérée à New York, les cendres répandues dans le port. Bizarre, comme on s'imagine toujours mou-

163

rir dans son lit, entouré des siens. À la place, trop souvent, il y a cette brève rencontre déroutante, cette prise de conscience subite, cette fuite affolée devant le soleil qui vous pousse vers l'avant comme un pendule qui se balance, malgré tous les efforts que vous pouvez faire pour le fuir.

« Si j'avais le choix, je ferais celui-là. La piqûre indolore. La main amicale. C'est mieux que de mourir seul la nuit, ou sous les roues d'un taxi dans une rue où personne ne s'en soucie. » Je m'aperçus que, sans le vouloir, j'avais parlé tout haut. « Je suis désolée, Guillaume, dis-je en voyant son air accablé. Je pensais à autre chose.

— Ça ne fait rien, déclara-t-il avec calme, posant les pièces sur le comptoir devant lui. De toute façon j'y allais. »

Ramassant son chapeau d'une main et prenant Charly sous l'autre bras, il sortit, un peu plus voûté qu'à l'accoutumée, petite silhouette morne transportant ce qui aurait pu être un sac rempli de provisions, un vieil imperméable, ou toute autre chose.

17

Samedi 1ᵉʳ mars

Je n'ai pas cessé d'observer sa boutique. Je me rends compte que je fais cela depuis son arrivée, les allées et venues de ses clients, leurs rassemblements furtifs. J'observe sa boutique à la manière dont j'observais les nids de guêpes dans ma jeunesse, avec dégoût et fascination. Ils ont commencé subrepticement au début, s'y rendant sous le couvert du crépuscule ou au petit matin. Ils prenaient l'apparence de véritables clients. Une tasse de café, un paquet de raisins au chocolat pour leurs enfants. Désormais, ils ont renoncé à cette comédie. Les gitans y viennent ouvertement, lançant des regards pleins de défi vers ma fenêtre aux volets clos, le rouquin aux yeux insolents, la fille maigrichonne, la fille aux cheveux décolorés, l'Arabe au crâne rasé. Elle les appelle par leurs noms : Roux, Zézette, Blanche et Mahmed. Hier, à dix heures, la camionnette de Clairmont s'est arrêtée avec une cargaison de matériaux de construction : du bois, de la peinture et du goudron pour étanchéifier les toitures. Le garçon qui la conduisait a déposé les marchandises sur son perron sans un mot. Elle lui a fait un chèque. Ensuite, je n'ai pu me retenir d'observer pendant que ses amis tout souriants hissaient les boîtes, les solives et les cartons sur leurs épaules et les emportaient, hilares, vers les Marauds. Un stratagème, voilà tout. Un stratagème mensonger. Pour quelque raison mystérieuse, elle tient à les aider. Évidemment, c'est pour me contrarier qu'elle agit de cette façon-là. Je ne peux rien faire d'autre que conserver un silence plein de dignité et prier pour sa chute. Mais elle rend ma tâche tellement plus difficile ! Déjà, je dois m'occuper d'Armande Voizin, qui met leurs commissions sur sa propre facture. J'ai déjà veillé à ce détail, mais trop tard : les gitans de la rivière ont suffisamment de provisions pour tenir quinze jours. Pour ce qui est des denrées quotidiennes — le pain, le lait —, ils les rapportent d'Agen, en amont. La pensée qu'ils puissent rester plus longtemps m'emplit de rage. Mais que faire, quand il y a des gens comme ça qui leur viennent en aide ? Vous sauriez que faire, vous, mon père, si seulement vous pouviez me le dire. Et je sais que vous ne vous déroberiez pas à votre devoir, aussi désagréable fût-il. Si seulement vous pouviez me dire que faire. La plus légère pression des doigts suffirait. Un battement de cils. N'importe quoi. N'importe quoi pour me montrer que je suis pardonné. Non ? Vous ne bougez pas. Seulement le bruit pesant — *cchh-poum !* — de la machine qui respire pour vous, envoyant l'oxygène dans vos poumons atrophiés. Je sais qu'un jour prochain vous vous réveillerez, guéri et purifié, et que mon nom sera le premier que vous prononcerez. Voyez-vous, je crois profondément aux miracles. Moi, qui ai enduré l'épreuve du feu, j'y crois.

J'avais décidé d'aller lui parler aujourd'hui. Rationnellement, sans récrimination, comme un père à sa fille. Elle allait bien comprendre, tout de même. Nous avions commencé sur le mauvais pied, elle et moi. Peut-être pourrions-nous reprendre de zéro. Voyez-vous, mon père, j'étais prêt à me montrer généreux. Prêt à comprendre. Mais, comme j'approchais du magasin, je me suis rendu compte, à travers la vitrine, que le nommé Roux était là avec elle, ses yeux durs et clairs fixés sur moi avec cette lueur de dédain moqueuse qu'affectent tous ceux de son espèce. Il tenait un verre d'un breuvage quelconque à la main. Il avait une allure dangereuse, violente, avec sa salopette crasseuse et ses longs cheveux dénoués, et l'espace d'une seconde j'ai éprouvé un pincement d'angoisse pour cette femme. Ne mesure-t-elle pas à quels dangers elle s'expose, rien qu'en étant avec ces gens ? Ne se soucie-t-elle pas de sa sécurité, de celle de son enfant ? J'étais sur le point de rebrousser chemin lorsqu'une affiche dans la vitrine a attiré mon attention. J'ai fait mine de l'examiner pendant une minute tout en les observant à la dérobée l'un et l'autre de l'extérieur. Elle portait une robe d'une belle couleur lie-de-vin, et ses cheveux étaient dénoués. Venant de l'intérieur de la boutique, j'entendis son rire.

Mes yeux parcoururent l'affiche une nouvelle fois. L'écriture était enfantine, mal formée.

GRAND FESTIVAL DU CHOCOLAT
À LA CÉLESTE PRALINE
À PARTIR DU DIMANCHE DE PÂQUES.
OUVERT À TOUS.
NE TARDEZ PAS À FAIRE VOS ACHATS !

Relisant l'annonce, je sentis l'indignation m'envahir lentement. À l'intérieur de la boutique je percevais encore le son de sa voix par-dessus le tintement des verres. Absorbée par sa conversation, elle ne m'avait toujours pas remarqué, se tenant le dos à la porte, les pieds en position de danseuse. Elle portait des chaussures plates ornées de petits nœuds, et n'avait pas de bas.

À PARTIR DU DIMANCHE DE PÂQUES.

Ça me semble évident, à présent. La malice de cette femme, sa satanée malice. Elle avait dû le manigancer depuis le début, ce festival du chocolat, elle avait fait en sorte qu'il coïncide avec la plus sainte des cérémonies de l'Église. Depuis son arrivée, le jour du carnaval, elle devait avoir cela en tête, pour saper mon autorité, tourner mes enseignements en ridicule. Elle et ses amis de la rivière.

Trop furieux pour m'éclipser, comme j'aurais dû, je poussai la porte et pénétrai dans la boutique. Un carillon d'une gaieté railleuse annonça mon entrée, et elle se retourna pour me regarder, souriante. Si je n'avais pas eu à l'instant la preuve de son caractère vindicatif, j'aurais pu jurer que ce sourire était sincère.

« Monsieur Reynaud. »

L'atmosphère est chaude et lourde des effluves de chocolat. Totalement différent de l'insipide chocolat farineux que je connaissais dans mon enfance, celui-ci exhale un parfum plein de richesse, comparable au puissant arôme de café qui se dégage du stand de torréfaction sur le marché, une délicieuse odeur d'amaretto et de tiramisu, un goût de fumé et de brûlé qui m'excite les papilles et me fait saliver. Sur le comptoir trône une chocolatière en argent remplie de ce breuvage et d'où s'élève une vapeur. Je me souviens que je n'ai pas déjeuné ce matin.

« Mademoiselle. » Je voudrais que ma voix soit

plus impérieuse. La fureur m'a resserré la gorge et, à la place du mugissement scandalisé que j'espérais produire, je n'émets qu'un petit coassement indigné, comme une grenouille bien polie. « Mademoiselle Rocher. » Elle me regarde d'un air interrogateur. « J'ai vu votre affiche ! »

— Merci, répond-elle. Voulez-vous vous joindre à nous pour boire quelque chose ?

— Non ! »

D'un ton enjôleur : « Mon *chococcino* est merveilleux, si vous avez la gorge délicate.

— Je n'ai pas la gorge délicate !

— Ah non ? » Sa voix est pleine d'une fausse sollicitude. « Il me semblait que vous étiez un peu enroué. Un grand crème alors ? Ou bien un moka ? »

Non sans effort, je recouvrai mon sang-froid. « Je ne veux pas vous déranger, merci. »

À ses côtés, l'homme aux cheveux roux s'esclaffe doucement et dit quelque chose dans son patois. Je remarque que ses mains sont striées de peinture, une teinte pâle qui s'est incrustée dans les plis de ses paumes et de ses phalanges. A-t-il travaillé ? me demandé-je avec inquiétude. Et le cas échéant, pour qui ? Si nous étions à Marseille, la police l'arrêterait pour travail illégal. Une perquisition sur son bateau mettrait sans doute au jour suffisamment de preuves — de la drogue, des biens volés, des articles pornographiques, des armes — pour le coffrer pour de bon. Mais nous sommes à Lansquenet. Il faudrait au minimum de très graves violences pour que la police se déplace jusqu'ici.

« J'ai vu votre affiche », réitéré-je, avec toute la dignité que je parviens à rassembler. Les yeux pétillants, elle me contemple avec cette expression de bienveillance courtoise qu'elle a toujours. « Je dois vous dire — je suis obligé de m'éclaircir la gorge, celle-ci s'étant à nouveau remplie de bile —, je dois vous dire que je trouve votre choix de date... la date de votre... *manifestation*... déplorable.

— Mon choix de date ? répète-t-elle, l'air innocent. Vous voulez dire les fêtes de Pâques ? » Elle esquisse un petit sourire malicieux. « Je croyais plutôt que c'étaient les gens comme vous qui étaient responsables de ces dates. Vous devriez en toucher un mot au pape. »

Je la fixai d'un regard froid. « Je crois que vous savez exactement de quoi je veux parler. »

À nouveau, cet air d'interrogation polie.

« Festival du chocolat. Ouvert à tous. » Ma fureur monte comme du lait qui bout, incontrôlable. Je me sens stimulé, galvanisé par sa chaleur. Je braque sur Vianne Rocher un doigt accusateur. « N'allez pas vous imaginer que je n'aie pas compris à quoi rimait tout cela.

— Laissez-moi deviner. » Sa voix est suave, intriguée. « C'est une attaque personnelle contre vous. Une tentative délibérée pour miner les fondations de l'Église catholique. » Elle éclate d'un rire strident qui trahit son hypocrisie. « À Dieu ne plaise qu'une confiserie ose vendre des œufs de Pâques au moment de Pâques... » Sa voix est mal assurée, presque effrayée, mais je ne vois pas vraiment ce qu'elle redoute. L'homme aux cheveux roux me lance un regard furieux. Péniblement, elle se ressaisit, et l'accès de peur que j'avais cru percevoir en elle est soudain enrayé par son sang-froid retrouvé.

« Je suis sûre qu'il y a de la place ici pour nous deux, déclare-t-elle d'un ton égal. Êtes-vous certain que vous ne voulez pas une tasse de chocolat ? Je pourrais vous expliquer ce que... »

Je secoue la tête avec fureur, comme un chien harcelé par les guêpes. Le calme qu'elle affiche me met hors de moi, et j'entends un bourdonnement dans ma tête, je ressens un vertige qui fait tournoyer la pièce autour de moi. L'odeur crémeuse du chocolat me rend fou. Un instant, mes sens sont comme exacerbés ; je distingue le parfum de cette femme, une caresse de lavande, l'odeur chaude et épicée de sa peau. Je perçois également les relents des marais, ainsi que les effluves musqués d'huile de moteur, de sueur et de peinture qu'exhale son ami rouquin.

« Je… non… je… » Comme dans un cauchemar, j'ai oublié ce que j'allais dire. Quelque chose à propos du respect, je crois, à propos de la communauté. Quelque chose à propos de cet objectif auquel nous devons tous tendre, à propos de la vertu, de la décence, de la moralité. Loin de prononcer ce discours, j'ai du mal à respirer et la tête me tourne. « Je… je… » Je n'arrive pas à chasser l'idée que c'est *elle* qui me fait ça, qui bouleverse mes sens, qui m'atteint au plus profond de moi. Elle se penche en avant, feignant la sollicitude, et son parfum assaille une fois encore mes narines.

« Vous allez bien ? » Sa voix me parvient de très loin. « Monsieur Reynaud, vous allez bien ? »

Je la repousse d'une main tremblante. « Ce n'est rien. » J'arrive enfin à parler. « Une légère… indisposition. Rien de grave. Je vais vous dire au re… » Tel un aveugle, je rejoins la porte en trébuchant. Un sachet rouge suspendu au jambage m'effleure le visage — encore une preuve de sa superstition — et je n'arrive pas à m'ôter de la tête l'idée absurde que cette chose ridicule est responsable de mon malaise : des herbes et des os enfermés dans un sachet et accrochés là pour troubler mon esprit. J'émerge dans la rue d'un pas titubant, le souffle court. La pluie qui tombe dissipe aussitôt mon vertige, mais je continue à marcher. Je continue.

Je ne me suis arrêté qu'une fois parvenu à votre chevet, mon père. J'ai le cœur qui bat très fort, le visage dégoulinant de sueur, mais je me sens enfin purgé de la présence de cette femme. Est-ce le sentiment que vous avez éprouvé ce jour-là, mon père, dans le vieux presbytère ? La tentation avait-elle ce visage ?

Les pissenlits poussent partout : leurs feuilles amères transpercent la terre noire et leurs racines blanches s'enfoncent profondément dans le sol, s'y agrippant fermement. Bientôt ils seront en fleur. Je rentrerai par la rivière, mon père, afin d'observer la petite cité flottante qui grandit à vue d'œil, s'étalant sur les flots gonflés de la Tannes. D'autres bateaux sont arrivés depuis notre dernière conversation, de sorte que la rivière en est littéralement pavée. Un homme pourrait la traverser à pied sec.

OUVERT À TOUS.

Est-ce donc ce qu'elle recherche ? Un rassemblement de ces gens-là, une célébration de l'outrance ? Nous nous sommes pourtant beaucoup battus, mon père, pour annihiler ces survivances de traditions païennes, nous avons pourtant fait assaut d'exhortations et de cajoleries... L'œuf, le lapin, ces symboles persistants des racines vivaces du paganisme, dénoncés pour ce qu'ils sont. Pendant quelque temps, nous sommes restés purs. Mais, avec cette femme, la purge doit recommencer. C'est une épreuve plus rude, qu'il nous faut une fois encore surmonter. Et mes paroissiens, mes stupides paroissiens si confiants, qui se tournent vers elle, qui l'*écoutent*... Armande Voizin. Julien Narcisse. Guillaume Duplessis. Joséphine Muscat. Georges Clairmont. Ils entendront citer leurs noms dans le sermon de demain en même temps que tous ceux qui ont prêté l'oreille à cette femme. Le festival du chocolat n'est qu'un élément de ce tout absolument écœurant, leur dirai-je. Ce soutien aux nomades de la rivière. Ce défi délibéré à nos coutumes et à nos observances. Cette influence qu'elle exerce sur nos enfants. Toutes ces choses-là, leur dirai-je, toutes ces choses-là ne font que témoigner de l'effet insidieux qu'entraîne ici la présence de cette femme.

Ce festival qu'elle compte organiser va échouer. Ridicule d'imaginer qu'avec une telle force d'opposition il puisse réussir. Je prêcherai dimanche contre ce festival. Je lirai tout haut les noms de ses collaborateurs et prierai pour leur délivrance. Les gitans ont déjà apporté certains troubles. Muscat se plaint que leur présence fait fuir les clients. Le vacarme de leur campement, la musique, les feux, ont transformé les Marauds en bidonville flottant, la surface de l'eau est constellée d'huile de vidange, des amoncellements de déchets partent avec le courant. Quant à la femme de Muscat, le bruit court qu'elle les aurait accueillis à bras ouverts. Heureusement, Muscat ne se laisse pas intimider par ces gens-là. Clairmont m'a raconté qu'il les avait fichus dehors sans aucune difficulté la semaine dernière lorsqu'ils avaient osé mettre le pied dans son café. Voyez-vous, mon père, en dépit de leurs fanfaronnades, ces gens-là sont des lâches. Muscat a bloqué le sentier en provenance des Marauds afin de décourager leur passage. La perspective de la violence me consterne, père, mais, dans un sens, un éclat de cette nature ne me déplairait pas. Il me fournirait l'excuse dont j'ai besoin pour que la police se déplace d'Agen. Il faut que je reparle à Muscat. Il saura sûrement que faire.

18

Samedi 1er mars

Le bateau de Roux est un des plus proches du rivage, amarré à quelque distance des autres, en face de la maison d'Armande. Ce soir, des lampions ont été suspendus à la proue comme des fruits lumineux, et tandis que nous nous dirigions vers les Marauds, nous avons humé avec délices, venant de la berge, une piquante odeur de grillades. Les fenêtres d'Armande étaient grandes ouvertes sur la rivière, et les lumières de la maison composaient à la surface de l'eau des motifs changeants. Je fus frappée par l'absence de déchets, le soin avec lequel les plus infimes détritus destinés à être brûlés avaient été rassemblés dans des bidons en fer. De l'un des bateaux mouillés plus loin en aval nous parvenait le son d'une guitare. Roux était assis sur la petite jetée, à contempler les flots. Certains nomades l'avaient déjà rejoint, parmi lesquels je reconnus Zézette, une autre fille du nom de Blanche, ainsi que le Nord-Africain appelé Mahmed. À côté d'eux, sur un brasero, quelque chose cuisait.

Anouk se précipita tout de suite vers le feu. J'entendis Zézette qui la mettait en garde d'une voix douce : « Attention, mon cœur, c'est chaud. »

Blanche me tendit une grande tasse contenant du

vin chaud épicé ; je m'en emparai avec un sourire. « Voyons ce que vous pensez de ça », me dit-elle.

Sucré et relevé de citron mais aussi de muscade, le breuvage était tellement alcoolisé qu'il vous brûlait la gorge. Pour la première fois depuis des semaines, la nuit était claire, et notre haleine dessinait de petits dragons pâles dans l'air immobile. Une mince brume planait sur la rivière, qu'éclairaient de-ci de-là les lumières des bateaux.

« Pantoufle en veut, lui aussi », dit Anouk en indiquant la casserole de vin épicé.

Roux sourit : « Pantoufle ?

— Le lapin d'Anouk, m'empressai-je d'expliquer. Son… ami imaginaire.

— Je ne suis pas sûr que ça plairait beaucoup à Pantoufle, lui dit-il. Peut-être qu'il aimerait mieux un peu de jus de pomme à la place ?

— Je vais lui demander », dit Anouk.

Roux paraissait différent ici, plus détendu : sa silhouette se profilait sur le feu pendant qu'il surveillait sa cuisine. Je me souviens des écrevisses, fendues en deux et grillées sur les braises, des sardines, des épis de maïs, des patates douces, des pommes caramélisées roulées dans le sucre et revenues un quart de seconde dans le beurre, des crêpes bien épaisses accompagnées de miel. Nous mangeâmes avec les doigts dans des assiettes en fer-blanc, nous nous régalâmes de cidre, puis encore de vin chaud aux épices. Quelques enfants se joignirent à Anouk pour s'amuser sur la berge. Armande vint elle aussi nous rejoindre, se réchauffant les mains au-dessus du brasero.

« Si seulement j'étais plus jeune, soupira-t-elle. Je ferais bien ça tous les soirs… » Extirpant une patate brûlante de son nid de braises, elle jongla habilement avec pour la faire refroidir. « C'est l'existence dont je rêvais quand j'étais enfant. Une péniche habitable, plein d'amis, des fêtes tous les soirs... » Elle lança à Roux une œillade polissonne. « Je crois que je vais m'enfuir avec vous. J'ai toujours eu un faible pour les rouquins. Je suis peut-être vieille, mais je suis sûre que je pourrais encore vous en remontrer... »

Roux sourit sans la moindre retenue. Il n'y avait ce soir chez lui aucune trace de gêne. Il était d'excellente humeur, ne cessant de remplir les tasses de vin et de cidre, et le bonheur qu'il manifestait à recevoir ses amis avait quelque chose de touchant. Il flirta avec Armande, lui faisant des compliments extravagants qui provoquèrent chez elle des croassements de rire. Il enseigna à Anouk l'art de faire des ricochets sur l'eau. Finalement, il nous fit visiter son bateau, d'une propreté impeccable et minutieusement entretenu, la minuscule cuisine, la cale aux marchandises avec son réservoir d'eau et ses stocks de vivres, le coin couchettes avec son toit en plexiglas.

« Ce n'était qu'une épave quand j'ai acheté ce bateau, nous expliqua-t-il. Je l'ai réparé et maintenant il vaut largement n'importe quelle maison normale. » Son sourire était un peu gêné, comme le sourire d'un homme avouant son penchant pour un passe-temps puéril. « Tout ce travail, rien que pour avoir le plaisir de m'étendre sur mon lit la nuit en écoutant le bruit de l'eau et en contemplant les étoiles. »

Anouk approuva avec exubérance. « Ça me plaît, décréta-t-elle. Ça me plaît beaucoup ! Et ça n'est pas une por... une por... enfin, ce que dit la mère de Jeannot.

— Une porcherie », suggéra Roux avec douceur.

Je lui jetai un brusque coup d'œil, mais la remarque l'avait amusé. « Non, nous ne sommes pas aussi mauvais que certaines personnes l'imaginent.

— On n'imagine pas du tout que vous soyez mauvais ! » s'indigna Anouk.

Roux se contenta de hausser les épaules.

Plus tard il y eut de la musique, une flûte et un violon ainsi qu'une batterie improvisée sur des bidons et des poubelles. Anouk se mêla à l'orchestre avec sa petite trompette, et les enfants dansèrent avec une telle frénésie et si près de la rive qu'il fallut les en éloigner. Il était onze heures bien sonnées lorsque nous prîmes enfin congé : Anouk était écrasée de fatigue mais elle protesta quand même avec véhémence.

« Ça ne fait rien, lui dit Roux. Tu pourras revenir quand tu voudras. »

Je le remerciai en prenant Anouk dans mes bras.

« De rien. » L'espace d'une seconde, son sourire vacilla tandis qu'il regardait derrière moi vers le sommet de la colline. Un léger pli d'inquiétude se creusa entre ses yeux.

« Quelque chose ne va pas ?

— Je ne suis pas sûr. Ce n'est sans doute rien. »

Il n'y a pas beaucoup de lumières aux Marauds. Le seul éclairage qui existe provient de l'unique lampadaire situé devant le Café de la République, dont la lueur se reflète sur l'étroite chaussée glissante. Au-delà du café, l'avenue des Francs-Bourgeois s'élargit pour devenir une avenue plantée d'arbres correctement éclairée. Roux continua à fixer un moment la colline, les yeux plissés.

« J'ai seulement cru voir quelqu'un qui descendait la colline, c'est tout. C'était sans doute une illusion d'optique. Il n'y a plus personne maintenant. »

J'escaladai la colline avec Anouk dans les bras. Derrière nous s'élevait une joyeuse musique en provenance du carnaval flottant. Sur la jetée, Zézette dansait, se découpant sur les flammes mourantes, son ombre endiablée bondissant sous ses pieds. Lorsque nous passâmes devant le Café de la République, je remarquai que la porte était entrouverte, même si toutes les lumières étaient éteintes. À l'intérieur de la maison, j'entendis une porte se fermer tout doucement, comme si quelqu'un nous avait espionnés, mais il pouvait s'agir d'un courant d'air.

19

Dimanche 2 mars

Mars a mis fin à la pluie. Le ciel tout neuf se peint d'un bleu criard où courent des nuages rapides, et un vent violent s'est levé durant la nuit, qui s'engouffre dans les coins et ébranle les fenêtres. Les cloches de l'église carillonnent énergiquement comme si elles aussi avaient été contaminées par ce brusque changement. Sans répit, la girouette tourne dans un ciel agité et sa voix enrouée d'ordinaire se fait stridente. Jouant dans sa chambre, Anouk fredonne une chanson :

> *V'là l'bon vent, v'là l'joli vent*
> *V'là l'bon vent, ma mie m'appelle*
> *V'là l'bon vent, v'là l'joli vent*
> *V'là l'bon vent, ma mie m'attend.*

Le vent de mars est un vent mauvais, disait toujours ma mère. Malgré tout, ce vent est vivifiant, il sent bon la sève, l'ozone, le sel de la mer lointaine. Un excellent mois, avec février qui s'esquive par la porte de derrière et le printemps qui piétine d'impatience à la porte de devant. Un excellent mois pour les changements.

Pendant cinq minutes, je me tiens seule sur la

place, les bras tendus au ciel, le vent soufflant dans mes cheveux. J'ai oublié de prendre un manteau et ma jupe rouge se gonfle autour de moi. Je suis un cerf-volant, prenant le vent, m'élevant en un clin d'œil au-dessus du clocher, au-dessus de moi-même. Un instant je suis désorientée, apercevant la silhouette écarlate au-dessous de moi sur la place, à la fois *ici* et *là-bas* ; réintégrant mon corps, à bout de souffle, j'aperçois le visage de Reynaud qui me regarde d'une haute fenêtre, les yeux noirs de ressentiment. Il est pâle, c'est à peine si le soleil éclatant vient parer son teint d'un voile de couleur. Il a les poings serrés sur le rebord de fenêtre devant lui et ses articulations ont la blancheur livide de son visage.

Le vent m'est monté à la tête. Je lui adresse un signe joyeux de la main en regagnant la boutique. Il va y voir une provocation, je le sais, mais ce matin ça m'est égal. Le vent a balayé mes peurs. Je fais signe à l'Homme Noir là-haut dans sa tour, et le vent espiègle soulève ma jupe. Je me sens ivre d'allégresse, débordante d'espoir.

Une partie de ce courage nouveau semble avoir envahi les gens de Lansquenet. Ils se rendent à l'église et je les regarde : les enfants courent dans la bourrasque, les bras déployés comme des ailes de cerfs-volants, les chiens aboient furieusement après des ennemis invisibles, même les adultes ont le visage rayonnant, les yeux noyés de larmes à cause du froid. Au bras de son fils, Caroline Clairmont arbore un nouveau manteau et un nouveau chapeau pour le printemps. Luc me lance un bref coup d'œil, il me sourit en cachant sa bouche derrière sa main. Joséphine et Paul-Marie Muscat cheminent les bras entrelacés comme des amoureux, même si le visage de Joséphine est grimaçant et rebelle sous son béret marron. Son mari me foudroie du regard à travers la vitre et accélère le pas, la bouche pleine d'imprécations. Je vois Guillaume, aujourd'hui sans Charly, bien qu'il ait toujours la laisse de l'animal accrochée à son poignet. Sa silhouette solitaire paraît étrangement endeuillée sans son compagnon. Arnauld regarde dans ma direction et me dit bonjour de la tête. Narcisse s'arrête pour examiner un bac de géraniums à côté de la porte, frotte une feuille entre ses gros doigts, renifle la sève printanière. Il est gourmand en dépit de son caractère bourru, et je sais qu'il passera plus tard au magasin déguster son moka et acheter ses truffes au chocolat.

Les sons de cloches ralentissent et se muent en un bourdonnement insistant — *domm ! domm !* — tandis que les fidèles pénètrent dans l'église par les portes ouvertes. J'aperçois une fois encore Reynaud : à présent en soutane blanche, mains jointes, plein d'onction, il accueille ses paroissiens. J'ai l'impression qu'il me regarde, un bref coup d'œil de l'autre côté de la place, un imperceptible raidissement de l'échine sous la robe… mais je ne saurais en être sûre.

Je m'installe au comptoir, une tasse de chocolat à la main, pour attendre la fin de la messe.

L'office a duré plus longtemps qu'à l'ordinaire. Je suppose qu'au fur et à mesure que Pâques approchera, les exigences de Reynaud se feront de plus en plus grandes. J'ai dû attendre plus d'une heure et demie avant que les premières personnes n'émergent furtivement de l'église, tête baissée, le vent tirant impudemment les foulards et les vestes du dimanche, s'engouffrant sous les jupes avec une friponnerie soudaine, incitant les fidèles à se dépêcher. Arnauld m'adressa un sourire penaud en repassant devant la confiserie ; pas de truffes au champagne ce matin. Narcisse est entré comme d'habitude, mais il s'est montré encore moins loquace, sortant un journal de sa veste de tweed et le lisant en silence tout en buvant sa consommation. Un quart d'heure plus tard, la moitié des fidèles étaient encore à l'intérieur, et j'imaginais qu'ils devaient attendre d'aller à confesse. Je me resservis une tasse de chocolat que je bus. Mieux valait s'armer de patience.

Tout à coup, j'aperçus une silhouette familière en manteau écossais qui se faufilait par la porte entrouverte de l'église. Joséphine jeta un coup d'œil sur la place et, la voyant déserte, elle la traversa pour rejoindre la boutique. Elle repéra Narcisse et hésita un moment avant de se décider à entrer. Ses poings nerveux étaient serrés contre son ventre.

« Je ne peux pas rester, dit-elle aussitôt. Paul est à confesse. Je n'ai que deux minutes. » Sa voix était aiguë et pressante, ses mots prononcés à la hâte se bousculaient comme une rangée de dominos qui s'effondrent.

« Il faut que vous vous absteniez de fréquenter ces gens, bredouilla-t-elle. Les nomades. Il faut que vous leur disiez de s'en aller. Que vous les *préveniez*. » Son visage se contorsionnait sous l'effort de ses paroles. Ses mains s'ouvraient et se fermaient.

« Je vous en prie, Joséphine. Asseyez-vous. Buvez quelque chose.

— Je ne peux pas ! » Elle secoua la tête avec énergie. Sa crinière emmêlée par le vent s'agita furieusement autour de son visage. « Je vous ai expliqué que je n'avais pas de temps. Faites seulement ce que je vous dis. Je vous en prie. » Elle paraissait tendue et épuisée, regardant en direction du portail de l'église comme si elle redoutait d'être vue en ma compagnie.

« Il a fait un sermon contre eux, m'expliqua-t-elle à voix basse et rapide. Et contre vous. Il a parlé de vous. Il a dit des choses. »

J'eus un haussement d'épaules indifférent. « Et alors ? Quelle importance ? »

Joséphine porta les poings à ses tempes avec un geste de frustration. « Il faut que vous les préveniez, répéta-t-elle. Dites-leur de partir. Prévenez aussi Armande. Dites-lui qu'il a cité son nom ce matin. Et le vôtre. Il citera le mien également s'il me voit ici, et Paul…

— Je ne comprends pas, Joséphine. Qu'est-ce qu'il peut faire ? Et qu'est-ce que ça change pour moi, de toute façon ?

— Contentez-vous de leur dire, d'accord ? » Ses yeux inquiets se braquèrent à nouveau vers l'église, d'où sortaient d'un pas nonchalant un petit nombre de fidèles. « Je ne peux pas rester. Il faut que je file. » Elle se dirigea vers la porte.

« Attendez, Joséphine… »

Quand elle se retourna, son visage exprimait un immense chagrin. Je compris qu'elle était au bord des larmes. « C'est toujours comme ça ! lança-t-elle d'une voix criarde et malheureuse. Chaque fois que je me fais une amie, il s'arrange pour tout ficher en l'air. Ça va faire comme d'habitude. Vous n'y serez plus mêlée, mais *moi*… »

J'avançai d'un pas, dans l'intention de la calmer. Joséphine recula avec un mouvement de défense maladroit.

« Non ! Je ne peux pas ! Je sais que vous ne pensez pas à mal, mais je ne… *peux pas* ! » Elle fit l'effort de se dominer. « Il faut que vous compreniez. J'habite ici. Je suis *obligée* d'habiter ici. Vous êtes libre, vous pouvez aller où vous voulez, vous...

— Vous aussi », répliquai-je avec douceur.

Elle me dévisagea alors, effleurant mon épaule du bout de ses doigts.

« Vous ne comprenez pas, reprit-elle sans amertume. Vous êtes différente. Pendant un moment, j'ai cru que peut-être je pourrais apprendre à être différente moi aussi. »

Elle se retourna : son agitation avait disparu, remplacée par une expression lointaine et distraite, presque douce. Une fois de plus, elle enfonça les mains dans ses poches.

« Je suis désolée, Vianne, dit-elle. J'ai vraiment essayé. Je sais que ce n'est pas votre faute. » Une seconde je remarquai un bref regain d'animation sur son visage. « Dites-le aux gens de la rivière, répéta-t-elle d'un ton pressant. Dites-leur qu'il faut qu'ils s'en aillent. Ce n'est pas leur faute non plus... je veux juste qu'il n'arrive de mal à personne, conclut doucement Joséphine. D'accord ?

— Il n'arrivera de mal à personne, lui assurai-je en haussant les épaules.

— Bien. » Elle esquissa un sourire douloureux à force de transparence. « Et ne vous inquiétez pas pour moi. Je vais bien. Vraiment, je vais bien. » À nouveau ce sourire forcé, douloureux. Alors qu'elle passait près de moi pour franchir la porte, j'entrevis quelque chose de brillant dans sa main, et je constatai que les poches de son manteau étaient bourrées de babioles en tout genre. Bâtons de rouge à lèvres, poudriers, colliers et bagues coulaient de ses doigts.

« Tenez. C'est pour vous, annonça-t-elle gaiement, m'obligeant à accepter une poignée de ses trésors

dérobés. Ne vous gênez pas. J'en ai plein d'autres. »
Puis, avec un sourire d'une douceur éblouissante,
elle s'esquiva, me laissant là les mains ruisselantes
de boucles d'oreilles, de chaînes et autres verroteries
étincelantes montées sur métal doré.

Plus tard, dans l'après-midi, j'emmenai Anouk
se promener aux Marauds. Le camp des nomades
avait une allure pimpante sous le soleil tout neuf,
le linge claquait dans le vent sur les fils tendus
entre les bateaux, le verre des hublots et la peinture des coques miroitaient à la lumière. À l'abri,
dans son jardin de devant, assise dans un rocking-
chair, Armande contemplait la rivière. Perchés sur la
pente abrupte du toit, Roux et Mahmed remettaient
en place les ardoises descellées. Je remarquai que le
bois pourri de la corniche et des pignons avait été
remplacé, et repeint d'un jaune éclatant. Je fis signe
aux deux hommes et m'installai sur le mur du jardin
à côté d'Armande, pendant qu'Anouk fonçait vers la
berge pour y retrouver ses amis de la veille.

La vieille dame avait l'air fatigué et son visage
était bouffi sous le large bord de son chapeau de
paille. La tapisserie sur ses genoux semblait morne et
délaissée. Armande me salua d'un petit hochement
de tête, sans rien dire. Son fauteuil, dans l'allée, avait
un balancement quasi indécelable : *tic-tic-tic-tic…* Son
chat dormait en boule dessous.

« Caro est passée ce matin, finit-elle par m'annoncer. Je suppose que je devrais me sentir honorée. »
Un geste d'irritation.

Le fauteuil se balance : *tic-tic-tic-tic…*

« Mais pour qui elle se prend ? s'exclama soudain
Armande. Pour une espèce de Marie-Antoinette ou
quoi ? » Un moment, elle s'enferma avec rage dans
ses pensées ; le mouvement de bascule du fauteuil

s'amplifia. « À essayer de me dire ce que j'ai le droit et ce que je n'ai pas le droit de faire ! À m'amener son fichu *docteur*... » Elle s'interrompit pour darder sur moi son regard pénétrant comme celui d'un oiseau. « Toujours à mettre son nez partout. De tout temps, vous savez. Toujours à cafarder auprès de son père. » Elle s'esclaffa. « Ce n'est pas de moi qu'elle tient ses grands airs, en tout cas. Jamais de la vie. Je n'ai jamais eu besoin du moindre médecin — ni du moindre prêtre — pour me dire quoi penser. » Armande redressa le menton avec défi et se balança encore plus fort.

« Est-ce que Luc était là ? demandai-je.

— Non. Parti pour Agen pour un tournoi d'échecs. » Son expression butée s'adoucit. « Elle ne sait pas qu'il est venu l'autre jour, déclara-t-elle avec satisfaction. Et elle ne le saura pas, d'ailleurs. » Elle sourit. « C'est un brave garçon, mon petit-fils. Il sait tenir sa langue.

— J'ai appris que nos deux noms avaient été cités à l'église ce matin, lui annonçai-je. Nous fréquentons des individus indésirables, paraît-il. »

Armande pouffa. « Ce que je fais dans ma propre maison ne regarde que moi, dit-elle sèchement. Je l'ai dit à Reynaud, et je l'avais dit au père Antoine avant lui. Pas moyen qu'ils comprennent, pourtant. Toujours à vous débiter la même vieille rengaine. L'esprit de communauté. Les valeurs traditionnelles. Toujours cette bonne vieille leçon de morale archi-rebattue.

— La chose s'est donc déjà produite ? demandai-je avec curiosité.

— Pour ça oui, répondit-elle avec un hochement de tête appuyé. Il y a des années. Reynaud devait avoir l'âge de Luc à cette époque-là. Bien sûr, nous avons eu quelques nomades depuis, mais ils ne sont jamais restés. Pas jusqu'à aujourd'hui. » Elle leva les yeux sur sa maison à demi repeinte. « Ça va être beau, non ? dit-elle avec ravissement. Roux a dit que ce serait terminé ce soir. » Elle se renfrogna soudain. « Je peux le faire travailler pour moi autant que ça me chante, s'écria-t-elle d'un ton irrité. C'est un homme honnête et un excellent ouvrier. Georges n'a aucunement le droit de prétendre le contraire. Absolument aucun droit. »

Elle s'empara de sa tapisserie inachevée, mais la reposa aussitôt sans y avoir brodé un seul point. « Je n'arrive pas à me concentrer, constata-t-elle avec humeur. C'est déjà assez contrariant d'être réveillée par ces maudites cloches dès le lever du jour sans avoir à se farcir les minauderies de Caro juste après. *Nous prions pour toi tous les jours, maman*, imita-t-elle. *Nous voulons que tu comprennes pourquoi nous nous inquiétons tellement pour toi*. Ils s'inquiètent surtout pour leur réputation auprès des voisins, la bonne blague ! C'est vraiment trop gênant d'avoir une mère comme moi, qui vous rappelle à longueur de temps ce que vous étiez au départ... »

Elle eut un petit sourire de contentement malicieux. « Tant que je suis en vie, ils savent qu'il y a quelqu'un qui se souvient de tout, déclara-t-elle. Le pétrin dans lequel elle s'était fourrée avec ce garçon. Qui c'est qui a payé, hein ? Et lui... Reynaud, M. Plus-Blanc-que-Blanc... » Ses yeux brillaient. « Je parie que je suis la seule encore en vie à me souvenir de cette vieille histoire-là... Il y avait très peu de monde au courant, de toute façon. Ç'aurait pu être le plus grand scandale du comté si je n'avais pas su tenir ma langue. » Elle me décocha un regard de pure malignité. « Et ne me regardez pas comme ça, ma petite. Je sais encore garder un secret. Pourquoi croyez-vous qu'il me laisse tranquille ? Il y a plein de choses qu'il pourrait faire, s'il voulait vraiment. Caro le sait. Elle a déjà essayé. » Armande poussa un gloussement de jubilation : *hé-hé-hé !*

« J'avais cru comprendre que Reynaud n'était pas d'ici », dis-je avec curiosité.

Armande secoua la tête. « Peu de gens s'en souviennent. Il a quitté Lansquenet quand il était enfant. C'était plus facile pour tout le monde, comme ça. » Elle se tut un instant, envahie par les souvenirs. « Mais il a intérêt à ne rien tenter cette fois-ci. Ni contre Roux ni contre aucun de ses amis. » L'humour avait disparu de son visage et la voix d'Armande avait une sonorité vieillie, geignarde, malade. « Ça me plaît qu'ils soient là. Leur présence me rajeunit. » Les petites mains osseuses tripotèrent machinalement la tapisserie qui reposait sur ses genoux. Le chat, percevant le mouvement de sa maîtresse, quitta son refuge sous le fauteuil à bascule et lui sauta sur les genoux. Armande lui gratta le front, et l'animal, joueur, commença à ronronner en lui poussant doucement le menton avec sa petite tête.

« Lariflette », dit Armande. Je mis un moment à me rendre compte que c'était le nom de la chatte. « Ça fait dix-neuf ans que je l'ai. Ce qui est presque l'équivalent de mon âge, pour un chat. » Elle émit un petit gloussement à l'intention de la chatte, qui ronronna plus fort. « Je suis censée être allergique. De l'asthme ou je ne sais quoi. Je leur ai dit que je préférerais étouffer plutôt que me débarrasser de mes chats. Alors qu'il y a certains humains dont je pourrais me priver sans hésiter une seconde ! » Lariflette fit lascivement trembler ses moustaches. Je regardai du côté de la rivière et je vis Anouk en train de jouer sur la jetée avec deux petits gitans aux cheveux noirs. D'après ce que j'entendais, c'était manifestement Anouk, la plus jeune des trois, qui dirigeait les opérations.

« Restez prendre un café, suggéra Armande. J'allais en faire quand vous êtes arrivée. J'ai de la citronnade pour Anouk, aussi. »

Je préparai le café moi-même dans la drôle de petite cuisine d'Armande avec son fourneau de fonte et son plafond bas. Tout est propre ici, mais l'unique et minuscule fenêtre donnant sur la rivière baigne la pièce d'une lumière glauque aux reflets d'eau profonde. Accrochés aux poutres sombres, on remarque des bouquets d'herbes sèches dans leurs sachets de mousseline. Sur les murs blanchis à la chaux, des casseroles en cuivre sont suspendues à des crochets. La porte — comme toutes les portes de la maison — possède une ouverture dans sa partie inférieure pour permettre le libre passage des chats. D'une haute corniche, un autre chat m'a d'ailleurs dévisagée avec curiosité pendant que je surveillais le café dans la cafetière émaillée. La citronnade, notai-je, était sans sucre, et le sucrier contenait non pas du sucre mais un édulcorant quelconque. En dépit de ses rodomontades, elle prenait tout de même certaines précautions.

« Immonde, commenta-t-elle avec rancœur, en sirotant l'amer breuvage dans une de ses tasses peintes à la main. Ils prétendent qu'on ne sent pas la différence avec le vrai sucre. Mais on la sent. » Elle fit une grimace désabusée. « Caro m'en apporte quand elle vient. Elle fait le tour de mes placards. Je suppose que ce n'est pas méchant. Ce n'est pas sa faute si elle est un peu bête. »

Je lui glissais qu'elle devrait faire plus attention.

« Quand on atteint l'âge que j'ai, répondit Armande en grognant, les choses commencent à ne plus bien fonctionner. Si ce n'est pas une chose, c'en est une autre. On n'y peut rien. » Elle but une autre gorgée de café. « Quand il a eu seize ans, Rimbaud a annoncé qu'il voulait vivre le plus de vies possible avec la plus grande intensité possible. Eh bien, je vais maintenant sur mes quatre-vingts ans, et je commence à penser qu'il avait raison. » Elle eut un large sourire, et je fus à nouveau frappée par la jeunesse de son visage, une qualité moins liée au teint ou à la structure osseuse qu'à une sorte de lumière et d'enthousiasme intérieurs, la physionomie de quelqu'un qui commence à peine à découvrir ce que la vie a à offrir.

« Je pense que vous êtes quand même trop âgée pour vous enrôler dans la Légion étrangère ! m'exclamai-je en souriant. Et les expériences de Rimbaud étaient quand même parfois un tantinet poussées à l'excès, non ?

— Vous avez raison, me répondit Armande avec un regard fripon. Un peu d'excès ne me ferait pas de mal. À partir de maintenant, je vais être outrancière, et inconstante, je vais me délecter de musique tapageuse et de poésie terrifiante. Je vais mener une vie absolument *débridée* », déclara-t-elle avec satisfaction.

J'éclatai de rire. « Vous déraisonnez complètement, dis-je avec une feinte sévérité. Pas étonnant que votre famille désespère de vous. »

Mais elle eut beau s'esclaffer avec moi, se balancer avec exultation dans son fauteuil, ce qui me revient aujourd'hui ce n'est pas son rire, mais ce que j'entrevoyais *derrière* ce rire : cette espèce d'abandon vertigineux, d'allégresse éperdue.

Et ce ne fut que plus tard, au cœur de la nuit, quand je me réveillai en sueur au milieu de quelque sombre cauchemar à demi oublié, que je me rappelai où j'avais déjà vu cette même exaltation.

Que dirais-tu de la Floride, mon cœur ? Des Everglades ? Des Keys ? Que dirais-tu de Disneyland, chérie, ou de New York, de Chicago, du Grand Canyon, de Chinatown, du Nouveau-Mexique, des montagnes Rocheuses ?

Mais, chez Armande, il n'y avait rien de la terreur de ma mère, rien de ses délicats jeux de cache-cache avec la mort, rien de ses délirantes échappées imaginaires vers un monde inconnu. Chez Armande il n'y avait que la faim, le désir, l'effroyable conscience du temps qui s'enfuit.

Je me demandais ce que lui avait dit le médecin ce matin-là, et ce qu'elle comprenait réellement de son état de santé. Je demeurai longtemps éveillée à me poser la question et, quand je me rendormis enfin, je rêvai d'Armande en train de se promener dans Disneyland avec Reynaud et Caroline, main dans la main, comme la Reine de Cœur et le Lapin Blanc d'*Alice au pays des merveilles*, les mains couvertes dans d'énormes gants blancs comme dans les dessins animés. Caro portait une couronne rouge sur sa tête énorme, et Armande tenait un bâton de barbe à papa dans chacune de ses mains.

Quelque part au loin, je distinguais les échos de la circulation new-yorkaise, le vacarme des klaxons qui se rapprochait.

« *Enfin, voyons, ne mangez pas ça, c'est du poison !* » glapissait Reynaud d'une voix perçante. Mais Armande continuait à engloutir goulûment de la barbe à papa avec ses deux mains à la fois, la figure lumineuse et placide. Je tentai de la prévenir au sujet du taxi, mais elle me regarda en me disant avec la voix de ma mère : « La vie est un carnaval, chérie ; il y a plus de gens chaque année qui meurent en traversant la rue, c'est un fait statistique. » Et elle continuait à dévorer sa barbe à papa avec cette abominable gloutonnerie, et Reynaud se tournait vers moi et glapissait, d'une voix d'autant plus menaçante qu'elle était dépourvue de résonance : « *Tout cela est de votre faute, à vous et à votre festival du chocolat, tout allait très bien jusqu'à ce que vous débarquiez ici, et maintenant tout le monde est en train de mourir de mourir de mourir de mourir...* »

J'étendis les bras pour me protéger. « Ce n'est pas moi, murmurai-je. C'est *vous*, c'est censé être vous, vous êtes l'Homme Noir, vous êtes... » Je basculai alors en arrière à travers le miroir et les cartes s'éparpillaient dans tous les sens autour de moi : le neuf d'Épée, LA MORT. Le trois d'Épée, LA MORT. La Tour, LA MORT. Le Chariot, LA MORT.

Je me réveillai en hurlant : Anouk se tenait au-dessus de moi, les traits brouillés par le sommeil et l'inquiétude. « Maman, qu'est-ce qu'il y a ? »

Ses bras sont chauds autour de mon cou. Elle sent le chocolat et la vanille, le sommeil paisible qu'aucun souci ne vient troubler.

« Ce n'est rien. Un rêve. Ce n'est rien. »

Elle me rassure de sa petite voix douce, et j'éprouve la déconcertante impression que l'ordre du monde est inversé, que je me fonds en elle comme un nautile dans sa coquille spiralée, tournoyant à l'infini, que sa main fraîche se pose sur mon front, que sa bouche s'appuie contre mon oreille.

« *Dehors-dehors-dehors !* murmure-t-elle machinalement. *Esprits maléfiques, allez-vous-en d'ici !* Tout va bien maintenant, maman. Ils sont tous partis. » Je ne sais pas où elle va chercher ces trucs-là. Ma mère prononçait toujours cette incantation, mais je ne me rappelle pas l'avoir jamais enseignée à Anouk. Or elle l'emploie comme une vieille formule familière. Un instant, je me cramponne à elle, pétrifiée d'amour.

« Tout va bien se passer, n'est-ce pas, Anouk ?

— Bien sûr. » Sa voix est claire et adulte et pleine d'assurance. « Bien sûr que tout va bien se passer. » Elle pose la tête sur mon épaule et se blottit tout ensommeillée dans le cercle de mes bras. « Je t'aime aussi, maman. »

Dehors, l'aube n'est déjà plus qu'un infime chatoiement de lune sur l'horizon argenté. Je serre ma fille de toutes mes forces tandis qu'elle sombre à nouveau dans le sommeil, ses boucles chatouillant mon visage. Est-ce là ce que ma mère redoutait ? me demandé-je en écoutant les oiseaux, d'abord un simple *croa-croa*, puis une symphonie complète ; est-ce là ce qu'elle fuyait ? Non pas sa propre mort, mais les milliers de minuscules intersections de sa vie avec celle des autres, les relations rompues, les liens involontaires, les *responsabilités* ? Avons-nous passé toutes ces années à nous soustraire à nos amours, à nos amitiés, à ces paroles anodines prononcées incidemment mais qui peuvent changer le cours d'une existence ?

J'essaie de me remémorer mon rêve, le visage de Reynaud — son expression de désarroi — fuyant lui aussi ou bien rattrapant quelque destin inconcevable auquel j'appartiens malgré moi. Mais le rêve s'est morcelé, ses fragments se sont dispersés comme des cartes sous le souffle de la tempête. Difficile de se rappeler si l'Homme Noir est le poursuivant ou bien le poursuivi. Difficile à présent d'être sûre qu'il est bel et bien l'Homme Noir. À la place, la tête du

Lapin Blanc réapparaît : on dirait celle d'un enfant terrorisé sur une grande roue, dont le seul souhait serait de redescendre.

« Qui fait tourner le mécanisme ? »

Dans ma confusion, je prends cette voix pour celle de quelqu'un d'autre ; une seconde plus tard, je m'aperçois que j'ai parlé tout haut. Mais alors que je replonge dans le sommeil, je suis presque sûre d'entendre une autre voix qui me répond, une voix qui ressemble un peu à celle d'Armande, un peu à celle de ma mère.

C'est toi, Vianne, me dit doucement la voix. *C'est toi.*

20

Mardi 4 mars

Les jeunes pousses vertes du blé printanier don-
nent à la campagne un aspect plus velouté que
celui auquel nous sommes accoutumés, vous et moi.
De loin, ce vert paraît luxuriant ; quelques abeilles
matinales bourdonnent au-dessus des champs, leur
donnant un aspect somnolent. Mais nous savons que
d'ici à deux mois toute cette verdure ne sera plus
que du chaume brûlé par le soleil, la terre dénudée
et craquelée, une croûte rouge sur laquelle même
les chardons rechignent à pousser. Un vent brûlant
parcourt ce qui reste de la campagne, apportant avec
lui la sécheresse et, dans son sillage, une ignoble
torpeur porteuse de maladies. Je me souviens de
l'été 1975, mon père, cette canicule effroyable et ce
ciel chauffé à blanc. Nous avons essuyé fléau après
fléau cet été-là. D'abord les gitans de la rivière,
remontant laborieusement le cours d'eau asséché
dans leurs immondes taudis flottants, restant en
rade aux Marauds sur les laisses de vase cuisant au
soleil. Puis la maladie, qui a d'abord frappé leurs
animaux, puis eux-mêmes ; une sorte de folie, des
roulements d'yeux, de faibles secousses des pattes,
le corps des bêtes qui se met à enfler malgré leur

196

refus de boire, et puis des suées, des frissons et enfin la mort au milieu des nuées de mouches violettes ; oh Seigneur, l'air en regorgeait, épais et douceâtre comme le jus d'un fruit pourri. Vous vous souvenez ? Une chaleur si terrible que les animaux sauvages aux abois quittaient les marais desséchés pour venir chercher de l'eau. Des renards, des putois, des belettes, des chiens. Nombre d'entre eux enragés, chassés de leurs tanières par la faim et la sécheresse. Nous leur tirions dessus quand ils approchaient des berges en trébuchant, nous leur tirions dessus ou bien nous les tuions à coups de pierres. Les enfants lapidaient également les gitans mais, comme ils étaient aussi piégés et désespérés que leurs animaux, ils revenaient toujours. L'air était bleu de mouches et empestait, tandis qu'ils brûlaient les cadavres pour enrayer la maladie. Les chevaux succombèrent les premiers, puis les vaches, les bœufs, les chèvres, les chiens. Nous les tenions à distance, refusant de leur vendre des vivres ou de l'eau, leur refusant des médicaments. Échoués sur la vase de la Tannes, ils buvaient de la bière en bouteille et l'eau de la rivière. Je me rappelle les avoir observées depuis les Marauds, ces silhouettes silencieuses avachies autour de leurs feux de camp le soir, je me rappelle avoir entendu des sanglots — une femme ou un enfant, je pense — de l'autre côté de l'eau sombre.

Certaines personnes, des faibles — parmi lesquelles Narcisse — commencèrent à parler de charité. De pitié. Mais vous êtes demeuré ferme. Vous saviez que faire.

À la messe, vous avez cité les noms de ceux qui refusaient de coopérer. Muscat — le vieux Muscat, le père de Paul — interdit l'entrée de son café aux insoumis jusqu'à ce qu'ils entendent raison. Des bagarres éclatèrent la nuit entre les gitans et les villa-geois. L'église fut profanée. Mais vous avez tenu bon.

Un jour, nous les avons vus qui essayaient de hisser leurs bateaux par-dessus les bancs de sable pour rejoindre les flots navigables. La boue était encore molle et, par endroits, ils s'enfonçaient jusqu'aux cuisses, cherchant à tâtons des points d'appui sur les roches gluantes. Certains tiraient, attelés à leurs embarcations par des cordes, d'autres poussaient par derrière. Nous voyant les observer, certains nous maudirent de leurs voix rauques et discordantes. Mais il s'écoula encore deux semaines avant qu'ils ne déguerpissent enfin, abandonnant derrière eux les épaves de leurs embarcations. Un feu, aviez-vous dit, mon père, un feu laissé sans surveillance par l'ivrogne et la traînée à qui appartenait le bateau, l'incendie se propageant dans l'air sec chargé d'électricité jusqu'à ce que la rivière soit couverte de flammes. Un accident.

Il y eut des bavardages ; il y en a toujours. On raconta que vous aviez encouragé ce forfait avec vos sermons ; on dévisagea le vieux Muscat et son jeune fils d'un air soupçonneux, eux qui étaient si idéalement placés pour voir et pour entendre, mais qui, cette nuit-là, n'avaient rien vu ni rien entendu. Dans l'ensemble, pourtant, les gens furent soulagés. Et lorsque arrivèrent les pluies hivernales et que la Tannes se remit à grossir, les coques calcinées elles-mêmes se trouvèrent submergées.

Je suis retourné là-bas ce matin, mon père. Cet endroit me hante. À peine différent de ce qu'il était il y a vingt ans, il possède une tranquillité trompeuse, comme dans l'attente d'un événement. Des rideaux frémissent aux fenêtres crasseuses au moment où je passe. Il me semble percevoir un rire grave et continu émanant des étendues silencieuses. Vais-je être suffisamment fort, mon père ? En dépit de toutes mes bonnes intentions, ne vais-je pas échouer dans ma tâche ?

Trois semaines. Déjà j'ai passé trois semaines dans le désert. Je devrais être purgé de mes incertitudes et de mes faiblesses. Mais la peur subsiste. J'ai rêvé d'elle cette nuit. Oh, pas un rêve voluptueux, mais un rêve où planait une menace incompréhensible. C'est cette sensation de désordre qu'elle apporte, mon père, qui me trouble tellement. Cette ferveur sauvage.

Au dire de Joline Drou, la fillette ne vaut pas mieux. Elle galope en liberté dans les Marauds, évoquant des rituels et des superstitions. Au dire de Joline, la gamine n'est jamais allée à l'église, n'a jamais appris à prier. Elle lui parle de Pâques et de la Résurrection ; la gamine lui débite en retour tout un méli-mélo de sottises païennes. Et ce festival… il y a un poster de sa fabrication dans chaque vitrine de la ville. Les enfants sont fous d'excitation.

« Laissez-les donc, mon père, on n'est jeune qu'une fois… » dit Georges Clairmont avec indulgence. Sa femme me regarde avec condescendance sous ses sourcils épilés. « Eh bien, je ne vois vraiment pas quel mal ça peut faire », déclare-t-elle en minaudant. La vérité, à mon avis, c'est que leur fils a manifesté de l'intérêt pour cette opération. « Et tout ce qui peut renforcer le message pascal… »

Je n'essaie pas de leur faire comprendre. S'attaquer à une fête enfantine, c'est prêter le flanc à la raillerie. Déjà Narcisse aurait fait référence à ma brigade anti-chocolat, au milieu de ricanements déloyaux. Je me sens atrocement ulcéré. Que cette femme se serve d'une fête religieuse pour miner l'autorité de l'Église… pour miner *mon* autorité. J'ai déjà compromis ma dignité. Je n'ose pas aller plus loin. D'ailleurs, chaque jour, l'influence de cette femme s'accroît, en partie, d'ailleurs, à cause de sa boutique. Moitié salon de thé, moitié confiserie, elle favorise une atmosphère d'intimité, de confidences échangées. Les enfants adorent les figurines en chocolat qu'elle vend à des prix abordables. Les adultes se délectent de l'ambiance de grivoiserie subtile, de secrets murmurés, de griefs formulés, qui règne dans son magasin. Plusieurs familles ont commencé à commander toutes les semaines un gâteau au chocolat pour le déjeuner du dimanche ; je les regarde aller récupérer leurs boîtes enrubannées après la messe. Les habitants de Lansquenet-sous-Tannes n'ont jamais mangé autant de chocolat. Hier, Denise Arnauld mangeait — elle *mangeait !* — dans le confessionnal. J'ai reconnu le parfum sucré de son haleine, mais j'ai dû faire semblant de maintenir l'anonymat.

« *Bénichez-moi, mon père, car ch'ai péché.* » Je l'entendais qui mâchait son chocolat, j'entendais les petits bruits de succion que faisait sa langue contre ses dents. Je l'ai écoutée avec une fureur grandissante confesser une liste de péchés dérisoires auxquels j'ai à peine prêté l'oreille, l'odeur du chocolat se faisant de plus en plus forte dans ce réduit confiné. Sa voix en était toute pâteuse, et j'ai senti ma propre bouche s'humecter en imitant la sienne. Finalement, je n'y tins plus.

« Êtes-vous en train de manger quelque chose ? demandai-je sèchement.

— Non, mon père, répondit-elle d'une voix presque indignée. Manger ? Pourquoi mang…

— Je suis sûr que je vous entends manger. » Sans prendre la peine de baisser la voix, je me redressai à moitié dans la pénombre, les mains agrippées au rebord de la fenêtre grillagée. « Vous me prenez pour un idiot ? » J'entendis une fois encore la succion de sa salive contre sa langue, et la rage m'emporta. « Je vous *entends*, madame ! dis-je durement. À moins que vous ne vous imaginiez être inaudible, aussi bien qu'invisible ?

— Mon père, je vous assure…

— Taisez-vous donc, madame Arnauld, m'écriai-je en mugissant, avant de vous parjurer davantage encore ! » Et tout à coup, en effet, il n'y eut plus la moindre odeur de chocolat, ni le moindre bruit de langue, simplement un hoquet d'indignation larmoyante et l'écho de ses pas affolés tandis qu'elle s'enfuyait et qu'elle dérapait avec ses hauts talons dans sa course éperdue.

Seul dans le confessionnal, je m'efforçai de retrouver le parfum, le bruit, la certitude que j'avais éprouvée, le sentiment de révolte — justifié — qui avait fait exploser ma colère. Mais tandis que les ténèbres s'épaississaient autour de moi, dans un parfum d'encens et de fumée de cierge mais en aucun cas de chocolat, assailli par le doute, je commençai à perdre mon assurance. Puis, brusquement frappé par l'absurdité de la scène, je fus soudain saisi d'une crise d'hilarité aussi inattendue qu'inquiétante, dont je ressortis complètement ébranlé et trempé de sueur, et l'estomac tout barbouillé. La pensée ahurissante que *cette femme* était sans doute la seule personne capable d'apprécier pleinement l'ironie de la situation suffit à provoquer un autre fou rire, et, prétextant un léger malaise, je fus contraint de mettre un terme aux confessions. Alors que je regagnais la sacristie d'un pas mal assuré, je remarquai un certain nombre de gens qui m'observaient d'un drôle d'air. Je dois me montrer plus prudent. Les langues vont bon train à Lansquenet.

Depuis, les choses se sont calmées. J'attribue l'incident du confessionnal à une légère fièvre qui s'est dissipée durant la nuit. Toujours est-il que l'épisode ne s'est pas reproduit. Par précaution, j'ai réduit encore davantage mon repas du soir, dans le but de prévenir les troubles digestifs qui sont peut-être à l'origine du problème. Je perçois néanmoins autour de moi une atmosphère d'incertitude, voire d'attente. Le vent a tourné la tête aux enfants : ils sillonnent la place du village les bras déployés, et s'apostrophent mutuellement en poussant des cris d'oiseaux. Les adultes eux aussi sont d'humeur changeante, passant sans cesse d'un extrême à l'autre. Les femmes parlent trop fort, sombrant quand je les croise dans un silence gêné ; certaines sont au bord des larmes ; d'autres sont agressives. J'ai essayé de parler à Joséphine Muscat ce matin alors qu'elle était installée à la terrasse du Café de la République, et cette femme effacée et taciturne m'a agoni d'injures, les yeux étincelant de colère et la voix tremblant de fureur.

« Ne m'adressez pas la parole, a-t-elle sifflé. Vous n'en avez donc pas encore assez fait ? »

Je suis demeuré digne et je n'ai pas daigné répondre, de crainte de me trouver entraîné dans un échange d'injures. Mais cette femme a changé ; elle est plus dure, d'une certaine façon, et la mollesse de son visage a disparu, remplacée par une sorte d'*intensité* pleine de haine. Une nouvelle convertie pour le camp adverse.

Pourquoi ne voient-ils rien, mon père ? Pourquoi

ne voient-ils pas ce que cette femme est en train de nous faire ? Elle brise notre esprit de corps, notre détermination. Elle joue sur ce qu'il y a de plus méprisable et de plus faible au fond du cœur de l'homme. Elle obtient en retour une sorte d'affection, de loyauté que — Dieu me pardonne ! — je suis assez faible pour convoiter. Elle fait mine de prôner la mansuétude, la tolérance, la pitié, à l'égard de ces pauvres parias de la rivière, alors que pendant ce temps la corruption ne fait que s'enraciner plus profondément. Ce n'est pas le mal que le diable exploite, mon père, mais la faiblesse. Vous, entre tous, vous le savez bien. Sans la force et la pureté de nos convictions, où en sommes-nous ? Quelle sécurité avons-nous ? Combien de temps faudra-t-il avant que la maladie ne contamine aussi l'Église ? Nous avons vu à quelle vitesse la gangrène s'est développée. Bientôt on fera campagne pour que les *offices non confessionnels accueillent des systèmes de croyance alternatifs,* abolissant la confession comme une pratique *inutilement punitive,* célébrant le *moi profond,* et avant que l'on n'ait eu le temps de dire ouf, tout ce libéralisme aux dehors progressistes et inoffensifs aura résolument et irrévocablement engagé ses adeptes sur la voie, au demeurant pavée de bonnes intentions, de l'enfer.

C'est ironique, non ? Il y a une semaine, je doutais encore de ma propre foi. Trop égocentrique pour remarquer les signes. Trop faible pour remplir mon rôle. Et pourtant, la Bible nous indique très clairement ce que nous devons faire. L'ivraie et le bon grain ne peuvent croître paisiblement ensemble. N'importe quel jardinier vous dirait la même chose.

21

Mercredi 5 mars

Luc est repassé aujourd'hui à la boutique discuter avec Armande. Il paraît plus sûr de lui à présent, même s'il bégaie beaucoup ; il se détend suffisamment pour lancer de temps en temps une petite plaisanterie discrète, une audace qui fait naître chez lui un sourire satisfait accompagné d'une expression un peu étonnée, comme si le rôle de l'humoriste ne lui était pas familier. Armande était en pleine forme, ayant troqué son chapeau de paille noir contre un foulard de soie chatoyante. Elle avait les joues rose vif — mais je soupçonnais que ce détail, comme le rouge inhabituel de ses lèvres, était plus dû à l'artifice qu'à la simple bonne humeur. En un laps de temps d'une brièveté incroyable, elle et son petit-fils ont découvert qu'ils avaient plus de choses en commun qu'ils ne l'avaient imaginé ; libérés de la présence paralysante de Caro, ils semblent remarquablement à l'aise l'un avec l'autre. On a du mal à se souvenir que, jusqu'à la semaine dernière, ils se connaissaient tout juste de vue. Il y a entre eux à présent une sorte d'intensité, un ton chuchoté, qui suggère l'intimité. La politique, la musique, les échecs, la religion, le rugby, la poésie — ils sautent d'un sujet à l'autre, comme des gourmets placés devant un buffet dont ils veulent à tout prix goûter le moindre plat. Armande use sur son petit-fils de tout ce qu'elle possède de charme : vulgaire par moments, elle se montre tour à tour érudite, coquette, mutine, solennelle, sage.

Pas de doute : il s'agit bien de séduction.

Cette fois, ce fut Armande qui remarqua l'heure. « Il se fait tard, mon garçon, dit-elle avec rudesse. Il est temps pour toi de rentrer. »

Luc s'arrêta au beau milieu d'une phrase, l'air ridiculement contrarié. « Je... ne m'étais pas rendu c-compte qu'il était s-si tard. » Il demeura là sans trop savoir que faire, comme s'il rechignait à s'en aller. « Je suppose qu'il faut... dit-il sans enthousiasme. Si je suis en retard, M-maman va piquer une crise. Ou q-quelque chose dans le genre. Tu sais c-comment elle est. »

Sagement, Armande s'était abstenue de tester la loyauté du garçon à l'égard de sa mère, limitant au minimum les réflexions désobligeantes à son sujet. Devant cette critique implicite, elle esquissa un de ses sourires malicieux. « Si je le sais ! fit-elle. Dis-moi, Luc, tu n'as jamais envie de te rebeller... juste un peu ? » Ses yeux étaient ensoleillés par l'humour. « À ton âge il *faut* te rebeller... te laisser pousser les cheveux et écouter du rock, séduire les filles, enfin des trucs comme ça. Sinon, tu t'en mordras les doigts quand tu auras quatre-vingts ans. »

Luc secoua la tête. « Trop risqué, dit-il brièvement. Je tiens trop à la v-vie. »

Armande rit avec délice.

« La semaine prochaine, alors ? » Cette fois, il lui déposa un léger baiser sur la joue. « Même jour ?

— Je crois que je pourrai me débrouiller. » Elle sourit. « Je pends ma crémaillère demain soir, lui annonça-t-elle soudain. Pour remercier tout le monde du travail qu'ils ont fait sur mon toit. Tu peux venir aussi, si tu veux. »

Un instant, Luc parut sceptique.

« Évidemment, si Caro trouve à y redire... » Armande suspendit ironiquement sa phrase, fixant son petit-fils d'un œil étincelant de défi.

« Je suis sûr que je p-pourrais trouver un prétexte, dit Luc, reprenant des forces sous le regard amusé de sa grand-mère. Ça peut être am-amusant.

— Bien sûr que ce sera amusant ! s'écria vivement Armande. Tout le monde sera là. Sauf, bien sûr, Reynaud et ses grenouilles de bénitier. » Elle lui adressa un petit sourire coquin. « Ce qui, à mon avis, est un énorme atout. »

Une lueur d'amusement coupable éclaira le visage de Luc, qui sourit à son tour. « Les gr-grenouilles de bénitier, répéta-t-il. Mémée, c'est v-vraiment s-super-cool.

— Je suis *toujours* cool, répliqua Armande avec dignité.

— Je vais voir ce que je p-peux faire. »

*

Armande était en train de terminer son chocolat, et j'étais sur le point de fermer le magasin lorsque Guillaume entra. Je l'ai seulement entraperçu cette semaine, et il a une allure étrangement chiffonnée, la mine terne et les yeux tristes sous le bord de son chapeau de feutre. Toujours pointilleux, il nous a saluées avec sa grave courtoisie habituelle, mais je me rendais bien compte qu'il était préoccupé. Ses vêtements semblaient tomber à la verticale depuis ses épaules voûtées, comme s'il n'y avait pas de corps à l'intérieur. Dans son visage menu, ses yeux étaient écarquillés et angoissés, comme ceux d'un capucin. Charly n'était pas là à l'accompagner, même si je remarquai une fois encore qu'il portait la laisse du chien enroulée autour de son poignet. De la cuisine, Anouk le dévisagea avec curiosité.

« Je sais que vous fermez. » Sa voix était sèche et précise, comme celle des courageuses jeunes mariées de la guerre dans ces films anglais qu'il aimait tant. « Je ne vous retiendrai pas longtemps. » Je lui servis une petite tasse de mon *choc. espresso* le plus noir, en prenant soin d'y ajouter deux de ses florentins préférés. Anouk se jucha sur un tabouret et lorgna les friandises d'un air envieux.

« Je ne suis pas pressée, lui dis-je.

— Moi non plus, déclara Armande à sa manière brutale. Mais je peux m'en aller si vous préférez.

— Non, bien sûr que non, protesta Guillaume avec un sourire peu convaincant. Ce n'est pas une affaire d'État. »

J'attendais qu'il s'explique, devinant à moitié de quoi il s'agissait. Guillaume prit un florentin dans lequel il mordit machinalement, plaçant une main sous son menton pour récupérer les miettes.

« Je viens d'enterrer ce vieux Charly, dit-il de sa voix crispée. Sous un rosier dans mon bout de jardin. Ça lui aurait plu.

— Je suis sûre que oui », fis-je en hochant la tête.

À présent je pouvais sentir le chagrin qui flottait autour de Guillaume, une âcre odeur d'humus aux relents de moisi. Comme il tenait le florentin, je vis qu'il y avait de la terre sous ses ongles.

Anouk le contemplait d'un air solennel. « Pauvre Charly », fit-elle.

Guillaume sembla à peine l'entendre. « J'ai été obligé de l'emmener en fin de compte. Il ne pouvait plus marcher, et il gémissait quand je le portais. Cette nuit, il n'arrêtait pas de geindre. Je suis resté avec lui, mais je savais. » Guillaume avait presque l'air de s'excuser, empêtré dans un chagrin trop compliqué à formuler. « Je sais que c'est stupide, poursuivit-il. Ce n'est qu'un chien, comme a dit le curé. C'est stupide d'en faire toute une montagne.

— Pas tant que ça, intervint soudain Armande. Un ami est un ami. Et Charly était un excellent ami. N'espérez pas que Reynaud comprenne ces choses-là. »

Guillaume la regarda d'un air reconnaissant. « C'est gentil à vous de dire ça. » Il se tourna vers moi. « Et à vous aussi, madame Rocher. Vous avez essayé de me prévenir la semaine dernière, mais je n'étais pas prêt à écouter. Je croyais sans doute qu'en fermant les yeux sur son état, je pourrais faire en sorte que Charly survive indéfiniment. »

Armande le dévisageait avec une étrange lueur dans son œil noir. « Quelquefois, la survie est la pire alternative qui soit », commenta-t-elle avec douceur.

Guillaume acquiesça. « J'aurais dû l'emmener plus tôt. Lui accorder un peu de dignité. » Son sourire était douloureux dans sa nudité. « Du moins, j'aurais dû nous épargner à tous les deux la nuit dernière. »

Je ne savais trop que lui dire. Dans un sens, je crois qu'il n'avait pas besoin que je lui dise quoi que ce soit. Il avait juste envie de parler. J'évitai les clichés habituels et demeurai silencieuse. Ayant achevé son florentin, Guillaume nous adressa à nouveau un de ses effroyables sourires exsangues.

« C'est affreux, dit-il, mais j'ai un appétit absolument féroce. J'ai l'impression de ne pas avoir mangé depuis un mois. Je viens d'enterrer mon chien, et je pourrais manger un… » Il s'interrompit, confus. « Je ne sais pourquoi, mais ça semble très mal... Comme de manger de la viande le vendredi saint. »

Armande pouffa de rire et posa une main sur l'épaule de Guillaume. À côté de lui, elle paraissait extrêmement massive, extrêmement énergique. « Venez avec moi, ordonna-t-elle. J'ai du pain et des rillettes, et un beau camembert juste à point. Oh, et, Vianne — elle se tourna vers moi avec un geste impérieux —, je vais prendre une boîte de ces machins au chocolat, qu'est-ce que c'est déjà ? Des florentins ? Une belle grosse boîte. »

Ça, au moins, je pouvais les donner. Piètre consolation, sans doute, pour un homme qui a perdu son meilleur ami. En secret, du bout de mon doigt, je dessinai un petit signe porte-bonheur sur le couvercle de la boîte.

Guillaume commença à se récrier, mais Armande lui coupa la parole : « Ne dites pas de bêtises ! » Il n'était pas question de répliquer : l'énergie d'Armande galvanisait malgré lui le petit homme exténué. « Qu'allez-vous faire si vous ne venez pas ? Rester chez vous à broyer du noir ? » Elle secoua la tête avec vigueur. « Non. Ça fait une éternité que je n'ai pas reçu de gentleman chez moi. Ça va me faire du bien. Et puis, ajouta-t-elle songeuse, il y a quelque chose dont je veux vous parler. »

Armande obtient toujours ce qu'elle veut. C'est presque une maxime. Je les observai tous les deux tandis que j'emballais la boîte de florentins et que je l'attachais avec de longs rubans argentés. Confus mais ravi, Guillaume réagissait déjà à la cordialité d'Armande : « Madame Voizin... »

Fermement : « Armande... Madame me donne l'impression d'être une ancêtre.

— Armande. »

C'est une petite victoire.

« Et vous pouvez aussi laisser tomber ça. » Avec douceur, elle enlève la laisse du chien du poignet de Guillaume. Sa compassion est profonde mais sans condescendance. « À quoi bon transporter des bagages inutiles ? Ça ne changera rien. »

Je l'observe qui entraîne Guillaume hors de la boutique. S'immobilisant à mi-chemin, elle me fait un clin d'œil. Une vague de subite affection pour eux deux me submerge. Ils disparaissent dans la nuit.

Des heures plus tard, Anouk et moi ne dormons toujours pas et contemplons le lent tournoiement du ciel par nos fenêtres mansardées. Anouk est d'une humeur étonnamment grave depuis la visite de Guillaume : elle a perdu son exubérance coutumière. Elle a laissé ouverte la porte qui nous sépare, et j'attends la question inévitable avec une terrible appréhension ; je me la suis posée à de multiples reprises durant ces nuits qui ont suivi la mort de Mère, et je n'en suis pas plus avancée pour autant. Or la question tant redoutée ne vient pas. À la place, alors que je la crois endormie depuis longtemps, Anouk se faufile dans mon lit et glisse une de ses petites mains froides dans la mienne.

« Maman ? » Elle sait que je ne dors pas. « Toi, tu ne mourras pas, dis ? »

Je ris doucement dans le noir. « Personne ne peut faire une promesse pareille, lui dis-je avec tendresse.

— Pas avant longtemps, en tout cas, insiste-t-elle. Pas avant des années et des années.

— J'espère que non.

— Oh. » Elle digère cette nouvelle quelque temps, calant confortablement son corps dans la courbe du mien. « Les gens vivent plus longtemps que les chiens, pas vrai ? »

Je lui concède que oui. Un autre silence.

« D'après toi, où est-ce qu'il est maintenant, Charly ? »

Je pourrais lui raconter des mensonges, des mensonges rassurants. Mais je constate que j'en suis incapable. « Je ne sais pas, Nanou. Il me plaît de penser… que nous recommençons de zéro. Dans un corps tout neuf qui n'est ni vieux ni malade. Ou sous la forme d'un oiseau, ou d'un arbre. Mais personne ne sait vraiment.

— Oh. » Sa petite voix est sceptique. « Même les chiens ?

— Je ne vois pas ce qui l'empêcherait. »

C'est une belle idée. Quelquefois, je me surprends à y croire, comme un enfant croyant à sa propre invention ; je me surprends à discerner le visage plein de vie de ma mère dans les traits de ma petite étrangère.

« Alors, lance-t-elle d'un ton joyeux, il faudrait que nous retrouvions le chien de Guillaume pour le consoler ! Nous pourrions nous mettre à chercher demain. Il se sentirait moins triste comme ça, non ? »

J'essaie de lui expliquer que ce n'est pas aussi facile, mais elle est inébranlable. « Nous pourrions aller dans toutes les fermes pour demander quels chiens ont eu des petits. Est-ce que tu crois que nous arriverions à reconnaître Charly ? »

Je soupire. Je devrais être habituée à ses raisonnements tortueux, à l'heure qu'il est. La conviction d'Anouk me rappelle tellement ma mère que je suis au bord des larmes. « Je ne sais pas. »

Têtue : « Pantoufle le reconnaîtrait.

— Endors-toi, Anouk. Il y a école demain.

— Il le reconnaîtrait. Je *sais* qu'il le reconnaîtrait. Pantoufle voit absolument tout.

— Chhh. »

J'entends sa respiration se ralentir enfin. Son visage endormi est tourné vers la fenêtre, et j'aperçois la lumière des étoiles sur ses cils mouillés. Si je pouvais seulement être *certaine*, rien que pour la rassurer. Mais il n'y a pas de certitudes. La magie à laquelle ma mère croyait si aveuglément ne l'a pas sauvée, en définitive ; aucune des choses que nous faisions ensemble n'aurait pu s'expliquer par la simple coïncidence. Rien n'est aussi facile ; les cartes, les cierges, l'encens, les incantations ne sont qu'une astuce enfantine pour tenir les ténèbres à distance. Néanmoins, je suis triste de penser à la déception d'Anouk. Dans le sommeil, son visage est serein, confiant. Je nous imagine demain dans notre quête illusoire, en train d'examiner les chiots, et mon cœur déchiré s'insurge. Je n'aurais jamais dû lui dire une chose que je ne pouvais pas *prouver*...

Délicatement, pour ne pas la réveiller, je me glisse hors du lit. Les lattes du parquet sont lisses et froides sous mes pieds nus. La porte grince faiblement lorsque je l'ouvre, mais Anouk a beau murmurer quelque chose dans son sommeil, elle ne se réveille pas. J'ai une responsabilité, à présent. À mon corps défendant, j'ai fait une promesse.

Les affaires de ma mère sont encore là dans la boîte, enfermées dans le santal et la lavande. Ses cartes, ses herbes, ses livres, ses huiles, l'encre parfumée dont elle se servait pour lire l'avenir, les runes, les charmes, les cristaux, les bougies de toutes les couleurs. S'il n'y avait pas les bougies, j'ouvrirais rarement cette boîte. Elle sent trop fort les espoirs gâchés. Mais pour Anouk — Anouk qui me rappelle tellement ma mère — je suppose que je dois essayer. Je me sens un peu ridicule. Je devrais être en train de dormir, de reprendre des forces pour la rude journée de demain. Mais le visage de Guillaume me hante. Les paroles d'Anouk me rendent le sommeil impossible. L'exercice auquel je me livre n'est pas sans danger, j'en suis atrocement consciente ; en utilisant ces talents presque oubliés, je souligne ma marginalité et je mets en péril notre établissement dans cette ville.

L'habitude du rituel, si longtemps abandonné, revient avec une facilité inattendue. L'eau dans le verre, le ravier plein de sel, la bougie allumée sur le sol, cet étrange cérémonial du cercle magique constitue un réconfort, un retour à une époque où chaque chose avait une explication simple. Je m'assois en tailleur par terre, je ferme les yeux, et je laisse ma respiration ralentir.

Ma mère adorait les rituels et les incantations. J'étais moins enthousiaste. J'étais timorée, me disait-elle en pouffant. Je me sens très proche d'elle à présent, les yeux fermés, et la poussière, sur mes doigts, est encore tout imprégnée de son odeur. Peut-être est-ce la raison pour laquelle, ce soir, la chose me paraît si facile. Les gens qui ne savent rien de la vraie magie se figurent qu'elle relève d'une certaine extravagance. C'est sûrement pourquoi ma mère, qui raffolait du théâtral, en faisait un tel spectacle. Et pourtant la vraie magie n'a rien de spectaculaire ; c'est simplement la concentration de l'esprit sur un objectif convoité. Il n'y a pas de miracles, pas d'apparitions subites. Je peux voir le chien de Guillaume avec une parfaite clarté dans ma tête, auréolé d'un doux halo doré, mais aucun chien n'apparaît dans le cercle magique. Peut-être surgira-t-il demain, ou après-demain, effet de la coïncidence, comme le fauteuil orange ou les tabourets de bar rouges que nous avions imaginés le premier jour. Peut-être que rien ne surviendra.

Jetant un coup d'œil à la montre que j'ai laissée par terre, je m'aperçois qu'il est presque trois heures et demie. J'ai dû rester là plus longtemps que je ne croyais, car la bougie est quasi consumée et mes bras et mes jambes sont froids et engourdis. Mais mon trouble s'est dissipé, et me voilà, sans aucune raison que je puisse réellement expliquer, étrangement reposée, comblée.

Je me remets au lit — Anouk a étendu son empire, déployant généreusement ses bras sur les oreillers — et je me pelotonne dans la chaleur des draps. Les exigences de mon intraitable petite étrangère seront satisfaites. Alors que je sombre doucement dans le sommeil, l'espace d'un instant, j'ai l'impression d'entendre la voix de ma mère, tout près, qui chuchote.

22

Vendredi 7 mars

Les gitans s'en vont. Je suis passé aux Marauds de bonne heure ce matin et ils se préparaient au départ, entassant leurs nasses de pêche et rentrant leur lessive étendue sur d'interminables cordes à linge. Certains sont partis cette nuit, dans l'obscurité — j'ai entendu les échos de leurs sifflets et de leurs cornes de brume, comme un ultime défi —, mais la plupart, de manière superstitieuse, ont attendu le point du jour. Sept heures venaient de sonner quand je suis arrivé là-bas. Dans la pâleur glauque de l'aube, le visage blême, emballant d'un air maussade les derniers vestiges de leur cirque flottant, ils ressemblaient à des réfugiés de guerre. Ce qui était resplendissant et magique hier soir paraît simplement terne à présent, dépouillé de son éclat irréel. Une odeur de brûlé et d'huile de vidange flotte dans la brume. Un bruit de toile qui claque, la toux sèche des moteurs au petit matin. Rares sont ceux qui, vaquant à leurs occupations, les lèvres serrées et les paupières plissées, prennent la peine de me regarder. Personne ne parle. Je ne vois pas Roux. Peut-être est-il parti avec les plus matinaux. Il reste encore une trentaine de bateaux sur la rivière, leurs proues enfoncées sous le poids des bagages. La nommée Zézette s'active à côté de l'épave abandonnée, transférant des débris noircis non identifiables sur son propre bateau. Une caisse remplie de poules repose en équilibre instable au-dessus d'un matelas carbonisé et d'un carton de magazines. Elle me décoche un regard de haine, mais ne souffle mot.

N'allez pas croire que je ne ressente rien pour ces gens. Je n'entretiens à leur égard aucune rancune personnelle, mon père, mais je dois penser à mes propres paroissiens. Je ne peux perdre de temps à prêcher à des étrangers récalcitrants, qui ne pensent qu'à me conspuer et à m'insulter. Pourtant je ne suis pas inaccessible. Je serais ravi de les accueillir dans mon église, si leur contrition était sincère. S'ils ont besoin de conseils spirituels, ils savent qu'ils peuvent s'adresser à moi.

J'ai mal dormi cette nuit. Depuis le début du carême, mes nuits sont agitées. Je quitte souvent mon lit au petit matin, espérant trouver le sommeil dans les pages d'un livre, ou dans les rues sombres et silencieuses de Lansquenet, ou encore sur les rives de la Tannes. Hier soir, j'étais plus nerveux qu'à l'habitude et, sachant que je n'arriverais pas à m'endormir, j'ai quitté la cure à onze heures pour me promener le long de la rivière. Évitant les Marauds et le camp des gitans, j'ai marché à travers champs en amont de la rivière, mais derrière moi les échos de leur activité me parvenaient clairement. En regardant en aval, j'ai aperçu des feux de camp sur la berge, des silhouettes dansantes qui se profilaient sur la lumière orange. Jetant un coup d'œil à ma montre, je me suis rendu compte que cela faisait presque une heure que je marchais, et j'ai fait demi-tour pour rebrousser chemin. Je n'avais pas l'intention de passer par les Marauds, mais refaire le circuit à travers champs aurait rallongé d'une demi-heure mon trajet de retour, et je me sentais déprimé et étourdi de fatigue. Pis, la combinaison de l'air froid et du manque de sommeil avait éveillé en moi une vive sensation de faim, qui, je le savais, ne serait qu'imparfaitement assouvie par ma collation matinale de café et de pain. C'est pour cette raison, mon père, que je me suis dirigé vers les Marauds, mes grosses bottes s'enfonçaient profondément dans la glaise de la berge et mon haleine montait en nuages luisants dans les reflets de leurs feux de camp. Je fus bientôt assez près pour distinguer ce qui se passait. Il se déroulait une sorte de fête. Je vis des lanternes, des bougies plantées sur les rebords des bateaux, qui donnaient à cette scène de carnaval une étrange apparence de piété. Une odeur de charbon de bois et de quelque chose d'appétissant qui devait être des sardines en train de griller vint me chatouiller les narines ; mêlés à ce fumet, flottant sur la rivière, je reconnus aussi les effluves pénétrants et amers du chocolat de Vianne Rocher. J'aurais dû me douter qu'elle serait là. Sans elle, les gitans seraient partis depuis longtemps. Je l'aperçus sur la jetée sous la maison d'Armande Voizin, son long manteau rouge et ses cheveux dénoués lui conférant une allure étrangement païenne au milieu des flammes. Le temps d'une seconde, elle se retourna vers moi, et je discernai comme un feu bleuté qui s'élevait de ses mains tendues et quelque chose, qui brûlait entre ses doigts, éclairait de pourpre les visages à l'entour…

Un instant, je demeurai pétrifié de terreur. Sacrifice mystérieux, culte satanique, offrandes brûlées consacrées à quelque cruel dieu antique, des pensées irrationnelles se bousculèrent dans ma tête et je faillis m'enfuir, trébuchant dans la boue épaisse, les mains en avant pour éviter de tomber dans l'enchevêtrement des buissons d'épines noires qui me dissimulaient. Puis le soulagement. Le soulagement, la compréhension, et aussi une épouvantable sensation de ridicule tandis qu'elle se retournait vers moi et que les flammes s'éteignaient progressivement sous mes yeux.

« Sainte Marie, Mère de Dieu ! » Mes genoux faillirent céder sous mon poids tant ma réaction fut intense. « Des crêpes ! Des crêpes flambées ! Ce n'était que ça... »

Saisi à présent d'un fou rire nerveux, je suffoquais à moitié. Mon estomac me faisait mal et j'enfonçai mes poings dans mon ventre pour empêcher mon hilarité d'exploser. Sous mes yeux attentifs, elle flamba une autre montagne de crêpes, qu'elle servit habilement avec la poêle, la flamme liquide courant d'assiette en assiette comme un feu de Saint-Elme.

Des crêpes ! Voilà ce qu'ils m'ont fait, mon père. J'entends des choses — je vois des choses — qui ne sont pas là. Voilà ce qu'elle m'a fait, elle, et ses amis de la rivière. Et pourtant, elle a un air si innocent. Son visage est ouvert, épanoui. Le son de sa voix à travers la rivière — son rire se mêlant à celui des autres — est plein de charme, vibrant d'humour et de tendresse. Je me surprends à me demander quelle sonorité aurait ma propre voix au milieu de ces autres voix, mon propre rire combiné au sien, et la nuit est tout à coup affreusement solitaire, affreusement froide, affreusement vide.

Si seulement je pouvais... Si seulement je pouvais sortir de ma cachette et me joindre à eux. Manger, boire... Tout à coup, la pensée de la nourriture s'imposa comme un fol impératif, et ma bouche se mit à saliver avec envie. Me goinfrer de crêpes, me réchauffer au brasero et à la lumière de sa peau dorée...

Est-ce cela, la tentation, mon père ? Je me dis que j'y ai résisté, que ma force intérieure l'a vaincue, que ma prière — *je vous en prie oh je vous en prie oh je vous en prie oh je vous en prie* — était une prière de délivrance, et non pas de désir.

Avez-vous éprouvé cela, vous aussi ? Avez-vous prié ? Et quand vous avez succombé ce jour-là dans le presbytère, le plaisir a-t-il été lumineux et chaud comme un feu de camp chez les gitans, ou bien s'est-il accompagné d'un bref sanglot d'épuisement, d'un dernier cri sans écho dans les ténèbres ?

Je n'aurais pas dû vous faire de reproches. Un homme — fût-il prêtre — ne saurait juguler indéfiniment son désir. Mais j'étais trop jeune pour connaître la solitude de la tentation, la saveur amère de la jalousie. J'étais très jeune, mon père. Vous étiez mon modèle. Ce n'était pas tant la nature de l'acte — ni même l'identité de la personne avec laquelle vous l'aviez accompli — que le simple fait que vous soyez *capable* de péché. Même vous, mon père. Fort de cette découverte, j'ai compris que nulle chose n'était à l'abri. Nul homme. Pas même moi.

J'ignore combien de temps j'ai observé la scène, mon père. Trop longtemps car, quand j'ai enfin bougé, mes mains et mes pieds étaient paralysés par le froid et l'immobilité. J'ai reconnu Roux au milieu de l'attroupement, ainsi que ses amis Blanche et Zézette, Armande Voizin, Luc Clairmont, Narcisse, l'Arabe, Guillaume Duplessis, la fille tatouée, la grosse femme au fichu vert. Même les enfants — pour la plupart, des enfants de la rivière, mais

également Jeannot Drou et, bien sûr, Anouk Rocher
— étaient là, certains quasi endormis, d'autres dansant au bord de la rivière ou dévorant des saucisses enroulées dans d'épaisses crêpes de froment, ou encore dégustant de la citronnade chaude relevée de gingembre. Mon sens de l'odorat paraissait rehaussé à un point tellement surnaturel que je pouvais pour ainsi dire savourer chaque plat : le poisson grillé dans les cendres du brasero, le fromage de chèvre rôti, les crêpes brunes et le gâteau au chocolat chaud, le confit de canard et les merguez épicées. Je distinguais la voix d'Armande au-dessus des autres voix ; son rire ressemblait à celui d'une enfant exténuée. Étoilant la surface de l'eau, les lanternes et les bougies évoquaient des lumières de Noël.

D'abord, je pris le cri d'alarme que j'entendis pour un cri d'amusement. Un brusque éclat de voix, de rire, peut-être, ou encore d'hystérie. Un instant, je crus qu'un des enfants était tombé dans l'eau. Et soudain je vis le feu.

Il s'agissait d'un des bateaux amarrés les plus près du rivage, à quelques mètres des fêtards. Un lampion dégringolé, peut-être, une cigarette oubliée, de la cire de bougie enflammée tombée sur une toile desséchée. Quelle qu'en fût la cause, l'incendie se propageait à toute vitesse. Un instant, il était sur le toit du bateau, celui d'après, il avait gagné le pont. Les flammes présentaient au début les mêmes reflets bleutés que les crêpes flambées, mais leur chaleur augmentait au fur et à mesure qu'elles se répandaient, prenant la teinte orange vif d'une meule de foin qui brûle par une étouffante nuit d'été. L'homme aux cheveux roux fut le premier à réagir. Il s'agissait sans doute de son bateau. Les flammes avaient à peine eu le temps de changer de couleur qu'il avait déjà bondi, sautant d'un bateau à l'autre pour rejoindre l'incendie. Une des femmes, affolée, lui cria de revenir. Mais il ne lui prêta aucune attention. Il progressait avec une légèreté incroyable. En l'espace de trente secondes, il avait atteint deux autres bateaux, arrachant les cordages qui les arrimaient côte à côte, repoussant avec le pied le bateau libéré dans le but de l'écarter de son voisin, puis continuant sa route. Je vis Vianne Rocher qui contemplait la scène les bras tendus ; les autres formaient un cercle silencieux sur la jetée. Les navires qui avaient été débarrassés de leurs amarres dérivaient lentement en aval, et les flots clapotaient sous les coques qui se balançaient. La péniche de Roux était d'ores et déjà perdue : aspirés par une colonne de chaleur, des fragments de débris calcinés volaient au-dessus de l'eau. En dépit du danger, je vis Roux attraper un rouleau de toile goudronnée à demi carbonisé pour essayer d'étouffer les flammes, mais la chaleur était trop intense. Une escarbille enflammée s'accrocha à son jean, une autre à sa chemise ; laissant tomber la bâche, il les éteignit du plat de la main. Se protégeant d'un bras le visage, il fit une autre tentative pour atteindre la cabine, et je l'entendis proférer un énorme juron de colère dans son patois incompréhensible. À présent, Armande l'appelait, la voix perçante d'inquiétude. J'entendis qu'il était question d'essence, et de réservoirs.

Mêlée à la peur et à l'exaltation qui m'étreignaient, m'envahissait aussi une nostalgie délicieuse. Tout cela ressemblait tellement à cette autre fois... cette odeur de caoutchouc qui brûle, ce rugissement assourdissant du feu, ces reflets chatoyants... J'aurais presque pu imaginer que j'étais à nouveau enfant, que vous étiez le curé, et que l'un et l'autre avions par miracle été absous de toute responsabilité.

Dix secondes plus tard, Roux, de la péniche en flammes, sauta dans l'eau. Je le vis qui revenait à la nage, mais le réservoir d'essence n'explosa que plusieurs minutes après, et encore ce fut avec un gros bruit sourd et non le vacarme de feu d'artifice auquel je m'étais attendu. Pendant quelques minutes, Roux disparut à ma vue, caché par les rubans de flammes qui glissaient sur l'eau sans effort. Ne craignant plus d'être repéré, je me mis debout, tendant le cou pour l'apercevoir. Je crois que j'ai prié.

Voyez-vous, mon père, je ne suis pas dénué de compassion. J'ai véritablement eu peur pour cet homme.

Vianne Rocher s'était déjà précipitée. L'eau paresseuse de la Tannes lui arrivant aux hanches, et son manteau rouge trempé jusqu'aux aisselles, elle scrutait la rivière. À côté d'elle, Armande, transie d'angoisse, semblait avoir cent ans. Et lorsqu'elles le hissèrent tout dégoulinant sur la jetée, j'éprouvai un soulagement tellement immense que mes genoux se dérobèrent et que je m'effondrai sur la boue du rivage dans une attitude de prière. Néanmoins, cette exultation que j'avais ressentie en voyant leur camp flamber... était une sensation merveilleuse, un souvenir remontant à l'enfance, la joie d'espionner en secret, le plaisir de *savoir*... Dans les ténèbres où je me trouvais, j'éprouvai une sensation de pouvoir, mon père, j'eus l'impression que d'une certaine façon c'était moi qui avais provoqué ces événements — l'incendie, le tumulte, le sauvetage de l'homme —, que, par ma présence si proche, j'avais occasionné une répétition de ce lointain été. Ce n'était pas un miracle. Rien d'aussi lourd de sens. Mais un signe. Oui, à coup sûr, un signe.

Je rentrai chez moi à pas de loup, restant dans la pénombre. Dans la foule rassemblée, parmi les enfants qui pleuraient, les adultes en colère, les traînards silencieux qui se tenaient les mains devant la rivière en feu tels des enfants hébétés dans un conte de fées maléfique, un homme isolé pouvait facilement passer inaperçu. Un homme… ou même deux.

Je le vis au moment où j'atteignais le sommet de la colline. Transpirant et souriant, il avait le visage congestionné par les efforts énormes qu'il avait fournis, et ses lunettes étaient couvertes de saletés. Les manches de sa chemise à carreaux étaient remontées au-dessus du coude, et sous les ultimes lueurs de l'incendie la surface de sa peau paraissait aussi dure et rouge que du cèdre ciré. Il ne manifesta aucune surprise en me voyant et se contenta de sourire. Un sourire à la fois stupide et retors, celui d'un enfant pris en défaut par un parent indulgent. Je remarquai qu'il sentait très fort l'essence.

« Bonsoir, mon père. »

Je n'osai lui rendre son salut, comme si, en lui répondant, j'avais risqué de partager avec lui une responsabilité dont le silence pourrait m'absoudre. Je baissai donc la tête, conspirateur malgré moi, et je pressai le pas. Derrière moi, je sentais Muscat qui m'observait, le visage luisant de sueur et de reflets, mais lorsque je me retournai enfin, il n'était plus là.

Une bougie dont la cire avait coulé. Une cigarette qu'on avait jetée négligemment dans l'eau, et qui avait atterri dans une pile de bois. Un lampion dont le papier coloré avait pris feu et jonché de débris enflammés le pont du bateau… N'importe quoi pouvait être à l'origine de ce feu.

Absolument n'importe quoi.

23

Samedi 8 mars

Je suis repassée voir Armande ce matin. Dans son salon au plafond bas, elle était assise dans son fauteuil à bascule, un chat couché sur ses genoux. Depuis l'incendie aux Marauds, elle a l'air à la fois fragile et déterminée : son visage rond de vieille pomme semble se ratatiner doucement, ses yeux et sa bouche sont avalés par les rides. Elle portait une robe d'intérieur grise et d'épais bas noirs, et ses cheveux, raides et ternes, n'étaient pas nattés.

« Ils sont partis, vous avez remarqué, fit-elle d'une voix neutre, presque indifférente. Il ne reste pas un seul bateau sur la rivière.

— Je sais. »

En descendant la colline pour me rendre aux Marauds, je constate que leur absence continue à me choquer, comme ce vilain carré d'herbe jaunie à l'endroit où se dressait jadis un chapiteau de cirque. Seule subsiste l'épave du bateau de Roux : carcasse à demi immergée dans l'eau à quelques petits mètres sous la surface, et dont la forme noire se détache sur le fond boueux de la rivière.

« Blanche et Zézette se sont installées un peu plus bas. Elles ont dit qu'elles reviendraient dans la journée, pour voir comment les choses se passent. »

Elle entreprit de natter ses longs cheveux gris comme à l'accoutumée. Ses doigts, raides et maladroits, me faisaient penser à des baguettes.

« Et Roux ? Comment va-t-il ?

— Il est furieux. »

On le serait à moins. Il sait que le feu n'était pas un accident, il sait qu'il n'a aucune preuve, et il sait que, même s'il en avait, cela ne lui serait d'aucun secours. Blanche et Zézette lui ont offert une place sur leur minuscule péniche, mais il a refusé. Les travaux chez Armande ne sont pas complètement terminés, a-t-il expliqué. Il doit s'occuper de ça avant tout. Quant à moi, je ne lui ai pas parlé depuis la nuit de l'incendie. Je l'ai vu une fois, brièvement, sur la berge, qui faisait brûler les ordures laissées par les nomades. L'air dur et buté, les yeux rougis par la fumée, il a refusé de répondre quand je lui ai adressé la parole. Une partie de ses cheveux ayant brûlé dans l'incendie, il a taillé ceux qui lui restent, si bien que désormais il ressemble à une allumette fraîchement grattée.

« Que va-t-il faire maintenant ? »

Armande haussa les épaules. « Je ne suis pas sûre. Je crois qu'il dort dans une des maisons abandonnées plus bas dans la rue. Hier soir, je lui ai laissé à manger sur le seuil, et, ce matin, les victuailles avaient disparu. Je lui ai déjà proposé de l'argent, mais il ne veut pas l'accepter. » Elle tira avec irritation sur la tresse qu'elle venait de terminer. « Quelle tête de pioche ! À quoi me sert tout cet argent, à mon âge ? Autant en donner une partie à lui plutôt qu'au clan Clairmont. Bigots comme ils sont, cet argent finira sans doute dans le tronc de Reynaud, de toute façon. »

Elle poussa un grognement de dérision. « Têtu

comme une mule, voilà ce qu'il est. Les rouquins, Dieu nous en préserve... on ne peut rien leur dire. » Elle secoua la tête avec humeur. « Il est parti fou de rage hier, et je ne l'ai pas revu depuis.

— Vous faites la paire tous les deux, lui dis-je en souriant malgré moi. Aussi cabochards l'un que l'autre. »

Armande me lança un regard indigné. « *Moi ?* s'exclama-t-elle. Vous me comparez à cette espèce de rouspéteur aux cheveux poil de carotte... »

Je me rétractai avec un éclat de rire. « Je vais voir si j'arrive à le trouver », annonçai-je à Armande.

J'eus beau errer une heure sur les berges de la Tannes, je ne le trouvai pas. Même les méthodes de ma mère ne réussirent pas à le faire apparaître. Je découvris toutefois l'endroit où il dormait. Une maison non loin de chez Armande, une des moins délabrées parmi les bâtisses abandonnées. Les murs sont luisants d'humidité, mais l'étage du haut paraît assez habitable et plusieurs des fenêtres ont encore leurs carreaux. En passant à côté, je remarquai que la porte avait été forcée, et qu'un feu avait été allumé récemment dans la cheminée du salon. Il y avait d'autres signes d'occupation : un rouleau de toile goudronnée carbonisé sauvé de l'incendie, une pile de bois ramassé dans la rivière, quelques meubles, probablement laissés sur place en raison de leur manque de valeur. Je criai son nom, mais n'obtins aucune réponse.

Comme à huit heures trente, il me fallait ouvrir La Praline, j'abandonnai mes recherches. Roux ressurgirait quand il en aurait envie. Guillaume attendait devant la boutique lorsque j'arrivai, bien que la porte ne fût pas verrouillée.

« Vous auriez dû entrer m'attendre, lui dis-je.

— Oh, non, se récria-t-il avec une expression gravement railleuse. C'eût été prendre une liberté.

— Vivez dangereusement ! lui conseillai-je en riant. Entrez et venez goûter mes nouvelles religieuses. »

Il a l'air diminué depuis la mort de Charly : il semble avoir rapetissé en taille, et son visage ni jeune ni vieux paraît recroquevillé par le chagrin. Pourtant Guillaume n'a pas perdu son humour, une ironie désabusée qui l'empêche de s'apitoyer sur son sort. Ce matin, il ne parlait que de ce qui était arrivé aux gitans de la rivière.

« Pas un mot du curé Reynaud à la messe ce matin, déclara-t-il en s'emparant de la chocolatière en argent pour se servir. Ni hier ni aujourd'hui. Pas un seul mot. » Je convins qu'étant donné l'intérêt que manifestait Reynaud pour la communauté nomade, ce silence était insolite.

« Peut-être sait-il quelque chose qu'il ne peut pas dire, suggéra Guillaume. Vous savez. Le secret de la confession… »

Il me raconte qu'il a vu Roux discuter avec Narcisse devant ses pépinières. Peut-être Narcisse aura-t-il un boulot à proposer à Roux. Je l'espère.

« Il embauche souvent des ouvriers saisonniers, vous savez, m'expliqua Guillaume. C'est un veuf. Il n'a jamais eu d'enfants. Il n'y a personne pour diriger la ferme à part un neveu à Marseille. Et en été, quand la besogne s'accélère, il n'est pas difficile dans son choix. Du moment que les ouvriers sont fiables, il se moque bien qu'ils aillent à l'église ou non. » Guillaume esquissa un sourire, comme toujours quand il s'apprête à dire une chose qu'il tient pour hardie. « Je me demande parfois, poursuivit-il d'un ton songeur, si Narcisse n'est pas meilleur chrétien, au sens le plus pur, que moi ou Georges Clairmont... ou même que le curé Reynaud. » Il but une gorgée de son chocolat. « Je veux dire, au moins Narcisse n'hésite pas à *aider*, ajouta-t-il avec sérieux. Il donne du travail à des gens qui ont besoin de gagner leur vie. Il laisse les gitans camper sur ses terres. Tout le monde est au courant qu'il a couché avec sa gouvernante pendant des années, et si, par hasard, il se rend à l'église, c'est seulement histoire de voir ses clients, mais au moins il n'hésite pas à aider. »

Découvrant le plat de religieuses, j'en posai une sur l'assiette de Guillaume. « Je ne crois pas qu'il existe de bons chrétiens ou de mauvais chrétiens, lui dis-je. Seulement des gens bons ou des gens mauvais. »

Il hocha la tête et attrapa la petite pâtisserie ronde entre le pouce et l'index. « Peut-être. »

Un long silence. Je me servis moi-même un verre de chocolat, agrémenté de liqueur de noisette et d'éclats d'avelines. Le breuvage dégage une odeur chaude et enivrante, comme un tas de bois sous les derniers rayons du soleil d'automne. Guillaume dégusta sa religieuse avec un plaisir minutieux, récupérant les miettes tombées dans son assiette à l'aide d'un index légèrement humecté.

« Dans ce cas, les choses auxquelles j'ai cru toute ma vie — à propos du péché et de la rédemption, à propos de la mortification du corps —, vous diriez que toutes ces choses n'ont pas de sens, c'est ça ? »

Son sérieux me fit sourire. « Je dirais que vous avez discuté avec Armande, dis-je gentiment. Et je dirais aussi que vous et elle avez le droit de croire ce que vous voulez. Du moment que ces croyances vous rendent heureux.

— Oh. » Il me regarda avec circonspection, comme si des cornes étaient sur le point de pousser sur ma tête. « Et vous, reprit-il, si ce n'est pas une question indiscrète, croyez-vous ? »

Aux tapis volants, aux runes magiques, à Ali Baba et aux visions de la Vierge, aux voyages sidéraux et à l'avenir lu dans la lie d'un verre de vin rouge...

La Floride ? Disneyland ? Les Everglades ? Qu'est-ce que tu en dis, chérie ? Qu'est-ce que tu en dis, hein ?

À Bouddha. Au voyage de Frodo en Mordor. À la transsubstantiation du sacrement. À Dorothy et Toto. Aux cloches de Pâques. Aux extraterrestres. À la chose dans le placard. À la Résurrection et à la Vie au revers d'une carte... J'ai cru à tout cela à un moment ou à un autre. Ou fait semblant d'y croire. Ou fait semblant de ne pas y croire.

Tout ce que tu veux, maman. Tout ce qui te fait plaisir.

Et à présent ? À quoi est-ce que je crois en cet instant précis ?

« Je crois qu'être heureux est la seule chose qui compte », lui répondis-je enfin.

Le bonheur. Aussi simple qu'un verre de chocolat ou aussi tortueux que le cœur. Amer. Doux. Vivant.

L'après-midi, Joséphine a fait un saut. Anouk était rentrée de l'école, et elle était repartie presque aussitôt s'amuser aux Marauds, emmitouflée dans son anorak rouge et avec la consigne très stricte de revenir au galop s'il se mettait à pleuvoir. L'air a une odeur piquante comme du bois qu'on vient de couper, particulièrement sensible à chaque angle de rue. Joséphine portait son manteau boutonné jusqu'au menton, son béret rouge ainsi qu'une nouvelle écharpe de même couleur qui lui fouettait le visage. Elle pénétra dans la boutique avec une assurance empreinte de défi et, l'espace d'un instant, elle m'apparut comme une femme radieuse et magnifique, les joues en feu et les yeux étincelants à cause du vent. Puis l'illusion s'évanouit et elle redevint elle-même, les mains férocement enfoncées dans ses poches et la tête baissée comme pour charger quelque agresseur inconnu. Elle ôta son béret, révélant des cheveux complètement ébouriffés et une nouvelle zébrure toute fraîche en travers de son front. Elle avait l'air en même temps terrifiée et euphorique.

« Je l'ai fait ! déclara-t-elle tout de go. Vianne, je l'ai fait. »

Durant une seconde épouvantable, je fus certaine qu'elle allait m'avouer qu'elle avait assassiné son mari. Elle avait cet air d'abandon à la fois sauvage et ravissant, ses lèvres retroussées sur ses dents comme si elle avait mordu dans un fruit acide. Des vagues de peur émanaient de sa personne, tour à tour brûlantes et glaciales.

« J'ai quitté Paul, annonça-t-elle. Je l'ai enfin fait. »

Ses yeux étaient comme des couteaux. Pour la première fois depuis notre rencontre, je vis Joséphine telle qu'elle était avant que dix années de Paul-Marie Muscat ne la dépouillent de son charme et de sa beauté. Elle était à moitié folle de peur mais, sous cette folie, elle montrait une clarté d'esprit à vous glacer le cœur.

« Il est déjà au courant ? » demandai-je en la débarrassant de son manteau. Les poches étaient lourdes, mais pas du poids de bijoux volés.

Joséphine fit non de la tête. « Il me croit chez l'épicier, dit-elle le souffle court. Nous n'avions plus de pizzas surgelées. Il m'a envoyée faire le plein. » Elle sourit avec une malice presque enfantine. « J'ai emporté une partie de l'argent du ménage, me dit-elle. Il le garde dans une boîte à biscuits en fer-blanc sous le bar. Neuf cents francs. » Sous son manteau, elle portait un pull rouge et une jupe noire plissée. C'était, autant que je m'en souvienne, la première fois qu'elle était habillée autrement qu'en jeans. Elle jeta un coup d'œil à sa montre.

« Je voudrais un chocolat espresso, s'il vous plaît. Avec un gros sachet d'amandes. » Elle posa l'argent sur la table. « J'ai juste le temps avant que mon car ne s'en aille.

— Votre car ? répétai-je, perplexe. Pour aller où ?

— À Agen. » Elle paraissait butée, comme sur la défensive. « Ensuite je ne sais pas. Marseille, peut-être. Aussi loin de lui que possible. » Elle me lança un regard de soupçon mâtiné de surprise. « Ne commencez pas à me dire que je ne devrais pas, Vianne. C'est vous qui m'y avez encouragée. Je n'y aurais jamais pensé si vous ne m'en aviez pas donné l'idée.

— Je sais, mais… »

Son discours ressemblait à une accusation. « Vous m'avez dit que j'étais libre. »

C'était vrai. Libre de s'en aller, libre de s'enfuir sur un mot d'une quasi-inconnue, de couper les amarres et de voguer au gré des vents comme un ballon lâché dans les airs. La peur se changea soudain dans mon cœur en une certitude glacée. Était-ce le prix de ma sédentarité ? La faire partir à ma place ? Quel choix lui avais-je laissé, au fond ?

« Mais vous étiez en sécurité. » J'énonçai ces mots avec difficulté, voyant le visage de ma mère dans celui de Joséphine. Renoncer à sa sécurité pour visiter le monde, entrevoir l'océan… et puis après ? Le vent nous ramène toujours au pied du même mur. Un taxi new-yorkais. Une ruelle sombre. Une funeste gelée.

« Vous ne pouvez pas tout quitter comme ça, dis-je. Je le sais. J'ai essayé.

— En tout cas, je ne peux pas rester à Lansquenet, répliqua-t-elle sèchement, et je vis qu'elle était au bord des larmes. Pas avec lui. Plus maintenant.

— Je me rappelle quand nous vivions comme ça. Toujours à bouger. Toujours à fuir. »

Elle a son propre Homme Noir. Je le vois dans ses yeux. Il possède la voix sans réplique de l'autorité, une logique spécieuse qui vous paralyse, qui vous soumet, qui vous terrifie. Vous libérer de cette peur, vous enfuir poussée par l'espérance et le désespoir, vous enfuir et découvrir que, depuis le début, vous le portiez en vous comme un enfant malfaisant. À la fin, ma mère l'avait compris. Elle voyait l'Homme Noir à chaque coin de rue, au fond de chaque tasse. Qui souriait sur une affiche, qui l'observait derrière le volant d'une voiture rapide. Qui se rapprochait à chaque battement de cœur.

« Commencez à vous enfuir et vous fuirez toute votre vie, lui dis-je d'un ton féroce. Restez plutôt avec moi. Restez avec moi et battez-vous. »

Joséphine me regarda. « Avec vous ? » Sa stupéfaction avait quelque chose de comique.

« Pourquoi pas ? J'ai une chambre d'amis, un lit de camp… » Elle secouait déjà la tête et je refoulai une envie de m'agripper à elle, de la *forcer* à rester. Je savais que je pouvais le faire. « Seulement quelque temps, jusqu'à ce que vous trouviez un logement, jusqu'à ce que vous trouviez un emploi…

— Un emploi ? s'écria-t-elle avec un rire qui frôlait l'hystérie. Qu'est-ce que je pourrais faire ? À part faire le ménage… et la cuisine… et nettoyer les cendriers et… tirer des demis de bière et sarcler le jardin et subir mon mari tous les vendredis soir… » Elle riait plus fort à présent, s'empoignant le ventre d'un geste convulsif.

J'essayai de lui attraper le bras. « Joséphine, je suis sérieuse. Vous trouverez quelque chose. Vous n'êtes pas obligée de…

— Il faudrait que vous le voyiez par moments… » Elle riait nerveusement : chacun de ses mots était un crachat amer, sa voix, empreinte de dégoût de soi, avait un accent métallique. « L'immonde porc en rut… Le gros porc velu… » Elle se mit à pleurer avec des sanglots aussi durs que son rire, les yeux hermétiquement clos et les mains appuyées contre ses joues comme pour empêcher quelque explosion intérieure. J'attendis.

« Et une fois que c'est fini, il se retourne, et je l'entends qui ronfle. Et le matin j'essaie — ses traits sont altérés, sa bouche se tord pour former les mots —, j'essaie toujours… de chasser… son odeur infecte… des draps, et à longueur de temps je me demande : *mais que m'est-il arrivé ?* Qu'est-il arrivé à Joséphine Bonnet, cette fille qui était si brillante à l'école et qui rêvait de devenir danseuse… »

Elle se tourna soudain vers moi, le visage enflammé, mais calme. « Ça paraît stupide, mais j'ai toujours pensé qu'il avait dû y avoir une erreur quelque part, qu'un jour quelqu'un viendrait me dire que tout ça n'était pas la réalité, que tout ça n'était que le rêve d'une autre femme, et que rien de tout ça ne pouvait m'être arrivé à *moi*… »

Je lui pris la main. Elle était froide et tremblante.

Un de ses ongles était arraché jusqu'à la lunule, et il y avait du sang incrusté dans sa paume.

« Ce qu'il y a de drôle, c'est que j'essaie de me rappeler à quoi ça devait ressembler d'aimer cet homme, mais je ne trouve rien. C'est le vide complet. Le noir absolu. Je me souviens de tout le reste — la première fois qu'il m'a frappée, ah, *ça*, je m'en souviens — pourtant on pourrait croire que même avec Paul-Marie il doit bien y avoir *quelque chose* à se rappeler. Quelque chose qui excuserait tout. Tout ce temps perdu. »

Elle s'interrompit subitement et regarda sa montre. « J'ai trop bavardé, constata-t-elle, stupéfaite. Je ne vais pas avoir le temps de prendre un chocolat si je veux attraper mon autocar. »

Je la regardai. « Prenez donc un chocolat *à la place* de l'autocar, lui dis-je. C'est moi qui régale. Je regrette seulement que ce ne soit pas du champagne.

— Il faut que j'y aille », reprit-elle d'un ton hargneux. Elle enfonça les poings à plusieurs reprises dans son ventre. Elle baissa la tête comme un taureau qui s'apprête à charger.

« Non, dis-je en la fixant du regard. Il faut que vous restiez ici. Il faut que vous l'affrontiez face à face. Sinon, autant ne l'avoir jamais quitté. »

Elle soutint mon regard un moment, avec une ombre de défi. « Je ne peux pas, conclut-elle d'un ton désespéré. Je n'en serai pas capable. Il dira des choses, il déformera tout…

— Vous avez des amis ici, dis-je avec douceur. Et même si vous ne vous en rendez pas encore compte, vous êtes forte. »

S'asseyant alors, de manière très déterminée, sur un de mes tabourets rouges, Joséphine posa le visage sur le comptoir et se mit à pleurer en silence.

Je la laissai faire. Je ne lui affirmai pas que tout

irait bien. Je ne tentai pas de la consoler. Parfois, il vaut mieux ne pas intervenir, laisser libre cours au chagrin. Je choisis donc de me rendre dans la cuisine où, très lentement, je préparai le chocolat espresso. Le temps que je le serve, que j'y ajoute du cognac et des copeaux de chocolat, que je place les tasses sur un plateau jaune avec un sucre dans chaque soucoupe, Joséphine avait recouvré son calme. Ce n'est pas une magie très sophistiquée, je le sais, mais il arrive qu'elle soit efficace.

« Pourquoi avez-vous changé d'avis ? demandai-je quand elle eut bu la moitié de sa tasse. La dernière fois que nous avons parlé de ça, vous aviez l'air convaincue que vous ne pourriez jamais quitter Paul. »

Elle haussa les épaules, évitant soigneusement de croiser mon regard. « Est-ce parce qu'il vous a encore frappée ? »

Cette fois-ci elle parut étonnée. Sa main se porta à son front, là où sa peau déchirée avait un aspect furieux, irrité. « Non.

— Alors, pourquoi ? »

Son regard se déroba à nouveau. Du bout des doigts elle effleura la tasse d'espresso, comme pour en éprouver la réalité. « Pour rien. Je ne sais pas. Pour rien. »

C'est un mensonge, et un mensonge flagrant. Machinalement, je m'efforce de lire ses pensées, si limpides il y a un instant. J'ai besoin de savoir si c'est moi qui l'y ai poussée, si c'est moi qui l'y ai contrainte en dépit de mes meilleures intentions. Mais pour l'heure ses pensées sont diffuses, embrumées. Je n'y discerne rien d'autre que du noir.

Il n'aurait servi à rien de la harceler davantage. Il y a chez Joséphine une tendance à l'entêtement qui refuse d'être brusquée. Elle finira bien par me raconter. Si elle en a envie.

Muscat n'arriva que le soir à la recherche de sa femme. À ce moment-là, nous avions préparé le lit de Joséphine dans la chambre d'Anouk : Anouk dormira sur le lit de camp à côté de moi. Elle se résigne aussi naturellement à l'arrivée de Joséphine qu'à tout le reste. J'éprouvai un bref serrement de cœur pour ma fille, pour la première chambre à elle qu'elle eût jamais eue, mais je lui promis que ce ne serait pas long.

« J'ai une idée ! lui dis-je. Peut-être que nous pourrions transformer les combles en chambre rien que pour toi, avec une échelle pour y grimper, une trappe pour entrer, et de petites fenêtres rondes découpées dans le toit. Ça te plairait ? »

C'est une idée aussi dangereuse qu'attrayante. Elle laisse supposer que nous allons rester longtemps dans cette ville.

« Je pourrai voir les étoiles de là-haut ? demanda Anouk avec passion.

— Bien sûr.

— Super ! » s'exclama Anouk, qui se précipita à l'étage pour prévenir Pantoufle.

Nous nous attablâmes dans la petite cuisine. La table date de l'époque où la boutique était une boulangerie : l'énorme planche de bois de pin sillonnée de coups de couteau, dont les cicatrices avaient été comblées par des veines de pâte qui avaient durci à la manière du ciment, présente aujourd'hui un bel aspect lisse et marbré. Les assiettes sont dépareillées : une verte, une blanche, une à fleurs pour

Anouk. Les verres, eux aussi, sont tous différents : un grand, un petit, et un troisième qui porte encore l'étiquette « Moutarde Amora ». Pourtant c'est la première fois que nous possédons réellement des choses de ce genre. Nous utilisions toujours de la vaisselle d'hôtel, avec des couverts en plastique. Même à Nice, où nous avons habité plus d'un an, les meubles n'étaient pas à nous, ils étaient loués avec la boutique. La possession est encore pour nous une chose exotique, une chose précieuse, enivrante. J'envie à la table ses cicatrices, les marques de brûlure causées par les moules à pain tout juste sortis du four. Je lui envie sa paisible notion du temps et j'aimerais pouvoir dire : j'ai fait cela il y a cinq ans. C'est moi qui ai causé cette marque, ce rond dû à une tasse à café humide, cette brûlure de cigarette, cette série d'entailles dans le grain épais du bois. C'est là qu'Anouk a gravé ses initiales, l'année de ses six ans, dans ce recoin secret derrière le pied de la table. J'ai fait cela par une chaude journée d'été il y a sept ans avec le couteau à découper. Est-ce que tu te souviens ? Est-ce que tu te souviens de l'été où la rivière s'est tarie ? Est-ce que tu te souviens ?

J'envie à la table son paisible enracinement. Elle est là depuis longtemps. Elle est chez elle.

Joséphine m'a aidée à préparer le dîner : une salade de haricots verts et de tomates à l'huile épicée, des olives rouges et noires achetées au marché du jeudi, du pain aux noix, du basilic frais offert par Narcisse, du fromage de chèvre, du bordeaux rouge. Nous avons discuté pendant le repas, mais pas de Paul-Marie Muscat. À la place, j'ai raconté notre histoire à Joséphine, je lui ai parlé des endroits qu'Anouk et moi avions vus, de la chocolaterie à Nice, de notre séjour à New York juste après la naissance d'Anouk et de ce qui avait précédé, Paris, Naples, toutes ces escales que ma mère et moi avions transformées en foyers provisoires lors de notre longue fuite à travers le monde. Ce soir, je veux uniquement me rappeler les choses gaies, les choses drôles, les bonnes choses. Il y a déjà suffisamment de tristesse dans l'air. J'installe sur la table une bougie blanche destinée à chasser les mauvaises influences, et elle dégage un parfum nostalgique, rassurant. J'ai évoqué pour Joséphine le canal de l'Ourcq, le Panthéon, la place du Tertre, la ravissante avenue Unter den Linden, le ferry de Jersey, les pâtisseries viennoises mangées toutes chaudes à même leurs papiers dans la rue, le front de mer à Juan-les-Pins, nos danses dans les rues de San Pedro. J'ai regardé son visage se dépouiller un peu de son expression figée. J'ai raconté comment ma mère, dans un village près de Rivoli, avait vendu un âne à un fermier, et comment l'animal avait continué de nous suivre, retrouvant notre trace jusqu'à Milan. Puis j'ai raconté l'histoire des bouquetières de Lisbonne, et comment nous avions quitté cette ville dans une camionnette de fleuriste réfrigérée qui nous avait livrées quatre heures plus tard à moitié gelées sur les docks chauffés à blanc de Porto. Elle avait commencé par sourire, avant de rire aux éclats. Il y avait des périodes où nous avions de l'argent, ma mère et moi, et où l'Europe regorgeait de soleil et de promesse. Ce soir, certains détails me revenaient en mémoire : le seigneur arabe dans sa limousine blanche qui, ce fameux jour à San Remo, avait donné la sérénade à ma mère, comme nous avions pu rire et comme elle était heureuse, et tout ce temps où nous avions vécu ensuite grâce à l'argent qu'il nous avait donné.

« Vous avez vu tellement de choses, déclara José-phine d'une voix envieuse et légèrement intimidée. Et vous êtes encore tellement jeune…

— J'ai quasi le même âge que vous.

— J'ai mille ans, protesta-t-elle avec un sourire à la fois doux et mélancolique. J'aimerais être une aventurière. Suivre le soleil avec rien d'autre qu'une simple valise, n'avoir aucune idée de l'endroit où je pourrais me trouver le lendemain…

— Croyez-moi, on s'en lasse, lui affirmai-je gentiment. Et à la longue tous les endroits finissent par se ressembler. »

Elle paraissait sceptique.

« Faites-moi confiance. Je ne plaisante pas. »

Ce n'était pas tout à fait la vérité. Les lieux ont chacun leur caractère propre, et retourner dans une ville où l'on a déjà vécu, c'est comme rendre visite à un vieil ami. Ce sont les gens qui finissent par se ressembler ; on voit les mêmes visages dans des villes situées à des milliers de kilomètres, les mêmes expressions. L'œil morne et hostile des fonction-naires. Le regard curieux des paysans. Les mines indifférentes et blasées des touristes. Les mêmes amoureux, les mêmes mères de famille, les mêmes mendiants, les mêmes infirmes, les mêmes vendeurs ambulants, les mêmes joggeurs, les mêmes enfants, les mêmes policiers, les mêmes chauffeurs de taxi, les mêmes maquereaux. Au bout d'un certain temps, on finit par se sentir légèrement paranoïaque, comme si ces gens-là nous suivaient en secret d'une ville à une autre, changeant de tenues et de visages mais demeurant foncièrement identiques, vaquant à leurs tristes occupations tout en nous gardant subreptice-ment à l'œil, nous les intruses. Au début, on éprouve un vague sentiment de supériorité. Nous formons une race à part, nous autres les nomades. Nous avons vu et connu tellement plus de choses que ces gens-là. Ces gens qui se contentent de mener leurs sinistres existences au gré de la ronde sans fin du métro-boulot-dodo, qui se contentent d'entretenir leurs impeccables petits bouts de jardin, leurs coquets pavillons tous pareils, leurs rêves minables ; nous les méprisons un peu. Et puis arrive un temps où survient la jalousie. La première fois, c'est une sensation assez bizarre : une piqûre soudaine qui se dissipe presque aussitôt. Une femme dans un square, penchée sur un enfant dans sa poussette, leurs deux visages éclairés par quelque chose qui n'a rien à voir avec le soleil... Puis cette jalousie se manifeste une deuxième fois, une troisième : deux jeunes gens au bord de la mer, bras dessus bras dessous ; un groupe d'employées de bureau lors de leur pause-déjeuner, qui pouffent de rire en buvant du café et en grignotant des croissants... Il ne faut pas longtemps pour que la douleur devienne quasi permanente. Non, décidément, les *lieux* ne perdent pas leur identité, aussi loin qu'on puisse aller. C'est le cœur qui, à la longue, finit par s'éroder. Dans la chambre d'hôtel, le visage qui se reflète dans la glace paraît flou certains matins, comme estompé par trop de regards indifférents. À dix heures, les draps seront lavés, le tapis sera passé à l'aspirateur. Les noms, sur les registres d'hôtels, s'effacent quand nous nous en allons. Nous ne laissons aucune trace sur notre passage. Comme des fantômes, nous ne projetons aucune ombre.

Je fus tirée de ma rêverie par des coups impérieux frappés à la porte d'entrée. Joséphine se leva à moitié, le regard apeuré, les deux poings appuyés contre ses côtes. Nous attendions cela depuis le début : le repas, la conversation, n'avaient fait que simuler les dehors de la normalité. Je me mis debout.

« Tout va bien, dis-je à Joséphine. Je ne le laisserai pas entrer. »

La terreur rendait ses yeux vitreux. « Pas question que je lui parle, décréta-t-elle à voix basse. Je ne peux pas.

— Vous y serez peut-être obligée. Mais ne vous inquiétez pas. Ce n'est pas un passe-muraille. »

Elle eut un sourire hésitant. « Je ne veux même pas entendre sa voix. Vous ne savez pas comment il est. Il dira… »

Je me dirigeai vers la partie du magasin plongée dans l'obscurité. « Je sais exactement comment il est, affirmai-je avec fermeté. Et quoi que vous puissiez penser, il n'a rien d'unique. L'avantage avec les voyages, c'est qu'à la longue vous vous apercevez que, quel que soit l'endroit où vous alliez, au fond, la plupart des gens ne sont pas si différents.

— J'ai absolument horreur des scènes, murmura Joséphine alors que j'allumais les lumières de la boutique. Et j'ai horreur des cris.

— Ce ne sera pas long, la rassurai-je tandis que les coups à la porte reprenaient de plus belle. Anouk va vous préparer un chocolat. »

La porte est munie d'une chaîne de sûreté. Je l'ai installée à notre arrivée, habituée aux précautions citadines, bien qu'elle ne se fût jamais révélée nécessaire jusqu'à aujourd'hui. Dans le rai de lumière provenant de la boutique, le visage de Muscat est congestionné de fureur.

« Ma femme est ici ? » Il a la voix pâteuse de l'ivrogne, son haleine pue.

« Oui. » Pas la peine de mentir. Autant régler la question tout de suite et qu'il sache où il en est. « J'ai bien peur qu'elle ne vous ait quitté, monsieur Muscat. Je lui ai proposé de dormir ici quelques nuits, jusqu'à ce que les choses s'arrangent. Cela m'a paru la meilleure solution. » J'essaie d'adopter un ton neutre, poli. Je connais les gens comme lui. Nous en avons rencontré des centaines, ma mère et moi, dans des centaines d'endroits. Bouche bée, il me regarde stupéfait. Puis sa rouerie reprend le dessus, ses yeux malins se plissent, ses mains s'écartent pour prouver qu'il est inoffensif, désemparé, prêt à tout écouter. L'espace d'un instant, il a l'air presque charmant. Puis il se rapproche encore davantage de la porte. Je sens son haleine fétide où se mêlent bière, fumée et aigre colère.

« Madame Rocher. » Sa voix est douce, presque implorante. « Je veux que vous disiez à cette grosse conne qu'est ma femme de sortir son cul de cette maison tout de suite, sinon c'est moi qui irai la chercher. Et si vous essayez de m'en empêcher, espèce de garce MLF... » Il cogne contre la porte.

« Enlevez-moi cette chaîne ! » Il sourit, enjôleur ; la rage qui brûle en lui s'exhale de ses pores avec une légère odeur chimique. « Je vous ai dit d'enlever cette putain de chaîne avant que je la fasse sauter ! » La fureur donne à sa voix des inflexions féminines. Ses cris ressemblent aux couinements d'un cochon en colère.

Très lentement, je lui expose la situation. Il jure et hurle de frustration. Il assène à la porte plusieurs coups de pied, qui font trembler les gonds.

« Si vous forcez la porte de ma maison, monsieur

Muscat, lui déclarai-je d'un ton égal, j'en conclurai que vous êtes un dangereux individu qui s'est introduit chez moi. Je garde dans le tiroir de ma cuisine une bombe de Contre-Attaq', que je portais toujours sur moi quand j'habitais Paris. Je l'ai testée une fois ou deux. Elle est très efficace. »

Cette menace le calme. J'ai le sentiment que lui seul se croit autorisé à proférer des menaces. « Vous ne comprenez pas, gémit-il. C'est ma femme. Je tiens à elle. Je ne sais pas ce qu'elle vous a raconté, mais…

— Ce qu'elle m'a raconté n'a pas d'importance, monsieur Muscat. C'est elle qui a pris sa décision. Si j'étais vous, je cesserais de me donner en spectacle et je rentrerais chez moi.

— Allez vous faire foutre ! » Sa bouche est tellement collée à la porte que ses postillons m'aspergent comme des éclats d'obus, brûlants et répugnants. « C'est votre faute, espèce de garce. C'est *vous* qui lui avez bourré le crâne avec toutes ces histoires d'émancipation à la con. » Il imite Joséphine en adoptant un ton suraigu. « Oh, c'était tout le temps *Vianne dit ci, Vianne dit ça*. Laissez-moi lui parler rien qu'une minute, et on verra ce qu'elle a à dire personnellement, pour changer.

— Je ne crois pas que ce soit…

— Ça va. » Joséphine s'est glissée derrière moi, tout doucement, tenant entre ses doigts une tasse de chocolat comme pour se réchauffer les mains. « Il va falloir que je lui parle, sinon il ne s'en ira jamais. »

Je la regarde. Elle est plus calme, ses yeux sont clairs. « Soit », dis-je en hochant la tête.

Je m'écarte et Joséphine gagne la porte. Muscat commence à parler mais elle le coupe, d'une voix étonnamment tranchante et égale. « Paul. Écoute-moi un instant. »

243

Son ton est si cinglant que Muscat s'interrompt net au milieu de ses menaces. « Va-t'en. Je n'ai rien de plus à te dire. D'accord ? »

Elle tremble, mais sa voix est calme et inflexible. J'éprouve soudain pour elle un élan de fierté, et j'exerce sur son bras une pression rassurante. Muscat demeure quelque temps silencieux. Puis sa voix retrouve ses inflexions enjôleuses, mais je perçois toujours la rage qui la sous-tend, comme des parasites sur un lointain signal radio.

« Josée, dit-il avec douceur, c'est stupide. Sors de là et nous pourrons discuter comme il faut. Tu es ma *femme*, Josée. Est-ce que ça ne mérite pas qu'on réessaie au moins encore une fois ? »

Elle secoue la tête. « Trop tard, Paul, déclare-t-elle d'un ton irrévocable. Je suis désolée. »

Elle referma alors la porte très délicatement, très résolument, et il eut beau s'entêter à tambouriner plusieurs minutes — alternant jurons, cajoleries et menaces, et poussant jusqu'aux pleurs, dans un accès de sentimentalisme auquel il crut lui-même —, nous ne répondîmes pas.

À minuit, je l'entendis crier dehors, au pied de la maison ; une motte de terre vint heurter la fenêtre avec un bruit sourd, laissant sur la vitre une trace de boue. Je me levai pour vérifier ce qui se passait et, sur la place en contrebas, j'aperçus sa silhouette de gnome malfaisant. Il avait les mains profondément enfoncées dans les poches de son pantalon, aussi voyais-je les bourrelets flasques de son ventre qui débordaient de sa ceinture. Il avait l'air saoul.

« Vous ne pourrez pas rester éternellement là-dedans ! » Je vis une lumière s'allumer à l'une des fenêtres derrière lui. « Il faudra bien que vous sortiez à un moment ou à un autre ! Et alors là, mes salopes ! Alors là ! » Machinalement, je lui retournai ses imprécations d'une rapide chiquenaude.

Déguerpis. Esprit maléfique, va-t'en d'ici.

Encore un de ces réflexes invétérés de ma mère. N'empêche, je suis étonnée de constater que je me sens bien plus rassurée à présent. Je suis restée paisiblement allongée sans dormir pendant un long moment après cet épisode, à écouter la douce respiration de ma fille et à contempler les formes changeantes que dessinait la lune à travers le feuillage. Je m'efforçais, je crois, de discerner l'avenir dans ces motifs chatoyants, y cherchant un signe, un mot de réconfort… La nuit, ces choses-là sont plus faciles à croire, avec l'Homme Noir qui fait le guet à l'extérieur et la girouette qui lance son grincement strident au sommet du clocher. Mais comme je ne voyais rien et que je n'éprouvais rien, je finis par me rendormir, et je rêvai de Reynaud se tenant au pied du lit d'hôpital d'un vieil homme, une croix dans une main et une boîte d'allumettes dans l'autre.

24

Dimanche 9 mars

Armande est apparue de bonne heure ce matin pour bavarder et déguster son chocolat. Coiffée d'un nouveau chapeau de paille blonde que rehaussait un ruban rouge, elle avait l'air plus fraîche et plus fringante que la veille. La canne sur laquelle elle s'appuie depuis quelque temps est une affectation ; orné de son nœud rouge vif, l'objet ressemble à un étendard de défi. Après avoir commandé un chocolat viennois et une part de mon gâteau fourré noir et blanc, Armande s'est confortablement installée sur un tabouret. Joséphine, qui m'assiste au magasin pour quelques jours, le temps d'aviser, observait la scène de la cuisine avec une légère appréhension.

« J'ai appris qu'il y avait eu du vacarme hier soir », attaqua Armande de sa manière directe. La gentillesse qu'on peut lire dans ses yeux noirs pétillants rachète sa brusquerie. « Ce butor de Muscat serait venu ici pour brailler et faire tout un cinéma. »

Je lui expliquai ce qui s'était passé aussi sobrement que possible. Armande écouta mon récit d'un air approbateur.

« Tout ce que je me demande, c'est pourquoi

elle ne l'a pas quitté il y a des années, déclara-t-elle quand j'eus terminé. Le père Muscat ne valait pas mieux que son fils. La langue un peu trop bien pendue, ces deux-là. Et la main un peu trop leste... » Elle adressa un joyeux signe de tête à Joséphine, qui se tenait dans l'embrasure de la porte, un pot de lait chaud à la main. « Toujours su que vous finiriez par entendre raison un jour ou l'autre, ma petite ! s'écria-t-elle. Et maintenant, surtout, ne laissez personne vous faire changer d'avis.

— Ne vous en faites pas, répondit Joséphine en souriant. Personne n'y réussira. »

Nous eûmes plus de clients ce matin-là à La Praline que n'importe quel dimanche depuis notre arrivée, à Anouk et moi. Nos habitués — Guillaume, Narcisse, Arnauld et quelques autres — parlèrent peu, saluant aimablement Joséphine et se comportant à peu près comme à l'accoutumée.

Guillaume est arrivé à l'heure du déjeuner, accompagné d'Anouk. Au milieu de l'excitation de ces deux derniers jours, je ne lui avais parlé qu'à une ou deux reprises, mais lorsqu'il franchit le seuil de la boutique, je fus frappée par la soudaineté de sa métamorphose. Disparue, son allure ratatinée, rapetissée ! Aujourd'hui, il marchait d'un pas plein d'entrain, et l'écharpe rouge vif qu'il portait autour du cou lui donnait un air presque pimpant. Du coin de l'œil, j'aperçus à ses pieds une tache sombre. Pantoufle... Anouk doubla Guillaume en courant et, son cartable se balançant avec insouciance, elle passa sous le comptoir pour venir m'embrasser.

« Maman ! me glissa-t-elle à l'oreille. Guillaume a trouvé un chien ! »

Je me retournai avec curiosité, Anouk toujours dans mes bras. Guillaume se tenait près de la porte, tout rougissant. À ses pieds, un petit bâtard marron et blanc qui n'était encore qu'un chiot se vautrait sur le sol avec adoration.

« Chh, Anouk. Ce n'est pas mon chien. » L'expression de Guillaume était un mélange complexe de plaisir et de gêne. « Il traînait aux Marauds. Je pense que quelqu'un voulait sans doute se débarrasser de lui. »

Anouk donnait des morceaux de sucre au petit chien. « C'est Roux qui l'a trouvé, gazouilla-t-elle. Il l'a entendu qui pleurait au bord de la rivière. Il me l'a dit.

— Ah bon ? Tu as vu Roux ? »

Anouk acquiesça d'un air distrait et chatouilla le chien, qui roula sur le dos avec un grognement de bonheur. « Il est tellement mignon. Vous allez le garder ? »

Guillaume sourit, un peu tristement. « Je ne crois pas, mon cœur. Tu sais, après Charly…

— Mais il est *perdu*, il n'a nulle part où…

— Je suis sûr qu'il y a plein de gens qui seront d'accord pour offrir un bon foyer à un gentil petit chien comme ça. » Guillaume se baissa pour tirer affectueusement sur les oreilles du chien. « C'est un brave petit toutou, plein de vie. »

Insistante : « Comment est-ce que vous allez l'appeler ?

— Je ne pense pas le garder suffisamment longtemps pour lui donner un nom, ma mie. »

Anouk me décocha une de ses œillades comiques, et je secouai la tête pour la faire taire.

« Je me disais que vous pourriez peut-être mettre une annonce dans la vitrine, reprit Guillaume, s'asseyant au comptoir. Pour voir si quelqu'un le réclame, comprenez-vous. »

Je lui servis une tasse de moka que je disposai en face de lui, accompagnée de deux florentins.

« Bien sûr », dis-je avec un sourire.

Un instant après, lorsque je le regardai, le chien était installé sur les genoux de Guillaume, en train de manger les florentins. Anouk me fit un clin d'œil.

Narcisse m'avait apporté un panier d'endives provenant de son potager et, voyant Joséphine, il lui tendit un petit bouquet d'anémones écarlates qu'il sortit de la poche de son manteau, en marmonnant qu'elles égaieraient un peu la boutique.

Joséphine rougit, mais elle avait l'air contente et essaya de le remercier. Narcisse, gêné, s'esquiva en traînant les pieds, avec des dénégations bourrues.

Après les gentils débarquèrent les curieux. La rumeur avait circulé, pendant le sermon, que Joséphine Muscat s'était installée à La Praline, et il y eut à la boutique un afflux régulier de visiteurs durant toute la matinée. Joline Drou et Caro Clairmont arrivèrent avec leurs twin-sets printaniers et leurs foulards de soie, munies d'une invitation à un goûter de bienfaisance le dimanche des Rameaux.

Armande poussa un gloussement enchanté en les apercevant. « Ma parole, c'est le défilé de mode du dimanche matin ! » s'exclama-t-elle.

Caro avait la mine contrariée. « Voyons, tu ne devrais pas être ici, maman, dit-elle d'un ton de reproche. Tu sais bien ce qu'a dit le docteur.

— Ah ça oui, je le sais ! répliqua Armande.

Qu'est-ce qui ne va pas, je ne meurs pas assez vite à ton goût ? C'est pour ça que tu m'envoies cette tête de mort pour gâcher ma matinée ? »

Les joues poudrées de Caro s'empourprèrent. « Vraiment, maman, tu ne devrais pas dire des choses comme…

— Je ferai attention à ce que je dis quand tu te mêleras de ce qui te regarde ! » riposta vivement Armande. Dans sa hâte de déguerpir, Caro faillit érafler le carrelage avec ses hauts talons…

Ensuite, Denise Arnauld passa vérifier si nous n'avions pas besoin de pain supplémentaire.

« À tout hasard… dit-elle, les yeux luisants de curiosité. Étant donné que désormais vous avez une invitée, et tout… » Je lui assurai que si nous avions besoin de pain, nous savions où aller.

Se succédèrent ensuite Charlotte Édouard, Lydie Perrin, Georges Dumoulin : l'une voulait à l'avance un cadeau d'anniversaire ; l'autre désirait des renseignements sur le festival du chocolat — une idée *tellement* originale, madame ; le troisième avait fait tomber son porte-monnaie devant l'église Saint-Jérôme et se demandait si par hasard je ne l'avais pas vu. J'avais mis Joséphine derrière le comptoir avec un de mes tabliers jaunes pour protéger ses vêtements des taches de chocolat, et elle se débrouilla étonnamment bien. Elle a pris grand soin de son apparence aujourd'hui. Impeccables, son pull rouge et sa jupe noire ont un aspect très professionnel, et ses cheveux bruns sont délicatement retenus par un ruban. Elle affiche un sourire très commerçant, tient la tête haute, et ses yeux ont beau se braquer de temps en temps sur la porte avec appréhension, il n'y a pas grand-chose dans son attitude qui dénote la peur, que ce soit pour elle ou pour sa réputation.

« L'impudence qu'elle a, c'est incroyable ! siffla Joline Drou à Caro Clairmont tandis que les deux femmes franchissaient le seuil. Une sacrée impudence ! Quand je pense à ce que ce pauvre homme a dû supporter... »

Joséphine leur tournait le dos, mais je la vis se raidir. Une pause dans la conversation avait permis à Joséphine d'entendre parfaitement les remarques de Joline, et Guillaume eut beau simuler une quinte de toux, je savais qu'elle avait entendu.

Il y eut un petit silence gêné.

Puis Armande prit la parole. « Eh bien, ma fille, vous pouvez être sûre d'avoir réussi, puisque ces deux chipies désapprouvent, déclara-t-elle avec vivacité. Bienvenue chez les gens infréquentables ! »

Joséphine lui lança soudain un regard soupçonneux puis, comprenant que la plaisanterie n'était pas dirigée contre elle, elle s'esclaffa. Son rire était spontané, insouciant ; stupéfaite, elle leva la main à sa bouche comme pour vérifier que ce rire était bien le sien. Ce réflexe la fit rire encore davantage, et les autres se mirent à rire avec elle. Nous étions tous en train de rire lorsque le carillon de la porte tinta et que Francis Reynaud entra tranquillement dans la boutique.

« Monsieur le curé. » J'observai un brusque changement dans la physionomie de Joséphine avant même de voir le curé : son expression devint hostile et bornée, ses mains retrouvèrent leur position coutumière au creux de son ventre.

Reynaud hocha gravement la tête. « Madame Muscat. » Il insista particulièrement sur ce premier mot. « J'ai regretté de ne pas vous voir à l'église ce matin. »

Joséphine grommela des paroles indistinctes. Reynaud effectua un pas en direction du comptoir et elle se détourna comme pour foncer dans la cuisine, mais elle changea d'avis et pivota pour lui faire face.

« Bravo, ma fille, approuva Armande. Ne le laissez pas vous servir son baratin. » Regardant Reynaud dans les yeux, elle le menaça d'un geste sévère avec sa part de gâteau. « Laisse cette fille tranquille, Francis. Tu devrais plutôt lui donner ta bénédiction. »

Reynaud fit la sourde oreille. « Écoutez-moi, ma fille, dit-il d'un ton grave. Il faut que nous parlions. » Ses yeux se posèrent avec dégoût sur le sachet portebonheur de couleur rouge qui pendait à la porte. « Pas ici. »

Joséphine secoua la tête. « Je suis désolée. J'ai du travail. Et je ne tiens pas à écouter ce que vous pouvez avoir à me dire. »

La bouche de Reynaud prit un pli têtu. « Vous n'avez jamais eu autant besoin de l'Église que maintenant, déclara-t-il avec un rapide coup d'œil plein de froideur dans ma direction. Vous avez faibli. Vous avez laissé d'autres gens vous faire sortir du droit chemin. Les liens sacrés du mariage… »

Armande l'interrompit une nouvelle fois avec un grognement de dérision.

« Les liens sacrés du mariage ? Où est-ce que tu es allé pêcher ça ? J'aurais cru que tu étais plutôt mal placé pour…

— Je vous en prie, madame Voizin. » Enfin un soupçon d'émotion dans sa voix neutre. Ses yeux prirent un éclat glacial. « J'apprécierais énormément que vous…

— Parle donc comme on te l'a appris quand tu étais petit ! coupa Armande. Ta mère ne t'a jamais appris à parler avec une patate chaude dans la bouche, il me semble ? » Elle gloussa. « Monsieur voudrait nous faire croire qu'il vaut mieux que nous, pas vrai ? Monsieur nous a complètement oubliés, on dirait, quand il est allé dans cette école de rupins ? »

Reynaud se raidit. Je percevais l'incroyable tension dont il était la proie. Il a décidément perdu du poids au cours de ces dernières semaines : sa peau est tendue comme celle d'un tambour sur les creux sombres de ses tempes, et l'articulation de sa mâchoire est clairement visible sous sa maigreur. La mèche un peu molle qui barre son front en diagonale lui donne un air vaguement négligé ; mais le reste de sa personne respire la plus parfaite efficacité.

« Joséphine. » Sa voix douce, engageante, nous excluait aussi sûrement que s'ils avaient été seuls. « Je sais que vous voulez que je vous aide. J'ai parlé à Paul-Marie. Il dit que vous êtes nerveusement très fatiguée. Il dit… »

Joséphine secoua la tête. « Mon père. » L'expression vide avait quitté son visage et elle était sereine. « Je sais que vous croyez bien faire. Mais je ne changerai pas d'avis.

— Mais le sacrement du mariage… » Il paraissait désormais agité, s'appuyant contre le comptoir, le visage déformé par le désarroi. Ses mains s'agrippaient à la surface capitonnée en quête de soutien. Nouveau regard oblique sur le sachet rouge suspendu à la porte. « Je sais qu'on vous a embrouillé les idées. Des gens vous ont influencée. » Persuasif : « Si nous pouvions seulement discuter en *privé*…

— Non, répliqua-t-elle d'une voix ferme. Je reste ici avec Vianne.

— Pour combien de temps ? » Sa voix trahissait la confusion tout en feignant l'incrédulité.

« Mme Rocher est peut-être votre amie, Joséphine, mais c'est une femme d'affaires, elle a une boutique à diriger, une enfant dont s'occuper. Combien de temps tolérera-t-elle une étrangère dans sa maison ? » Ce trait se révéla plus efficace. Je vis Joséphine hésiter, et une lueur d'incertitude réapparut dans ses yeux. J'avais trop souvent observé cette expression sur le visage de ma mère pour ne pas la reconnaître ; c'était une expression de doute, une expression de peur.

Nous n'avons besoin que l'une de l'autre. Le souvenir d'un chuchotement fébrile dans l'obscurité brûlante d'une chambre d'hôtel anonyme. *Pourquoi irions-nous chercher ailleurs ?* Des mots pleins de courage et, si elle pleurait, les ténèbres dissimulaient ses larmes. Mais je la sentais qui tremblait, presque imperceptiblement, alors qu'elle me serrait dans ses bras sous les couvertures, comme une femme en proie à une fièvre larvée. Peut-être était-ce pour cette raison qu'elle les fuyait, ces hommes si gentils, ces femmes si gentilles qui désiraient lui venir en aide, l'aimer, la comprendre. Nous étions contagieuses, bouillantes de méfiance, l'orgueil que nous portions en nous constituant l'ultime refuge des bannis.

« Je vais proposer à Joséphine de travailler ici avec moi, dis-je d'une voix onctueuse mais décidée. Je vais avoir besoin d'un énorme coup de main si je veux trouver le temps de préparer le festival du chocolat pour Pâques. »

Le regard de Reynaud, enfin mis à nu, était chargé de haine.

« Je vais lui enseigner les rudiments de la fabrication du chocolat. Elle pourra me remplacer dans le magasin pendant que je travaillerai dans la cuisine. » Joséphine me contemplait avec un air de vague stupéfaction. Je lui fis un clin d'œil.

« Elle me rendra service, et je suis sûre que l'argent gagné ne lui sera pas inutile, continuai-je d'un ton doucereux. Et pour ce qui est de rester — je m'adressai directement à elle, plongeant mes yeux dans les siens —, Joséphine, vous pourrez rester aussi longtemps qu'il vous plaira. C'est un plaisir de vous avoir ici. »

Armande pouffa. « Alors, vous voyez, mon père, s'écria-t-elle avec jubilation. Pas besoin de perdre davantage votre temps. Sans vous, tout semble se passer à la perfection. » Elle but une gorgée de chocolat avec un air d'extrême malice. « Une tasse de ce breuvage vous ferait certainement du bien, suggéra-t-elle. Vous n'avez pas l'air dans votre assiette, Francis. Auriez-vous encore abusé du vin de messe ? »

Il lui fit un sourire qui ressemblait à un poing serré. « Très drôle, madame. C'est un plaisir de constater que vous n'avez pas perdu votre sens de l'humour. »

Puis il pivota prestement sur ses talons et, avec un signe de tête accompagné d'un bref « Messieurs-Dames » à l'intention des clients, il prit congé de l'assistance, comme ces officiers nazis si polis dans les mauvais films de guerre.

25

Lundi 10 mars

Telle une volée de moineaux, leurs éclats de rire me suivirent hors de la boutique jusque dans la rue. Les effluves de chocolat, s'ajoutant à ma colère, me faisaient tourner la tête, me rendant presque euphorique de rage. Nous avions raison, mon père. Cela nous justifie complètement. En s'attaquant aux trois domaines qui nous touchent le plus — la communauté, les fêtes de l'Église et à présent un de ses sacrements les plus saints —, cette femme révèle enfin sa véritable nature. Son influence pernicieuse s'étend rapidement, elle a déjà ensemencé une douzaine, voire deux douzaines d'esprits fertiles. J'ai aperçu le premier pissenlit de la saison ce matin au cimetière, coincé derrière une pierre tombale. Sa racine est déjà si profonde que je ne suis pas arrivé à l'arracher complètement ; épaisse comme le doigt, elle s'insinue dans les ténèbres qui se cachent sous la dalle. D'ici à une semaine, la plante aura entièrement repoussé, plus vivace qu'avant.

J'ai aperçu Muscat à la communion ce matin, mais il n'est pas venu à confesse. Les traits tirés et creusés par la colère, il paraît engoncé dans ses habits du dimanche. Il a fort mal pris le départ de sa femme.

Quand je suis sorti de la chocolaterie, il m'atten-dait, cigarette aux lèvres, adossé au petit porche près de l'entrée principale.

« Alors, mon père ?

— J'ai parlé à votre femme.

— Quand est-ce qu'elle rentre à la maison ?

— Je ne voudrais pas vous donner de faux espoirs, ai-je déclaré avec douceur.

— Nom de Dieu, quelle tête de bourrique ! s'écria-t-il en jetant sa cigarette à terre et en l'écra-sant avec son talon. Pardonnez mon langage, mon père, mais c'est la vérité. Quand je pense aux choses auxquelles j'ai renoncé pour cette fichue garce… à l'argent qu'elle m'a coûté…

— Elle a eu elle aussi bien des choses à supporter, lui rétorquai-je, péremptoire, me souvenant de ses nombreuses confessions.

— Oh, je ne suis pas un ange…, concéda-t-il en haussant les épaules. Je connais mes faiblesses. Mais dites-moi, mon père — il étendit ses mains dans un geste suppliant —, n'avais-je pas de bonnes raisons ? Voir sa bouille d'idiote chaque matin au réveil ? La surprendre sans arrêt les poches bourrées de trucs volés sur le marché, des bâtons de rouge à lèvres, des flacons de parfum, des bijoux ? Voir tout le monde me dévisager à l'église d'un air rigolard ? Hé ? » Il essaya de m'amadouer du regard. « Hé, mon père ? Est-ce que je n'ai pas eu ma propre croix à porter ? »

J'ai déjà entendu ce discours-là. Le manque de coquetterie de Joséphine, sa bêtise, sa paresse à la maison. Je ne suis pas censé avoir une opinion sur ce genre de choses. Mon rôle se limite à prodi-guer conseils et réconfort. N'empêche, Muscat me dégoûte avec ses prétextes, avec sa conviction que, sans elle, il aurait accompli à coup sûr de grands et nobles exploits.

« Nous ne sommes pas ici pour déterminer les responsabilités, le rabrouai-je. Nous devrions plutôt nous efforcer de trouver des moyens de sauver votre mariage. »

Il se calma sur-le-champ. « Je suis désolé, mon père. Je… je n'aurais pas dû dire ces choses-là. » Il essaya la sincérité, dévoilant des dents jaunes qui ressemblaient à de l'ivoire ancien. « N'allez pas croire que je ne tienne pas à elle, mon père. Je veux dire, je cherche à la faire revenir, non ? »

Oh que oui. Pour préparer ses repas. Pour repasser ses vêtements. Pour tenir son café. Et pour prouver à ses amis que personne ne se moque de Paul-Marie Muscat, personne. J'ai horreur de cette hypocrisie. Il doit effectivement la reconquérir. Je suis au moins d'accord sur ce point. Mais pas pour ces raisons-là.

« Si vous voulez la faire revenir, Muscat, lui dis-je avec une certaine aigreur, alors vous vous y êtes pris jusqu'ici d'une manière particulièrement stupide. »

Il regimba. « Je ne vois pas ce qui…

— Ne faites pas l'imbécile. »

Mon père, comment avez-vous pu faire montre d'une telle patience avec ces gens-là ?

« Les menaces, les blasphèmes, la saoulerie scandaleuse d'hier soir ? Vous croyez vraiment qu'un comportement pareil va arranger vos affaires ? »

Maussade : « Après ce qu'elle a fait, je ne pouvais quand même pas la laisser s'en tirer comme ça, mon père. Tout le monde dit que ma femme m'a plaqué. Et cette garce de Rocher qui se mêle de tout… » Ses yeux méchants se plissèrent derrière ses lunettes cerclées de métal. « Elle l'aura bien cherché si quelque chose arrive à sa jolie boutique, déclara-t-il froidement. Ça nous débarrassera de cette garce pour de bon.

— Ah oui ? » m'étonnai-je, saisi d'un intérêt soudain.

Cette idée était trop proche des pensées que je nourrissais moi-même, mon père. Dieu me pardonne, mais quand j'ai vu ce bateau flamber... C'est une joie primitive, indigne de l'habit que je porte, une sensation païenne qu'en toute rigueur je ne devrais pas éprouver. J'ai combattu cette pensée chaque jour, mon père, au petit matin. Je l'ai refoulée en moi-même, mais comme les pissenlits elle repousse sans cesse, forte d'une infinité de radicelles insidieuses. Peut-être était-ce à cause de cela — parce que je *comprenais* — que je m'exprimai d'une voix plus dure que je ne l'aurais voulu : « Quel genre de chose avez-vous en tête, Muscat ? »

Il marmonna une réponse à peine audible.

« Un incendie peut-être ? Un incendie providentiel ? » Je sentais la rage qui enflait dans ma poitrine. Son goût, à la fois métallique et douceâtre, m'envahissait la bouche. « Comme l'incendie qui nous a débarrassés des gitans ? »

Il eut un sourire narquois. « Peut-être. C'est affreux, les risques d'incendie qu'elles peuvent présenter, certaines de ces vieilles maisons...

— Écoutez-moi. » J'étais soudain épouvanté à l'idée que Muscat ait pu interpréter mon silence de cette nuit-là comme de la complicité. « Si je pensais — si je ne faisais même que *soupçonner* — en dehors du confessionnal que vous avez pu tremper dans une histoire de ce genre... s'il arrive quoi que ce soit à cette boutique... » Je le tenais par les épaules à présent, mes doigts s'enfonçaient dans le gras de son dos.

Muscat paraissait contrarié. « Mais père... vous avez dit vous-même que...

— *Je n'ai rien dit du tout !* » Entendant ma voix retentir sur la place comme une rafale de mitraillette, je m'empressai d'y mettre une sourdine. « Je ne vous ai en tout cas jamais encouragé à... » Je m'éclaircis la gorge : elle me semblait bloquée par une boule énorme. « Nous ne sommes pas au Moyen Âge, Muscat ! m'écriai-je d'une voix cinglante. Nous n'interprétons pas les lois de Dieu à notre convenance. Ni les lois de notre pays », ajoutai-je gravement en le regardant dans les yeux. Il avait les cornées aussi jaunes que ses dents. « Est-ce que nous nous comprenons bien ?

— Oui, mon père, répondit-il à contrecœur.

— Parce que s'il arrive quelque chose, Muscat, n'importe quoi, une vitre cassée, un petit feu, absolument n'importe quoi... » Je le dépasse d'une tête. Je suis plus jeune, plus en forme que lui. Il réagit instinctivement à la menace physique. Je le pousse sans violence et il va se heurter contre le mur de pierre derrière lui. J'ai du mal à contenir ma rage. Qu'il se croie habilité — qu'il se croie *habilité* — à endosser mon rôle, mon père. Que ce soit lui, ce misérable crétin. Qu'il me mette dans cette situation... Que je me voie officiellement contraint de protéger la femme qui est mon ennemi. Non sans difficulté, je réussis à me dominer.

« N'approchez surtout pas de cette boutique, Muscat. S'il faut faire quelque chose, c'est *moi* qui le ferai. Est-ce que vous comprenez ? »

Mortifié à présent, son ton bravache évanoui : « Oui, mon père.

— Remettez-vous-en entièrement à moi. »

Plus que trois semaines avant son grand festival.

C'est tout ce qui me reste. Trois semaines pour trouver un moyen de mettre un frein à son influence. J'ai prononcé un sermon à son encontre à l'église, qui n'a eu d'autre effet que de me ridiculiser. Le chocolat, paraît-il, n'est pas un problème moral. Même les Clairmont trouvent mon obstination un tantinet douteuse, elle, affirmant avec force minauderies que j'ai l'air surmené, et lui, souriant carrément. Vianne, pour sa part, ne prête aucune attention à tout cela. Loin d'essayer de s'intégrer à la communauté, elle revendique au contraire son statut de paria, me lançant des saluts impertinents à travers la place, encourageant les frasques d'Armande, se laissant constamment harceler par les enfants dont elle favorise la témérité grandissante. Même dans une foule, elle est immédiatement reconnaissable. Lorsque d'autres remontent une rue en marchant, elle la descend en courant... ses cheveux flottant perpétuellement au vent, ses vêtements, aux couleurs lumineuses, orange, jaune, avec des motifs à pois ou des motifs à fleurs... Dans la nature, au milieu des hirondelles, une perruche se ferait rapidement écharper à cause de son plumage éclatant. Ici, Vianne est acceptée avec affection, et même amusement. Ce qui ailleurs ferait hausser les sourcils est ici toléré parce qu'il s'agit de Vianne. Même Clairmont n'est pas insensible à son charme, et l'aversion de Caro n'est aucunement liée à une supériorité morale, plutôt à une sorte de jalousie qui ne lui fait pas vraiment honneur. Au moins, Vianne Rocher n'est pas une hypocrite qui se servirait de la parole de Dieu pour monter dans l'échelle sociale. Et pourtant cette constatation — dans laquelle on peut lire une affinité, voire une sympathie, qu'un homme dans ma position ne saurait se permettre

— représente également un danger. Toute affinité est exclue pour moi. La fureur comme la sympathie ne sont pas davantage permises. Je dois me montrer impartial, pour le bien de la communauté et celui de l'Église. C'est à elles en premier que va ma loyauté.

26

Mercredi 12 mars

Cela fait des jours que nous n'avons pas parlé à Muscat. Joséphine, qui pendant quelque temps n'a pas voulu sortir de La Praline, se laisse désormais convaincre de descendre la rue jusqu'à la boulangerie, ou de traverser la place jusque chez le fleuriste, sans que je sois là pour l'accompagner. Étant donné qu'elle se refuse à retourner au Café de la République, je lui ai prêté quelques-uns de mes propres vêtements. Aujourd'hui, elle porte un pull bleu avec un sarong à fleurs, et elle est absolument ravissante. En l'espace de quelques jours, elle s'est métamorphosée ; son expression de morne hostilité a disparu, tout comme ses tics de défense. Elle paraît plus grande, plus soignée : elle a renoncé à sa posture perpétuellement voûtée ainsi qu'à ces multiples couches de vêtements qui lui donnaient une silhouette tellement boulotte. Elle tient la boutique à ma place pendant que je travaille dans la cuisine, et je lui ai déjà appris à tempérer et à mélanger les variétés de chocolat ainsi qu'à fabriquer les pralinés les plus simples. Elle a des mains à la fois adroites et rapides. En plaisantant, je lui rappelle la dextérité manuelle dont elle avait fait preuve le premier jour, et elle rougit.

« Jamais je ne vous volerais quelque chose ! » Son indignation est touchante, sincère. « Vianne, vous ne croyez pas que je…

— Bien sûr que non.

— Vous savez que je…

— Bien sûr. »

Armande et elle, qui se connaissaient à peine autrefois, sont devenues bonnes amies. La vieille dame nous rend visite tous les jours désormais, tantôt pour bavarder, tantôt pour acheter un cornet de ses truffes préférées à l'abricot. Souvent, elle arrive avec Guillaume, qui est devenu un habitué. Aujourd'hui, Luc est là également, et ils sont tous trois installés dans l'angle de la pièce avec une chocolatière pleine et quelques éclairs. Les rires et les exclamations de leur petit groupe parviennent de temps à autre à mes oreilles.

Juste avant la fermeture, Roux est entré dans le magasin, l'air circonspect et hésitant. C'était la première fois que je le revoyais de près depuis l'incendie, et je fus frappée par les changements qui étaient survenus en lui. Il paraît amaigri, et ses cheveux gominés en arrière dévoilent un visage tristement renfrogné. Il y a un bandage sale sur l'une de ses mains. Sur un côté de son visage, une multitude de taches rouges ressemblent à un mauvais coup de soleil.

Il parut décontenancé en voyant Joséphine.

« Je suis désolé. Je croyais que Vianne était… » Il fit brusquement volte-face comme pour s'en aller.

« Non. Je vous en prie. Elle est dans l'arrière-boutique. » Si son attitude s'est détendue depuis qu'elle a commencé à travailler au magasin, Joséphine paraissait toutefois mal à l'aise : peut-être était-elle intimidée par l'arrivée de Roux.

Roux hésita. « Vous êtes la femme du café, dit-il enfin. Vous êtes…

— Joséphine Bonnet, coupa-t-elle. Je vis ici maintenant.

— Ah. »

Je sortis de la cuisine et je le vis qui la contemplait avec une lueur de curiosité dans ses yeux clairs. Il se garda néanmoins d'insister, et Joséphine se retira avec gratitude dans la cuisine.

« Ça fait plaisir de vous revoir, Roux, lui dis-je sans détour. Je voulais vous demander un service.

— Ah ? »

Avec lui, une simple syllabe peut paraître très lourde de sens. Ce « ah ? » reflétait une incrédulité polie mêlée de méfiance. Il avait l'air d'un chat surexcité sur le point d'attaquer.

« La maison a besoin de quelques travaux, et je me demandais si vous pourriez… » Il est difficile de formuler la chose correctement. Il n'acceptera pas, s'il considère que je lui fais la charité.

« Ça n'aurait pas quelque chose à voir avec notre amie Armande, par hasard ? » Son ton était léger mais dur. Il se tourna vers l'endroit où Armande et ses compagnons étaient assis. « Encore une bonne action clandestine, on dirait ? » lança-t-il, caustique.

Quand il se tourna à nouveau vers moi, son visage était prudent et dénué d'expression. « Je ne suis pas venu ici quémander un boulot. Je voulais vous demander si vous aviez vu quelqu'un traîner autour de mon bateau ce soir-là. »

Je fis signe que non. « Je regrette, Roux, mais je n'ai vu personne.

— D'accord. » Il fit demi-tour comme pour s'en aller. « Merci, dit-il.

— Écoutez, attendez ! criai-je pour l'arrêter. Vous ne pouvez pas au moins rester boire quelque chose ?

— Une autre fois. » Son ton brutal frôlait la gros-sièreté. Sa colère, je le sentais, ne demandait qu'à exploser.

« Nous sommes toujours vos amis, déclarai-je tan-dis qu'il rejoignait la porte. Armande, Luc et moi. Ne soyez pas si hargneux. Nous essayons de vous aider. »

Roux se retourna d'un seul coup. Il avait une figure sinistre. Ses yeux étaient comme deux crois-sants. « Comprenez bien ceci, tous autant que vous êtes, dit-il d'une voix basse pleine de haine, à l'ac-cent tellement prononcé qu'on comprenait à peine ses paroles. Je n'ai pas besoin d'aide. Je n'aurais jamais dû me lier avec vous, de toute façon. Si je me suis attardé si longtemps, c'est seulement parce que je pensais pouvoir découvrir qui a incendié mon bateau. »

Là-dessus, il s'esquiva, franchissant la porte comme un ours maladroit dans un furieux tintement de clo-chettes.

Quand il fut parti, nous échangeâmes des regards sidérés.

« Ces rouquins, fit Armande, attendrie. Têtus comme des mules. »

Joséphine paraissait ébranlée. « Quel homme hor-rible ! s'exclama-t-elle enfin. Ce n'est pas vous qui avez mis le feu à son bateau. De quel droit est-ce qu'il s'en prend à vous ? »

Je haussai les épaules. « Il se sent furieux et désem-paré, et il ne sait qui accuser, lui expliquai-je avec douceur. C'est une réaction naturelle. Et puis il croit que nous lui proposons de l'aide parce que nous avons pitié de lui.

— J'ai vraiment horreur des scènes, déclara José-phine, et je savais qu'elle pensait à son mari. Je suis contente qu'il soit parti. Est-ce que vous croyez qu'il va quitter Lansquenet à présent ?

— Je ne pense pas, répondis-je, sceptique. Après tout, où irait-il ? »

27

Jeudi 13 mars

Hier après-midi, je suis descendue aux Marauds pour parler avec Roux, mais sans plus de succès que la dernière fois. La maison abandonnée avait été cadenassée de l'intérieur et les volets étaient fermés. Je l'imagine terré dans le noir avec sa rage, tel un animal effarouché. J'ai crié son nom, je savais qu'il m'entendait, mais il n'a pas répondu. J'ai envisagé de lui laisser un message sur la porte, mais j'y ai renoncé. S'il veut venir, ce doit être de son propre mouvement. Anouk m'a accompagnée, munie d'un bateau en papier que je lui avais fabriqué avec la couverture d'un magazine. Alors que je me tenais devant la porte de Roux, elle a gagné la berge afin de le mettre à l'eau, se servant d'une longue branche pour l'empêcher de trop dériver. Roux refusant de se montrer, je suis retournée à La Praline, où Joséphine s'était déjà mise à préparer la quantité de pâte de cacao nécessaire pour la semaine, et je laissai Anouk à ses occupations.

« Attention aux crocodiles », lui dis-je d'un ton sérieux.

Anouk me fit un grand sourire sous son béret jaune. Sa trompette d'enfant dans une main et sa baguette dans l'autre, elle entreprit de sonner l'alarme de manière aussi retentissante que discordante, sautant d'un pied sur l'autre avec une excitation croissante.

« Les crocodiles ! Les crocodiles attaquent ! hurlat-elle. À vos canons !

— Allons, du calme ! l'avertis-je. Ne tombe pas dans l'eau. »

Anouk m'envoya un baiser d'un geste théâtral et recommença à jouer. Lorsque je regardai en arrière au sommet de la colline, elle était en train de bombarder les crocodiles avec des mottes de terre, et je distinguais toujours la faible sonnerie de sa trompette — *paar-paa-raar !* — entrecoupée d'effets sonores — *psssh ! proum !* — tandis que la bataille se poursuivait.

Il est étonnant que ces violentes bouffées de tendresse puissent encore me surprendre… Si je plisse suffisamment les yeux contre le soleil bas, j'arrive presque à apercevoir les crocodiles, leurs longues silhouettes brunes qui glissent rapidement dans l'eau, l'éclair du canon. Elle se déplace entre les maisons, le rouge de son manteau et le jaune de son béret projetant des flammes subites sur la pénombre et j'arrive presque à discerner la ménagerie à moitié invisible qui l'entoure. Comme je l'observe, elle se retourne et me fait signe, hurle un *Je t'aime !* strident, puis reprend cette activité si sérieuse que constitue son jeu.

Le magasin était fermé cet après-midi, et Joséphine et moi avons travaillé dur à confectionner suffisamment de chocolats et de truffes pour tenir jusqu'à la fin de la semaine. J'ai déjà commencé à fabriquer les chocolats de Pâques, et Joséphine est devenue adroite à décorer les silhouettes d'animaux et à les emballer dans des boîtes nouées de rubans multicolores. La cave est l'endroit idéal pour les stocker : fraîche, elle n'est pas froide au point de ternir les chocolats de ce voile blanchâtre que provoque la réfrigération ; sombre et sèche, elle nous permet d'emmagasiner toutes nos réserves spéciales, enfermées dans des cartons, et de disposer d'une place suffisante pour nos provisions ménagères. Le sol est carrelé de vieilles dalles, d'un brun luisant comme du chêne, fraîches et lisses sous les pieds. Une unique ampoule au plafond. La porte de la cave est en pin brut, avec une ouverture ménagée dans le bas pour un chat depuis longtemps disparu. Même Anouk aime cette cave, qui sent la pierre et le vin vieux, et elle a effectué à la craie des dessins colorés sur les dalles et les murs blanchis à la chaux : des animaux, des châteaux, des oiseaux et des étoiles. Dans la boutique, Armande et Luc sont restés bavarder un moment, puis ils sont partis ensemble. Ils se retrouvent plus fréquemment désormais, mais pas toujours à La Praline ; Luc m'a raconté qu'il était allé chez sa grand-mère à deux reprises la semaine dernière, et qu'il y avait accompli une heure de jardinage à chaque fois.

« Elle a besoin qu'on s'oc-s'occupe un peu de ses parterres de fleurs, maintenant que la m-maison est réparée, m'a-t-il expliqué d'un ton sérieux. Elle ne peut plus bêcher comme avant, mais elle dit qu'elle aimerait avoir des f-fleurs cette année, et pas seulement des m-mauvaises herbes. »

Hier, il est allé chercher une clayette de fleurs chez Narcisse, et il les a plantées dans la terre fraîchement bêchée au pied du mur d'Armande.

« J'ai pris de la l-lavande et des primevères et des tulipes et des jonquilles, m'expliqua-t-il. Elle préfère les fleurs qui ont un parfum et des couleurs vives. Elle n'a pas une très bonne vue, alors j'ai pris du lilas, des giroflées et des genêts, et des choses qu'elle pourra repérer, précisa-t-il avec un sourire timide. Je veux que toutes ces fleurs soient en place avant son an-anniversaire. »

Je lui demandai la date de l'anniversaire d'Armande.

« Le 28 mars, annonça-t-il. Elle aura quatre-vingt-un ans. J'ai déjà réfléchi à un c-cadeau.

— Ah oui ?

— Je me suis dit que j'allais lui acheter une c-combinaison en soie, répondit-il, légèrement sur la défensive. Elle adore la lingerie. »

Réprimant un sourire, je lui affirmai que ça me paraissait une excellente idée.

« Il faudra que j'aille à Agen, dit-il sérieusement. Et puis il ne faudra pas que ma m-mère le sache, sinon elle en aura une syncope… » Il sourit tout à coup de toutes ses dents. « Peut-être que nous pourrions organiser une fête pour ma grand-mère. Histoire de célébrer cette nouvelle décennie qu'elle entame…

— Nous pourrions lui demander ce qu'elle en pense », suggérai-je.

À quatre heures, crottée jusqu'aux aisselles, Anouk rentra à la maison épuisée et joyeuse, et Joséphine prépara du thé au citron pendant que je faisais couler un bain. Dépouillant Anouk de ses vêtements sales, je la plongeai dans une eau bien chaude qui sentait bon le miel, puis nous nous installâmes toutes les trois pour déguster des pains au chocolat, de la brioche avec de la confiture de framboise ainsi que de gros abricots délicieusement sucrés qui venaient de la serre de Narcisse. Joséphine semblait préoccupée : elle n'arrêtait pas de faire tourner son abricot dans le creux de sa main.

« Je pense tout le temps à cet homme, dit-elle enfin. Vous savez, celui qui est passé ce matin.

— Roux. »

Elle acquiesça. « L'incendie de son bateau... dit-elle d'un ton hésitant. Vous ne croyez pas qu'il a pu s'agir d'un accident, n'est-ce pas ?

— Lui ne le croit pas. Il a dit qu'il avait senti une odeur d'essence.

— D'après vous, reprit-elle avec effort, qu'est-ce qu'il ferait s'il découvrait qui a fait ça ? »

Je haussai les épaules. « Je n'en sais rien. Pourquoi, Joséphine ? Vous avez une idée de qui c'était ? »

Vivement : « Non. Mais si quelqu'un savait... et ne le disait pas... bredouilla-t-elle d'une voix malheureuse. Est-ce qu'il... je veux dire... qu'est-ce qui... »

Je la dévisageai. Elle refusa de croiser mon regard, continua à faire rouler distraitement l'abricot dans la paume de sa main. Je vis soudain comme un nuage passer sur son visage.

« Vous savez qui c'était, n'est-ce pas ?

— Non.

— Écoutez, Joséphine, si vous savez quelque chose...

— Je ne sais rien, dit-elle, catégorique. Mais je le regrette bien.

— Ça ne fait rien. Personne ne vous fait de reproches, la rassurai-je d'un ton doux et enjôleur.

— Je ne sais rien ! répéta-t-elle d'une voix perçante. Je ne sais vraiment rien. De toute façon, il s'en va, il l'a dit, il n'est pas d'ici et il n'aurait jamais dû venir et... » Elle s'interrompit brusquement, dans un claquement de dents parfaitement perceptible.

« Je l'ai vu cet après-midi, annonça Anouk la bouche pleine de brioche. J'ai vu sa maison. »

Je me tournai vers elle avec curiosité. « Il t'a parlé ? »

Elle hocha vigoureusement la tête. « Bien sûr que oui. Il a dit qu'il me ferait un bateau la prochaine fois, un vrai bateau en bois qui ne coulera pas. C'est-à-dire… si ces bon sang de salopards n'y mettent pas le feu aussi », ajouta-t-elle en imitant son accent à merveille. Dans la bouche d'Anouk grondent et se bousculent comme en écho les paroles de Roux. Je dissimulai un sourire.

« Sa maison est cool, poursuivit Anouk. Il y a un feu au milieu du tapis. Il a dit que je pouvais venir quand je voulais. Oh ! » Elle posa une main coupable sur sa bouche. « Il a dit : du moment que je ne t'en parlais pas. » Elle poussa un énorme soupir. « Et je t'en ai parlé, maman. Pas vrai ? »

Je la pris dans mes bras en riant. « Eh oui ! »

Je remarquai que Joséphine avait l'air inquiète.

« Je pense que tu ne devrais pas aller dans cette maison, dit-elle à Anouk d'un ton angoissé. Tu ne connais pas vraiment cet homme. Il est peut-être violent.

— Je crois qu'elle ne court aucun danger, dis-je en faisant un clin d'œil à ma fille. Du moment qu'elle n'oublie pas de m'en parler… » Anouk me rendit mon clin d'œil.

Aujourd'hui, il y a eu un enterrement — une des personnes âgées de la maison de retraite des Mimosas, plus bas sur la rivière — et nous avons eu peu de clients, que ce soit par crainte ou par respect. La défunte était une femme de quatre-vingtquatorze ans, m'a expliqué Clothilde chez le fleuriste, parente de la mère de Narcisse. J'ai aperçu Narcisse : l'unique concession qu'il s'était autorisée était une cravate noire portée avec sa vieille veste de tweed ; quant à Reynaud, il se tenait tout raide à l'entrée de l'église dans son habit noir et blanc, la croix en argent dans une main, l'autre tendue avec bienveillance pour accueillir les amis de la morte. Ces derniers n'étaient pas bien nombreux. Peut-être une douzaine de vieilles femmes, parmi lesquelles je n'en reconnus aucune : l'une était installée dans un fauteuil roulant poussé par une infirmière aux cheveux blonds, certaines étaient rondes et vives comme Armande, d'autres avaient cette maigreur presque translucide des gens très âgés, mais elles étaient toutes vêtues de noir, avec des bas noirs, des bonnets noirs et des écharpes noires, certaines avec des gants, d'autres avec leurs mains pâles et arthritiques recroquevillées sur leur poitrine flétrie comme celle des Vierges de Grünewald. Ce furent surtout leurs têtes que je vis, tandis que le groupe compact qu'elles formaient se dirigeait vers l'église Saint-Jérôme avec de doux jacassements ; parmi les têtes baissées, je remarquais de temps en temps une discrète curiosité dans un visage gris, de vifs yeux noirs qui me toisaient un instant d'un air soupçonneux dans la rassurante sécurité de leur groupe, pendant que, de l'arrière, l'infirmière compétente et délibérément joyeuse faisait avancer le troupeau. Les femmes ne semblaient ressentir aucune détresse. Un petit missel noir dans une main, la femme au fauteuil roulant entonna un cantique d'une voix chevrotante au moment où elles entraient dans l'église. Les autres demeurèrent pour la plupart silencieuses, faisant un bref salut de la tête à Reynaud tandis qu'elles s'engouffraient dans la pénombre, certaines lui remettant une carte bordée de noir à lire durant l'office. L'unique corbillard du village arriva en retard. À l'intérieur, un cercueil drapé de noir avec une seule gerbe de fleurs. Une cloche solitaire retentit sourdement. Alors que j'attendais dans la boutique vide, j'entendis l'orgue qui égrenait quelques notes tristes et fugitives, pareilles à des cailloux tombant au fond d'un puits.

Joséphine, qui était dans la cuisine à sortir une fournée de meringues au chocolat, me rejoignit sans bruit et déclara en frissonnant : « C'est sinistre. »

Je me souvins du crématorium municipal, de la musique d'orgue enregistrée — une toccata de Bach —, du cercueil bon marché qui brillait, de l'odeur d'encaustique et des fleurs. Le pasteur avait prononcé le nom de ma mère à l'américaine : Jean *Roacher*. Tout avait été terminé en moins de dix minutes.

La mort devrait être une fête, m'avait-elle dit. *Comme un anniversaire. Quand mon heure viendra, je veux m'élever dans le ciel comme une fusée, puis retomber en une nuée d'étoiles, et entendre tout le monde faire : Ahhhh !*

J'ai dispersé ses cendres dans le port la nuit du 4 juillet. Il y avait des feux d'artifice, de la barbe à papa et des pétards qui explosaient sur la jetée, et il flottait dans l'air d'âcres relents de poudre alliés à des odeurs de hot-dogs et d'oignons frits, ainsi que de légers effluves d'eau croupie venant du port. C'était toute cette Amérique dont elle avait toujours rêvé, un parc d'attractions géant, les néons qui scintillaient, la musique qui résonnait, les foules de gens qui chantaient et qui se bousculaient, tout ce clinquant attendrissant qu'elle aimait tant. J'attendis le bouquet final et, lorsque le ciel ne fut plus qu'une vibrante explosion de lumière et de couleur, je laissai les cendres s'envoler doucement sur la brise, se parant dans leur chute de teintes bleu-blanc-rouge. J'aurais bien dit quelque chose, mais il semblait qu'il ne restait rien à dire.

« Sinistre, répéta Joséphine. J'ai horreur des enterrements. Je n'y vais jamais. » Sans répondre, je contemplai la place silencieuse et j'écoutai la musique de l'orgue. Au moins, ce n'était pas la même toccata. Les employés des pompes funèbres transportèrent le cercueil dans l'église. Il paraissait très léger et, sur les pavés, les hommes marchaient d'un pas alerte à peine respectueux.

« Je regrette que nous soyons si près de l'église, dit nerveusement Joséphine. Je n'arrive pas à me concentrer avec ce qui se passe juste à côté.

— En Chine, les gens portent du blanc aux enterrements, lui expliquai-je. Ils distribuent des cadeaux dans des emballages rouge vif pour porter bonheur. Ils allument des pétards. Ils parlent, ils rient, ils dansent et ils pleurent. Et à la fin, tous les gens sautent par-dessus les braises du bûcher funéraire, un par un, pour bénir la fumée à mesure qu'elle s'élève. »

Joséphine me dévisagea avec curiosité. « Vous avez vécu là-bas aussi ?

— Non. Mais nous connaissions beaucoup de Chinois à New York. Pour eux, la mort était une célébration de la vie du défunt. »

Joséphine paraissait sceptique. « Je ne vois pas comment on peut *célébrer* la mort, dit-elle enfin.

— On ne célèbre pas la mort, protestai-je. C'est la *vie* qu'on célèbre. La vie tout entière. Même sa fin. » M'emparant de la chocolatière sur la plaque, je nous servis deux verres.

Au bout d'un moment, j'allai dans la cuisine nous chercher deux meringues : elles étaient encore chaudes et fondantes à l'intérieur de leurs coques chocolatées, et je les agrémentai d'une épaisse crème Chantilly et de noisettes pilées.

« Ça ne semble pas la chose à faire, à un moment pareil », commenta Joséphine. Mais je remarquai qu'elle mangeait quand même.

Il était presque midi lorsque le cortège funèbre s'en alla, à la fois étourdi et ébloui par l'éclat du soleil. Grâce au chocolat chaud et aux meringues, nous avions pu éloigner quelque temps la tristesse environnante. J'aperçus Reynaud qui se tenait à nouveau à la porte, puis les vieilles femmes disparurent dans leur minibus — sur le flanc duquel figurait en lettres jaune vif le nom des Mimosas — et la place retrouva son apparence normale. Quand il eut dit au revoir aux vieilles dames, Narcisse passa à la boutique, transpirant à grosses gouttes dans son col ajusté. Lorsque je lui présentai mes condoléances, il eut un haussement d'épaules.

« Je ne la connaissais pas vraiment, déclara-t-il avec indifférence. Une grand-tante à ma femme. Elle était entrée au mouroir il y a vingt ans. Elle n'avait plus sa tête. »

Le mouroir. Je vis Joséphine qui grimaçait en entendant ce mot. Derrière toute la douceur de ses mimosas, c'est bien de cela qu'il s'agit, au fond. Un endroit où mourir. Narcisse ne fait que respecter les conventions. Cette femme était morte depuis longtemps.

Je lui servis son chocolat, noir et aigre-doux. « Désirez-vous une tranche de gâteau ? » proposai-je.

Il réfléchit un moment. « Je ferais mieux d'éviter cela tant que je suis en deuil, déclara-t-il de manière obscure. C'est quoi, comme gâteau ?

— Un bavarois, avec un glaçage au caramel.

« — Peut-être une petite tranche, alors. »

Par la fenêtre, Joséphine contemplait la place déserte. « Il y a cet homme qui rôde à nouveau, remarqua-t-elle. Celui des Marauds. Il entre dans l'église. »

Je regardai par la porte. Roux se tenait juste devant l'entrée latérale de Saint-Jérôme. Il avait l'air agité, dansant nerveusement d'un pied sur l'autre, les bras serrés sur sa poitrine comme s'il avait froid.

Quelque chose n'allait pas. J'en éprouvai tout à coup l'effrayante conviction. Quelque chose n'allait pas du tout. Tandis que je l'observais, Roux se dirigea brusquement vers La Praline. Courant à moitié, il s'engouffra à l'intérieur du magasin et il resta là, tête baissée, pétrifié de culpabilité et de douleur.

« C'est Armande, annonça-t-il. Je crois que je l'ai tuée. »

Nous le dévisageâmes quelque temps. Il esquissa un petit geste désemparé avec ses mains, comme pour chasser de mauvaises pensées.

« Je m'apprêtais à aller chercher le prêtre. Elle n'a pas le téléphone, et je me disais que peut-être il… » Il s'interrompit. Le désarroi avait à tel point épaissi son accent que ses mots étaient étranges et incompréhensibles, une langue composée de gutturales et de hululements bizarres, qui aurait pu être de l'arabe, de l'espagnol ou du verlan, ou un mystérieux mélange des trois.

« J'ai vu qu'elle… elle m'a dit d'aller dans le frigo et… qu'il y avait des médicaments à l'intérieur… » Il s'interrompit à nouveau ; son agitation ne cessait de croître. « Je ne l'ai pas touchée. Je ne l'ai absolument pas touchée. Jamais je ne l'aurais fait… » Il cracha ces mots avec difficulté, comme on crache des dents cassées. « Ils vont dire que c'est moi qui l'ai attaquée. Que je voulais lui prendre son argent. Ce n'est pas vrai. Je lui ai donné du cognac et elle s'est juste... »

Il se tut. Je voyais qu'il déployait tous ses efforts pour rester maître de lui.

« Ça va, lui dis-je calmement. Vous me raconterez pendant le trajet. Joséphine peut garder la boutique. Et Narcisse ira téléphoner au docteur de chez le fleuriste. »

Têtu : « Je ne retourne pas là-bas. J'ai fait ce que j'ai pu. Je ne veux pas que... »

L'attrapant par le bras, je le tirai derrière moi. « Nous n'avons pas le temps de tergiverser. J'ai besoin de vous avec moi.

— On va dire que c'était ma faute. La police...

— Armande a besoin de vous. Maintenant venez ! »

Durant le trajet jusqu'aux Marauds, j'eus droit au reste de son récit décousu. Honteux de son éclat de la veille à La Praline, et voyant la porte d'Armande ouverte, Roux avait décidé d'aller la voir, et il l'avait trouvée à moitié sans connaissance dans son rocking-chair. Il avait réussi à la ranimer suffisamment pour qu'elle dise quelques mots. *Médicaments... frigo...* Au-dessus du réfrigérateur, il y avait une bouteille de cognac. Il en avait rempli un verre, puis l'avait obligée à boire une partie du liquide.

« Elle s'est simplement... écroulée. Je ne suis pas arrivé à lui faire reprendre connaissance. » Il était totalement abattu. « Et alors je me suis souvenu qu'elle était diabétique. Je l'ai sans doute tuée en essayant de l'aider.

— Vous ne l'avez pas tuée. » La course m'avait essoufflée, et j'avais à gauche un affreux point de côté. « Elle va s'en tirer. Vous êtes allé chercher de l'aide juste à temps.

« — Mais si elle meurt ? Qui me croira, d'après vous ? dit-il d'une voix dure.

— Taisez-vous. Le médecin ne va pas tarder. »

La porte d'Armande est toujours ouverte, un chat est pelotonné contre le chambranle. De l'intérieur, il ne parvient aucun bruit. Au bord du toit, un morceau de gouttière branlant crache l'eau de pluie. Je surprends l'œil professionnel de Roux qui se pose brièvement dessus : *Il faudra que je répare ça*. Il s'immobilise à la porte comme s'il attendait qu'on l'invite à entrer.

Armande est étendue sur le tapis devant la cheminée : son visage a la couleur terne d'un champignon, ses lèvres sont bleuâtres. Au moins, Roux l'a installée dans la position qui convient, un bras sous la tête et le cou à la perpendiculaire pour dégager les voies respiratoires. Elle ne bouge absolument pas, mais le minuscule filet d'air rance qui s'échappe de ses lèvres m'indique qu'elle respire encore. Sa tapisserie abandonnée gît à côté d'elle ; une tasse de café renversée dessine sur la carpette une tache en forme de virgule. La scène est étrangement figée, comme un plan fixe dans un film muet. Sa peau sous mes doigts est froide et gluante, l'iris noir de ses yeux parfaitement distinct sous ses paupières aussi fines que du crêpe humide. Légèrement remontée au-dessus des genoux, sa jupe noire révèle des dessous cramoisis. Je ressens une soudaine bouffée de chagrin à la vue de ces vieux genoux arthritiques cachés sous leurs bas noirs, et de ces jupons de soie éclatants dissimulés sous la triste robe d'intérieur.

« Alors ? » fait sèchement Roux. L'angoisse le rend hargneux.

« Je crois qu'elle va s'en sortir. »

Ses yeux sont obscurcis de méfiance et d'incrédulité.

« Elle doit avoir de l'insuline dans le frigo, lui expliquai-je. C'est sans doute ce qu'elle voulait dire. Allez vite la chercher. »

Elle range son insuline avec les œufs. Une boîte de plastique renferme six ampoules ainsi que plusieurs seringues à jeter. De l'autre côté se trouve une boîte de truffes au chocolat, avec La Céleste Praline écrit sur le couvercle. À part ça, il n'y a pour ainsi dire rien à manger dans la maison, une boîte de sardines ouverte, un morceau de papier avec un reste de rillettes, quelques tomates. Je lui fais sa piqûre dans le creux du coude. C'est une technique que je connais bien. Durant la phase finale de la maladie pour laquelle ma mère avait essayé tellement de thérapies parallèles — l'acupuncture, l'homéopathie, la visualisation créative —, nous avions fini par nous rabattre sur cette bonne vieille morphine, une morphine que nous nous procurions au marché noir lorsque nous n'arrivions pas à l'obtenir sur ordonnance, et ma mère avait beau détester les drogues, elle était heureuse de pouvoir en trouver quand elle étouffait de chaleur et que les gratte-ciel de New York dansaient devant ses yeux à la manière d'un mirage. Armande ne pèse presque rien dans mes bras, et sa tête se balance comme celle d'un pantin. Une trace de fard sur l'une de ses joues lui donne un air clownesque épouvantable. Je pétris ses mains froides et rigides entre les miennes, lui massant les doigts, lui faisant travailler les articulations.

« Armande. Réveillez-vous, Armande. »

Roux reste là à regarder, indécis : son visage reflète un mélange d'incertitude et d'espoir. Dans ma main, les doigts d'Armande me font l'effet d'un trousseau de clés.

« Armande, dis-je d'une voix cassante, autoritaire. Vous ne pouvez pas dormir maintenant. Il faut que vous vous réveilliez. »

Le voilà enfin : ce tremblement quasi imperceptible, comme une feuille sur un arbre effleurant une autre feuille...

« *Vianne.* »

L'instant suivant, Roux était à genoux à côté de nous. Il avait le teint cireux, mais ses yeux étaient terriblement brillants.

« Oh, redites donc ça, espèce de vieille cabocharde ! » Son soulagement était si intense qu'il en devenait douloureux. « Je sais que vous êtes là, Armande, je sais que vous m'entendez ! » Il me regarda, avide, riant presque. « Elle a parlé, n'est-ce pas ? Je n'ai pas rêvé ? »

Je lui fis signe que non. « Elle est forte. Et vous l'avez trouvée à temps, avant qu'elle ne tombe dans le coma. Laissez à la piqûre le temps d'agir. Continuez à lui parler.

— D'accord. » Il se mit à parler, d'une manière un peu fiévreuse, haletante, guettant sur le visage d'Armande les signes de son retour à la vie. Je continuais à lui frotter les mains, sentant la chaleur y revenir petit à petit.

« Vous ne trompez personne, Armande, espèce de vieille sorcière. Vous êtes forte comme un bœuf. Vous nous enterrerez tous. En plus, je viens de réparer votre toit. Vous ne croyez quand même pas que j'ai fait tout ce travail pour voir votre fille hériter de la maison ? Je sais que vous écoutez, Armande. Je sais que vous m'entendez. Qu'est-ce que vous attendez ? Vous voulez que je m'excuse ? D'accord, je m'excuse. » Il avait le visage maculé de larmes. « Vous avez entendu ? Je me suis excusé. Je suis un salopard ingrat et je suis désolé. Maintenant réveillez-vous et…

— … *un salopard bruyant*… »

Il s'arrêta au milieu de sa phrase. Armande gloussa tout doucement. Ses lèvres remuaient en silence. Ses yeux étaient pétillants et lucides. Roux prit son visage délicatement dans ses mains.

« *Je vous ai fichu la frousse, pas vrai ?* » Sa voix était fragile comme de la dentelle.

« Non.

— *Bien sûr que si* », répéta-t-elle avec une malicieuse satisfaction.

Roux s'essuya les yeux du revers de la main. « Vous me devez toujours de l'argent pour le travail que j'ai effectué, dit-il d'une voix peu assurée. J'ai seulement eu peur que vous n'ayez plus jamais l'occasion de me payer. »

Armande pouffa à nouveau. Elle reprenait des forces, et à nous deux nous réussîmes à la soulever et à la réinstaller dans son fauteuil. La figure ratatinée comme une vieille pomme, elle était encore très pâle, mais ses yeux étaient clairs et lucides. Roux se tourna vers moi, arborant un air confiant pour la première fois depuis l'incendie. Nos mains s'effleurèrent. Le temps d'une seconde, j'entrevis son visage dans le clair de lune, la courbe arrondie d'une épaule dénudée se détachant sur l'herbe, une subtile odeur de lilas flottant dans l'atmosphère… Je sentis mes yeux s'élargir sottement sous l'effet de la surprise. Roux avait dû lui aussi percevoir quelque chose, car il recula, décontenancé. Derrière nous, Armande gloussa faiblement.

« J'ai dit à Narcisse d'appeler le docteur, lui dis-je

d'un ton faussement léger. Il sera là d'une minute à l'autre. »

Armande me regarda. Une connivence s'établit entre nous, et je me demandai — mais ce n'était pas la première fois — avec quelle netteté *elle* voyait les choses.

« Je ne veux pas de cette tête de mort dans ma maison, décréta-t-elle. Vous pouvez le renvoyer tout droit d'où il vient. Je n'ai pas besoin de lui pour me dire ce que je dois faire.

— Vous êtes malade, protestai-je. Si Roux n'était pas passé, vous auriez pu mourir. »

Elle me lança un de ses regards moqueurs. « Vianne, dit-elle patiemment. C'est le lot des gens âgés. Ils meurent. Ça fait partie des choses de la vie. Ça arrive tout le temps.

— Oui, mais…

— Et je n'irai pas au mouroir, continua-t-elle. Vous pouvez leur dire ça de ma part. Ils ne peuvent pas me forcer à y aller. Ça fait soixante ans que je vis dans cette maison, et quand je mourrai, ce sera ici.

— Personne ne vous forcera à aller où que ce soit, dit Roux d'un ton sec. Vous avez été négligente avec vos médicaments, c'est tout. Vous ferez plus attention la prochaine fois.

— Ce n'est pas tout à fait aussi simple, dit Armande en souriant.

— Et pourquoi ça ? » s'entêta Roux.

Elle haussa les épaules. « Guillaume est au courant, lui dit-elle. J'ai beaucoup discuté avec lui. Il comprend. » Bien qu'elle fût encore faible, elle avait retrouvé une voix quasi normale. « Je ne *veux* pas prendre ces médicaments tous les jours, dit-elle calmement. Je ne veux pas suivre des régimes à n'en plus finir. Je ne veux pas que de gentilles infirmières s'occupent de moi en me parlant comme si j'étais à la maternelle. J'ai quatre-vingts ans, nom d'un chien, et si on ne veut pas croire que je sais ce que je veux à mon âge... » Elle s'interrompit tout à coup. « Qui est là ? »

Elle n'a aucune difficulté à entendre. Je l'ai entendue moi aussi, cette voiture qui s'est garée sans un bruit dans l'allée inégale... Le médecin.

« Si c'est ce charlatan pontifiant, dites-lui qu'il perd son temps, dit Armande d'un ton brusque. Dites-lui que je vais bien. Dites-lui d'aller trouver quelqu'un d'autre à examiner. Je ne veux pas de lui. »

Je jetai un coup d'œil dehors. « On dirait qu'il a amené la moitié de Lansquenet avec lui », fis-je remarquer avec douceur. La voiture en question, une Citroën bleue, était bourrée de monde. En plus du docteur, un homme au teint blême en complet anthracite, je reconnus Caroline Clairmont, son amie Joline et Reynaud, tous trois entassés sur la banquette arrière. Le siège avant était occupé par Georges Clairmont qui, l'air penaud et mal à l'aise, renâclait en silence. J'entendis claquer la portière, et la voix perçante de Caroline qui s'élevait au-dessus de cette subite clameur :

« *Je l'avais prévenue ! Ne l'avais-je pas prévenue, Georges ? Personne ne peut m'accuser de négliger mon devoir filial, je me suis saignée aux quatre veines pour cette femme et voyez comment...* »

Un crissement de pas pressés sur les dalles, puis un véritable concert cacophonique tandis que ces visiteurs importuns ouvraient la porte d'entrée.

« Maman ? Maman ? Tiens bon, chérie, c'est moi ! J'arrive ! Par ici, monsieur Cussonet, par ici... ah, mais oui, vous connaissez le chemin, bien sûr ?

Oh mon Dieu, le nombre de fois où je lui ai dit… j'étais absolument *sûre* qu'il arriverait quelque chose comme ça… »

Georges, protestant faiblement : « Crois-tu vraiment que nous devrions nous en mêler, Caro chérie ? Je veux dire, laissons le docteur faire son métier, d'accord ? »

Joline, de son ton froid et dédaigneux : « On se demande quand même ce que cet individu fabriquait chez elle. »

Reynaud, à peine audible : « Aurait dû venir me voir… »

Avant même que le petit groupe ne pénètre dans la pièce, je sentis Roux qui se raidissait, cherchant autour de lui une issue de secours. Mais il était déjà trop tard. En premier apparurent Caroline et Joline, impeccables avec leurs chignons, leurs twin-sets et leurs foulards Hermès, suivies de près par Clairmont — costume sombre et cravate, une tenue insolite pour travailler à la scierie, à moins qu'elle ne l'ait obligé à se changer pour l'occasion ? —, puis le médecin, puis le prêtre : comme dans une scène de mélodrame, figés tous les cinq dans l'encadrement de la porte, ils affichaient des expressions choquées, courtoises, coupables, chagrinées, furieuses… Roux, avec sa main bandée et ses cheveux mouillés lui tombant sur les yeux, les dévisageait de son air insolent ; moi, près de la porte, j'avais ma jupe orange toute maculée de boue d'avoir couru jusqu'aux Marauds ; quant à Armande, pâle mais paisible, elle se balançait joyeusement dans son vieux fauteuil, les yeux noirs étincelant de malice et un de ses doigts recourbé à la manière d'une sorcière.

« Alors, comme ça, les vautours sont là… » Elle parlait d'un ton affable, lourd de menace. « Vous n'avez pas mis longtemps à venir, on dirait ! » Un coup d'œil narquois à Reynaud, qui se tenait à l'arrière du groupe. « Vous pensiez tenir enfin votre chance, c'est ça ? dit-elle d'un ton acide. Vous espériez caser une ou deux petites bénédictions pendant que j'avais l'esprit troublé ? » Elle s'esclaffa. « Dommage, Francis. Je ne suis pas encore tout à fait prête pour les derniers sacrements. »

Reynaud avait un air revêche. « Apparemment non. » Un bref coup d'œil dans ma direction. « Il est heureux que mademoiselle Rocher soit si… compétente… dans l'utilisation des seringues », déclara-t-il avec un sarcasme évident.

Caroline était raide comme un bâton : son visage était un masque d'affliction que barrait un sourire contraint. « Maman chérie, tu vois ce qui arrive quand on te laisse toute seule. Donner à tout le monde des frayeurs pareilles. »

Armande avait l'air de s'ennuyer.

« Faire perdre tout ce temps, déranger les gens… » Pendant le discours de Caro, Lariflette sauta sur les genoux d'Armande, et la vieille dame caressa le chat d'un geste distrait. « Maintenant est-ce que tu comprends pourquoi nous te disons…

— Que je serais mieux au mouroir, acheva Armande d'une voix catégorique. Dis donc, Caro, tu n'abandonnes jamais, ma parole ? C'est ton père tout craché, tu sais. Stupide, mais persévérant. C'était une de ses caractéristiques les plus attachantes. »

Caro paraissait très fâchée. « Ce n'est pas le mouroir, c'est les Mimosas, et si tu voulais seulement aller y jeter un coup d'œil…

— Alimentée par un tube, quelqu'un pour t'emmener aux toilettes au cas où tu tomberais…

— Ne sois pas ridicule. »

Armande éclata de rire. « Ma chère petite, à mon âge, je peux être ce que je veux. Je peux être ridicule si ça me chante. Je suis assez vieille pour pouvoir me permettre n'importe quoi.

— Voilà que tu te conduis comme une enfant, s'écria Caro d'une voix boudeuse. Les Mimosas est un établissement de *très* bonne qualité, de *très* grand standing ; tu pourrais parler avec des gens de ton âge, participer à des sorties, laisser les gens tout organiser à ta place…

— Ça m'a l'air absolument merveilleux. » Armande continuait à se balancer paresseusement dans son fauteuil. Caro se tourna vers le médecin, qui se tenait à ses côtés, la mine embarrassée. Maigre et nerveux, il avait l'air gêné de se trouver là, comme un timide au milieu d'une orgie. « Simon, dites-lui donc !

— Euh, je ne suis pas sûr que ce soit vraiment mon rôle de…

— Simon est d'accord avec moi, l'interrompit Caro, obstinée. Dans ton état et à ton âge, il est tout simplement *impossible* que tu continues à habiter ici seule. Enfin, à chaque moment, tu risques de…

— C'est vrai, madame Voizin. » La voix de Joline était chaleureuse et raisonnable. « Peut-être devriez-vous *réfléchir* à ce que Caro… je veux dire, bien sûr que vous n'avez pas envie de perdre votre indépendance, mais pour votre propre *bien*… »

Les yeux d'Armande sont vifs et brillants, mais également implacables. Elle fixa Joline quelques instants sans rien dire. Joline leva le menton, puis elle détourna le regard, rougissante. « Je veux que vous sortiez d'ici, dit Armande avec douceur. Tous sans exception.

— Mais, maman…

— Sans exception, répéta-t-elle sans fléchir. Je

vais accorder au charlatan ici présent deux minutes en privé — il semble que je doive vous remettre en mémoire votre serment d'Hippocrate, monsieur Cussonet — et, quand j'en aurai fini avec lui, je compte bien que vous autres vautours vous aurez déguerpi. » Elle essaya de se lever, se redressant dans son fauteuil avec difficulté. Je lui pris le bras pour l'aider, et elle m'adressa en tapinois un sourire espiègle.

« Merci, Vianne, dit-elle d'un ton doux. Restez, vous aussi, ajouta-t-elle à l'adresse de Roux, qui se tenait toujours à l'autre bout de la pièce, l'air morne et indifférent. J'aimerais vous parler quand j'aurai vu le docteur. Ne partez pas.

— Qui ça, moi ? » Roux était mal à l'aise. Caro lui lança un regard de mépris non dissimulé.

« Je trouve, maman, qu'en un moment comme celui-là ta famille devrait…

— Si j'ai besoin de toi, je sais où aller, dit Armande d'un ton acerbe. Pour l'instant, j'ai des dispositions à prendre. »

« A-ah ? » fit Caro en regardant Roux. Cette simple syllabe dégoulinait d'animosité. « Des dispositions ? » Elle le dévisagea de la tête aux pieds, et je vis qu'il tressaillait légèrement. C'était ce même réflexe que j'avais précédemment observé chez Joséphine : un raidissement du corps, un léger affaissement des épaules, les mains qui s'enfoncent dans les poches comme pour présenter une cible plus petite. Sous ce regard scrutateur dénué d'indulgence, la moindre faille se trouve mise au jour. Une seconde, il se voit lui-même tel que Caro le voit : un personnage repoussant aux manières grossières.

Non sans perversité, il endosse le rôle qu'elle lui a attribué, s'exclamant d'un ton hargneux : « Putain, c'est ma photo que vous voulez ? »

Elle lui jette un regard sidéré avant de reculer.

Armande sourit. « À plus tard, me dit-elle. Et merci. »

Caro m'emboîta le pas avec une contrariété évidente. Partagée entre sa curiosité et sa répugnance à me parler, elle se montrait à la fois enjouée et condescendante. Je lui exposai les faits sans entrer dans les détails. Reynaud écouta mon récit, aussi inexpressif qu'une de ses statues. Souriant d'un air penaud, Georges tenta la diplomatie et débita quelques platitudes. Personne ne proposa de me déposer chez moi.

28

Samedi 15 mars

Ce matin, je suis retourné chez Armande Voizin pour tenter une fois encore de lui parler. Une fois encore, elle a refusé de me voir. Son cerbère aux cheveux roux a ouvert la porte et s'est mis à grogner dans son patois primitif, calant ses épaules contre le chambranle pour m'empêcher d'entrer. Armande se porte fort bien, paraît-il. Un peu de repos, et elle sera complètement rétablie. Son petit-fils est avec elle, et ses amis viennent la voir tous les jours… il prononce ces mots avec une telle ironie que je suis obligé de me mordre la langue. On ne doit pas la déranger. Je suis ulcéré de devoir implorer cet homme, mon père, mais je connais mon devoir. Aussi viles que soient désormais ses fréquentations, aussi acérés que soient les traits qu'elle me décoche, mon devoir reste clair. Réconforter les êtres — même quand ils refusent ce réconfort — et les guider. Mais il est impossible de parler de l'âme avec cet homme : ses yeux sont aussi vides et indifférents que ceux d'un animal. J'essaie de lui expliquer. Armande est vieille, lui dis-je. Vieille et têtue. Il y a si peu de temps pour nous deux. Ne le voit-il donc pas ? Est-ce qu'il va la laisser se suicider à force de négligence et d'arrogance ?

Il hausse les épaules. « Elle va bien, me répète-t-il, avec une onction pleine d'antipathie. Personne ne la néglige. Tout va très bien se passer maintenant.

— Ce n'est pas vrai, dis-je d'une voix délibérément dure. Elle joue à la roulette russe avec ses médicaments. À refuser d'écouter ce que lui dit le médecin. À manger des *chocolats*, pour l'amour de Dieu ! Est-ce que vous avez seulement réfléchi à ce que cela risque de lui faire, dans son état ? »

Son visage se ferme, devient hostile et distant. D'un ton catégorique : « Elle ne veut pas vous voir.

— Cela vous est donc égal qu'elle se suicide par sa gourmandise ? »

Il hausse les épaules. Je perçois sa rage derrière sa feinte indifférence. Impossible d'en appeler à ses nobles sentiments : il se contente de monter la garde, comme on le lui a ordonné. Muscat m'a appris qu'Armande avait offert de l'argent à cet homme. Peut-être a-t-il intérêt à la voir mourir. Je connais la perversité de cette femme. Déshériter sa famille en faveur de cet étranger ne serait pas pour lui déplaire.

« J'attendrai, lui dis-je. Toute la journée, s'il le faut. »

J'ai attendu deux heures dans le jardin. Puis il s'est mis à pleuvoir. Je n'avais pas de parapluie, et ma soutane était trempée. J'ai commencé à me sentir pris de vertige et comme engourdi. Au bout d'un moment, une fenêtre s'est ouverte et j'ai reconnu l'odeur affolante du café et du pain chaud qui s'échappait de la cuisine. J'ai vu le chien de garde qui me regardait avec cet air de dédain revêche, et j'ai compris que je pourrais bien m'effondrer par terre sans connaissance, il ne ferait pas le moindre geste pour m'aider. J'ai senti ses yeux sur mon dos tandis que je m'éloignais et que je gravissais la colline en direction de Saint-Jérôme. Quelque part de l'autre côté de la rivière j'ai cru entendre un éclat de rire.

J'ai échoué également avec Joséphine Muscat. Bien qu'elle refuse de venir à l'église, j'ai discuté avec elle à plusieurs reprises, mais sans résultat. Elle a beau demeurer respectueuse et courtoise durant toutes nos conversations, elle manifeste aujourd'hui une résistance aussi inflexible que du métal, proche de la bravade. Elle ne s'aventure jamais très loin de La Céleste Praline, et c'est devant la boutique que je l'ai vue aujourd'hui. Elle était occupée à balayer la chaussée devant la porte, les cheveux attachés par un foulard jaune. Alors que je me dirigeais vers elle, je l'ai entendue qui fredonnait.

« Bonjour, madame Muscat », l'ai-je saluée avec politesse. Je sais que si elle doit être reconquise, cela ne pourra se faire que par la douceur et par le raisonnement. Le repentir viendra plus tard, lorsque notre tâche sera accomplie.

Elle m'adressa un mince sourire. Apparemment plus sûre d'elle, elle se tient désormais le dos droit, la tête haute, une attitude empruntée à Vianne Rocher.

« Je m'appelle dorénavant Joséphine Bonnet, mon père.

— Pas aux yeux de la loi, madame.

— Oh, la loi… fit-elle en haussant les épaules.

— La loi de *Dieu*, précisai-je avec un regard de reproche. J'ai prié pour vous, ma fille. J'ai prié pour votre délivrance. »

Elle éclata de rire, mais sans méchanceté. « Alors vos prières ont été exaucées, mon père. Je n'ai jamais été aussi heureuse. »

Elle semble inexorable. À peine une semaine sous

l'influence de cette femme, et déjà je reconnais la voix de Vianne sous celle de Joséphine. Leur rire est insupportable. Leur moquerie, comme celle d'Armande, un aiguillon qui m'enlève mes moyens et me met en rage. Déjà je sens en moi quelque chose qui réagit, mon père, quelque chose de faible contre quoi je me croyais protégé. En contemplant la chocolaterie de l'autre côté de la place, sa superbe vitrine, les bacs de géraniums roses, rouges, orange disposés aux balcons et de chaque côté de la porte, je sens le doute qui s'insinue subrepticement dans mon esprit, et ma bouche se met à saliver au souvenir du parfum qui règne dans cette boutique, un parfum de crème, de marshmallows, de caramel, assorti à l'entêtant mélange du cognac et des fèves de cacao fraîchement moulues. C'est l'odeur d'une chevelure de femme, à cet endroit précis où la nuque rejoint la base tendre du crâne, l'odeur des abricots mûrs sous le soleil, de la brioche toute chaude et des petits pains à la cannelle, du thé au citron et du muguet. C'est un encens porté par le vent, se déployant doucement telle une bannière de révolte : loin d'être sulfureuses comme on nous l'a appris enfant, ces exhalaisons diaboliques constituent le plus subtil, le plus évocateur des parfums, l'essence combinée de mille épices, qui vous tourne les sens et vous élève l'esprit. Je me surprends debout devant Saint-Jérôme, la tête dressée dans la bourrasque, à m'efforcer de capturer une trace de ce parfum. Il imprègne mes rêves, et je me réveille en sueur et affamé. Dans mes rêves, je me goinfre de chocolats, et leur texture n'est pas friable mais douce comme la chair, comme des milliers de bouches sur mon corps, qui me dévorent goulûment de leurs délicats baisers. Mourir sous leur caressante gourmandise me paraît le summum délicieux de toutes les tentations que j'ai pu connaître, et dans ces moments-là j'arrive presque à comprendre Armande Voizin, qui risque sa vie à chaque voluptueuse bouchée.

J'ai dit *presque*.

Je connais mon devoir. Je dors très peu désormais, ayant étendu ma pénitence à ces rares instants de repos. Mes articulations me font mal, mais je me félicite de ce dérivatif. Le plaisir physique est la brèche dans laquelle le diable introduit ses racines. J'évite les parfums suaves. Je ne prends qu'un seul repas par jour, et encore est-il composé des mets les plus simples et les plus insipides. Lorsque je ne me consacre pas à mes obligations dans la paroisse, je travaille au cimetière, bêchant les parterres et désherbant les tombes. L'endroit a été fort mal entretenu ces deux dernières années, et je ne suis pas sans éprouver un certain malaise quand je vois le désordre qui règne à présent dans ce jardin jusqu'alors impeccable. Lavande, marjolaine, verge d'or et artémise ont poussé avec un généreux abandon au milieu des graminées et des chardons bleus. Tous ces parfums me troublent. Je préférerais des rangées bien disciplinées d'arbustes et de fleurs, le tout entouré d'une haie de buis. Je ne sais pourquoi, mais cette profusion de plantes me paraît illicite, irrévérencieuse, comme le viol de la mort par la vie, chaque plante en étouffant une autre dans le vain espoir d'accéder à la prédominance. Nous possédons la maîtrise de ces choses-là, nous dit la Bible. Or je n'éprouve aucun sentiment de maîtrise. Ce que j'éprouve, c'est plutôt une sensation d'impuissance : en effet, au fur et à mesure que je sarcle, que j'émonde et que je taille, une foisonnante végétation envahit sans tarder les territoires que je laisse derrière moi, raillant mes efforts en tirant dans mon dos d'immenses langues de verdure. Narcisse m'observe avec un mépris amusé.

« Feriez mieux de planter un peu, mon père, me conseille-t-il. Remplir ces espaces que vous dégagez avec des choses qui vaillent la peine. Autrement, les mauvaises herbes s'y remettront toujours. »

Il a raison, bien sûr. J'ai commandé chez lui une centaine de plantes, des plantes dociles que je disposerai par rangées. J'aime bien les bégonias blancs et les iris nains, les dahlias jaune pâle et les amaryllis, inodores mais tellement ravissants dans le cornet si bien apprêté que forment leurs feuilles. Ravissants, mais non proliférants, assure Narcisse. La nature domestiquée par l'homme.

Vianne Rocher vient examiner mon travail. Je ne lui prête pas attention. Elle est vêtue d'un pull turquoise et d'un jean, avec des bottines de daim violet. Sa chevelure ressemble à un drapeau pirate flottant au vent.

« Vous avez un joli jardin », fait-elle remarquer. Caressant un buisson de la main, elle serre le poing autour d'une branche pour l'imprégner de parfum, puis le porte à son visage.

« Toutes ces herbes aromatiques... La citronnelle, la menthe poivrée, la sauge...

— Je ne sais pas leurs noms, coupai-je avec brusquerie. Je ne suis pas jardinier. En outre, ce ne sont que des mauvaises herbes.

— J'aime les mauvaises herbes. »

Pas étonnant... Je sentis mon cœur se gonfler de colère — ou bien était-ce l'effet du parfum ? Me redressant au milieu des herbes ondoyantes qui m'arrivaient à la taille, je sentis mes vertèbres inférieures craquer sous la pression soudaine. « Dites-moi une chose, mademoiselle. »

Elle me regarda d'un air docile, sourire aux lèvres.

« Dites-moi ce que vous espérez accomplir en encourageant mes paroissiens à se déraciner, à renoncer à leur sécurité… »

Elle me regarda sans comprendre. « Se déraciner ? » Elle jeta un coup d'œil hésitant sur le tas de mauvaises herbes que j'avais constitué à côté de moi dans l'allée.

« Je veux parler de Joséphine Muscat, précisai-je sèchement.

— Ah… » Elle pinça entre ses doigts une tige de lavande. « Elle était malheureuse. » Elle semblait penser que cela expliquait tout.

« Et maintenant qu'elle a rompu ses vœux matrimoniaux, qu'elle a quitté tout ce qu'elle avait et renoncé à son ancienne vie, vous pensez qu'elle sera plus heureuse ?

— Bien sûr.

— Une bien belle philosophie… ricanai-je. À condition d'être de ceux qui ne croient pas au péché… »

Elle éclata de rire. « Mais je n'y crois pas ! répliqua-t-elle. Je n'y crois absolument pas.

— Alors, je plains votre malheureuse fillette, dis-je avec aigreur. Élevée sans Dieu et sans morale… »

Elle me décocha un regard sévère. « Anouk sait pertinemment ce qui est bien et ce qui est mal », s'insurgea-t-elle, et je compris que j'étais enfin arrivé à l'atteindre. J'avais marqué un petit point. « Pour ce qui est de Dieu… » Elle laissa sa phrase en suspens. « Je ne crois pas que ce col blanc vous donne l'exclusivité de l'accès au Divin, reprit-elle d'un ton moins virulent. Je pense qu'il y a certainement assez de place pour nous deux, vous ne croyez pas ? »

Je ne pris pas la peine de lui répondre. Je ne

suis pas dupe de sa prétendue tolérance. « Si vous voulez vraiment faire le bien, lui dis-je avec dignité, vous convaincrez Mme Muscat de reconsidérer son imprudente décision. Et vous ferez entendre raison à Armande Voizin.

— Entendre raison ? » Elle faisait semblant de ne pas saisir, mais elle savait ce que je voulais dire.

Je répétai une bonne partie du discours que j'avais tenu au chien de garde. Armande était vieille, lui expliquai-je. Volontaire et têtue. Mais sa génération n'a pas l'instruction nécessaire pour comprendre les questions d'ordre médical. L'importance du régime et de la médication… ce refus obstiné de se rendre à l'évidence.

« Armande est parfaitement heureuse là où elle est, objecte-t-elle d'une voix presque raisonnable. Elle ne veut pas quitter sa maison pour aller dans une institution. Elle veut mourir là où elle est.

— Elle n'a pas le droit ! » Le son de ma voix traversa la place comme un claquement de fouet. « Ce n'est pas à elle de décider. Elle pourrait vivre encore longtemps, encore dix ans peut-être…

— Elle le pourrait tout autant en restant chez elle ! se récria-t-elle. Elle est encore mobile, lucide, indépendante…

— *Indépendante !* » J'avais du mal à dissimuler mon dédain. « Alors qu'elle sera totalement aveugle dans six mois ? Qu'est-ce qu'elle fera à ce moment-là ? »

Pour la première fois elle parut troublée. « Je ne comprends pas, dit-elle enfin. Armande a une bonne vue, non ? Je veux dire, elle ne porte même pas de lunettes… »

Je la regardai soudain avec curiosité. Elle n'était pas au courant. « Vous n'avez pas parlé au docteur, on dirait ?

— Pourquoi le ferais-je ? Armande… »

Je lui coupai la parole. « Armande a un problème, lui expliquai-je. Un problème qu'elle s'évertue à nier. C'est dire l'étendue de son entêtement. Elle refuse d'admettre, elle refuse de s'avouer à elle-même, mais aussi à sa famille que…

— Allons, dites-moi. Je vous en prie. » Ses yeux étaient durs comme des billes d'agate.

Je le lui dis.

29

Dimanche 16 mars

D'abord, Armande feignit de ne pas comprendre à quoi je faisais allusion. Puis, adoptant un ton très autoritaire, elle exigea de savoir qui avait bavardé, tout en déclarant que je me mêlais de ce qui ne me regardait pas, et que je n'avais pas la moindre idée de ce dont il s'agissait.

« Armande, dis-je dès qu'elle marqua une pause pour respirer. Dites-moi ce que cela signifie. Rétino-pathie diabétique… »

Elle haussa les épaules. « Autant vous le dire, si ce fichu médecin doit aller bavasser dans tout le vil-lage… » Elle avait l'air furieuse. « Me traiter comme si je n'étais plus en état de prendre mes décisions moi-même ! » Elle me lança un regard sans aménité. « Et vous ne valez pas mieux, madame, poursuivit-elle. À me couver comme un bébé, à être aux petits soins… Je ne suis pas une enfant, Vianne.

— Je le sais bien.

— Parfait. » Elle tendit la main pour attraper la tasse à thé posée à côté d'elle. Je remarquai avec quel soin elle la plaçait entre ses doigts, vérifiant minutieusement l'endroit où elle se trouvait avant de la soulever. Ce n'est pas elle, c'est moi qui ai été aveugle. La canne enrubannée de rouge, les gestes tâtonnants, la tapisserie inachevée, les yeux abrités sous une succession de chapeaux…

« Ce n'est pas comme si on pouvait quoi que ce soit pour m'aider, continua Armande sur un ton plus doux. D'après ce que j'ai compris, c'est incurable, alors cela ne regarde personne d'autre que moi. » Elle but une gorgée de sa tisane et grimaça. « De la camomille…, commenta-t-elle sans enthousiasme. Censée éliminer les toxines… On dirait de la pisse de chat. » Elle reposa la tasse avec la même prudence.

« Lire me manque, reprit-elle. J'ai trop de mal à déchiffrer les caractères à présent, mais Luc me fait de temps en temps la lecture. Vous vous souvenez comme je m'étais débrouillée pour lui faire réciter du Rimbaud le jour de nos retrouvailles ?

— À vous entendre, on croirait que c'était il y a des années.

— C'est l'effet que ça me fait. » Sa voix était légère, presque sans inflexion. « J'ai eu ce que je croyais ne jamais réussir à avoir, Vianne. Mon petit-fils me rend visite chaque jour. Nous discutons comme des adultes. C'est un brave petit, assez gentil pour éprouver un peu de chagrin…

— Il vous aime, Armande, l'interrompis-je. Comme nous tous.

— Peut-être pas tous, rectifia-t-elle avec un gloussement. Mais ça n'a pas d'importance. J'ai à l'heure actuelle tout ce dont j'ai toujours rêvé. Ma maison, mes amis, Luc… » Elle me regarda d'un air buté. « Il n'est pas question qu'on me prive d'une seule de ces choses ! se rebella-t-elle.

— Je ne comprends pas. Personne ne peut vous forcer à…

— Je sais très bien à qui je pense, m'interrompit-elle. Cussonet peut bien parler tant qu'il veut de ses implants rétiniens, de ses scanners, de ses thérapies au laser et de ce qui lui chante — le mépris qu'elle éprouvait pour ces choses était évident — mais ça ne change rien à la réalité. La vérité, c'est que je deviens aveugle, et il n'y a pas grand-chose que quiconque puisse faire pour arrêter ça. » Elle croisa les bras dans un geste qui traduisait sa certitude irrévocable.

« J'aurais dû aller le voir plus tôt, reconnut-elle sans amertume. Maintenant, c'est irréversible, et ça empire. Six mois de vision partielle, voilà le maximum qu'il m'accorde, et ensuite l'hospice, que ça me plaise ou non, jusqu'au jour de ma mort. » Elle se tut. « Je pourrais vivre encore dix ans… » ajouta-t-elle d'un air songeur, faisant écho à ce que j'avais affirmé à Reynaud.

J'ouvris la bouche pour protester, pour lui dire que ce ne serait pas forcément aussi terrible, mais je la refermai.

« Ne prenez pas cet air-là, ma fille, me dit Armande avec un petit coup de coude réconfortant. Après un festin de cinq plats, vous auriez envie de café et de digestifs, n'est-ce pas ? Vous ne décideriez pas tout à coup de terminer un pareil gueuleton avec un bol de bouillie, n'est-ce pas ? Rien que pour pouvoir déguster un plat supplémentaire ?

— Armande…

— Ne m'interrompez pas. » Ses yeux brillaient. « Ce que je veux dire, c'est qu'il faut savoir quand s'arrêter, Vianne. Il faut savoir quand repousser son assiette et réclamer ces fameux digestifs. J'aurai quatre-vingt-un ans dans quinze jours…

— Ce n'est pas si vieux, pleurnichai-je malgré moi. Je n'arrive pas à croire que vous renonciez comme ça ! »

Elle me dévisagea. « Et pourtant c'est bien vous,

n'est-ce pas, qui avez dit à Guillaume de laisser à Charly un peu de dignité ?

— Vous n'êtes pas un chien ! rispostai-je, courroucée.

— Non, répondit Armande avec douceur. C'est pourquoi j'ai le choix. »

Une ville pas évidente, New York, avec ses mystères tape-à-l'œil, froide en hiver et étouffante de chaleur en été. Au bout de trois mois, même le vacarme devient quelque chose de familier, de normal ; le bruit des voitures, le brouhaha des humains, le tintamarre des taxis, se fondent en un unique bourdonnement sonore qui recouvre la ville comme un manteau de pluie. Elle traversant la rue à la sortie du « deli » avec dans les bras un sac en papier contenant notre déjeuner, moi venant la retrouver à mi-chemin, attirant son attention par-delà le flot des automobiles, derrière elle un panneau publicitaire pour les cigarettes Marlboro : un cow-boy se détachant sur un horizon de montagnes violettes. J'ai vu la chose arriver. J'ai ouvert la bouche pour crier, pour la prévenir… Mais je me suis pétrifiée. Une seconde, cela a suffi, une toute petite seconde. Était-ce la peur qui avait collé ma langue à mon palais ? Était-ce tout simplement le corps qui mettait un temps fou à réagir quand il se trouvait confronté à l'imminence du danger, la pensée mettant une effroyable éternité à atteindre le cerveau ? Ou bien était-ce *l'espoir*, le genre d'espoir qui survient lorsque tous les rêves se sont évanouis et qu'il ne reste plus rien d'autre que la douleur lancinante des faux-semblants ?

Bien sûr, maman, bien sûr que nous irons en Floride. Bien sûr que oui.

Le visage, durci par un sourire contraint, les yeux bien trop brillants, aussi brillants que les feux d'artifice du 4 juillet...

Qu'est-ce que je ferais, qu'est-ce que je ferais sans toi ?

Tout va bien, maman. Nous y arriverons. Je te le promets. Fais-moi confiance.

L'Homme Noir se tient là, le visage éclairé d'un faible sourire, et pendant cette seconde interminable je sais qu'il existe des choses plus graves, beaucoup plus graves que la mort. Puis ma paralysie cesse et je pousse un hurlement, mais cette mise en garde vient trop tard. Ma mère tourne la tête vers moi, vaguement étonnée, un sourire se dessine sur ses lèvres pâles — *Pourquoi, qu'est-ce qui se passe, ma chérie ?* — et le cri qui aurait dû former son nom se perd dans le grincement des freins.

« *Floride !* » On dirait le nom d'une femme ; il retentit dans la rue, la jeune femme s'élance au milieu des voitures en laissant tomber ses paquets — un gros sac de provisions, une brique de lait —, le visage tordu de douleur. On dirait le nom de quelqu'un, comme si la femme plus âgée qui se meurt dans la rue s'appelait effectivement Floride, mais elle est morte avant que je ne la rejoigne, discrètement et sans simagrées, de sorte que je me sens presque gênée de faire tant d'histoires, et une grande femme en jogging rose m'entoure de ses bras énormes, mais ce que j'éprouve surtout, c'est du *soulagement*, comme un furoncle qui crève, et mes larmes sont des larmes de soulagement, un amer et intense soulagement d'être enfin arrivée au bout. Arrivée au bout indemne, ou presque.

« Vous ne devriez pas pleurer, dit gentiment Armande. N'est-ce pas vous qui affirmez toujours que le bonheur est la seule chose qui compte ? »

Je fus étonnée de trouver mon visage baigné de larmes.

« De plus, j'ai besoin de votre aide. » Pragmatique comme toujours, elle sortit un mouchoir de sa poche et me le tendit. Il sentait la lavande. « J'organise une fête pour mon anniversaire, déclara-t-elle. Une idée de Luc. Aucune contrainte de budget. Je veux que vous vous occupiez du repas.

— Quoi ? » Je ne savais plus où j'en étais, à passer de la mort aux agapes et vice versa.

« Mon dernier plat…, expliqua Armande. Je prendrai mes médicaments jusque-là, comme une petite fille sage. Je boirai même cette infâme tisane. Je veux voir mon quatre-vingt-unième anniversaire, Vianne, avec tous mes amis autour de moi. Qui sait, il se peut même que j'invite ma crétine de fille. Nous inaugurerons votre festival du chocolat dans les règles de l'art. Et ensuite… » Un bref haussement d'épaules indifférent. « Tout le monde n'a pas cette chance-là, fit-elle observer. La possibilité de tout prévoir, de régler tous les détails. Et autre chose — elle me lança un regard d'une intensité de laser — pas un mot à qui que ce soit. *À qui que ce soit.* Pas question de me laisser embêter. C'est mon choix, Vianne. Ma fête. Je ne veux pas qu'il y ait des gens qui pleurent ou qui fassent un esclandre à ma fête. Compris ? »

J'acquiesçai.

« Promis ? » J'avais l'impression d'avoir affaire à une enfant acharnée.

« C'est promis. »

Le visage d'Armande prit cette expression de contentement qu'il affiche toujours quand elle parle de bonne chère. Elle se frotta les mains l'une contre l'autre. « Voyons maintenant le menu… »

30

Mardi 18 mars

Comme nous travaillions ensemble, Joséphine s'étonna de mon silence. Nous avons préparé trois cents boîtes de chocolats de Pâques depuis que nous avons commencé — nouées de rubans, elles sont soigneusement empilées dans la cave —, mais j'en prévois deux fois plus. Si j'arrive à les vendre toutes, nous ferons un bénéfice substantiel, qui suffira peut-être pour nous installer ici pour de bon. Sinon… Je ne veux pas penser à cette éventualité, malgré la girouette qui, de son perchoir, se moque de moi avec son rire grinçant. Roux s'est déjà attelé à la chambre d'Anouk dans le grenier. Le festival consti-tue un risque, mais nos existences ont toujours été déterminées par des choses de ce genre. Et puis nous avons déployé tous les efforts nécessaires pour que le festival soit une réussite. Des affiches ont été envoyées jusqu'à Agen et dans les villes voisines. La radio locale en parlera tous les jours durant la semaine pascale. Il y aura de la musique — certains des vieux amis de Narcisse ont formé un orchestre —, des fleurs, des jeux. J'ai discuté avec quelques-uns des maraîchers du jeudi, et il y aura sur la place des stands qui vendront des babioles et des souvenirs. Il y aura une chasse aux œufs de Pâques pour les enfants, conduite par Anouk et ses amis, avec des cornets-surprise pour tous les participants. Et à La Céleste Praline, une statue de chocolat géante représentant Éostre avec une gerbe de blé dans une main et un panier plein d'œufs de Pâques dans l'autre, sera à partager entre les célébrants. Plus que deux semaines… Nous préparons les fragiles chocolats à la liqueur, les amas de pétales de rose, les pièces en chocolat dans leurs enveloppes dorées, les bouchées à la violette, les cerises au chocolat et les amandines par fournées de cinquante, les laissant refroidir sur des plaques beurrées. Après avoir été ouvertes avec soin, les coques des œufs et les figurines d'animaux sont remplies de ces diverses friandises. Des nids de caramel filé garnis d'une quantité d'œufs en sucre et tous surmontés d'une poule en chocolat triomphalement dodue ; des lapins bicolores regorgeant de dragées dorées se tiennent en rang, attendant d'être emballés et rangés dans des cartons ; des créatures en pâte d'amandes peuplent les étagères. Les effluves d'essence de vanille, de cognac, de pomme caramélisée et de chocolat amer emplissent la maison.

Et voilà qu'il y a la fête d'Armande à préparer en plus. J'ai une liste de ce qu'elle veut commander à Agen — du foie gras, du champagne, des truffes et des chanterelles de Bordeaux, sans oublier des plateaux de fruits de mer de chez le traiteur d'Agen. J'apporterai moi-même les gâteaux et les chocolats.

« Je crois qu'on va s'amuser ! » s'écrie joyeusement Joséphine de la cuisine, alors que je lui parle de la réception. Je dois me rappeler la promesse que j'ai faite à Armande.

« Vous êtes invitée, lui dis-je. Elle l'a bien précisé. »

Joséphine rougit de plaisir à cette idée. « C'est gentil, dit-elle. Tout le monde a été tellement gentil. »

Elle est incroyablement dénuée d'amertume, me dis-je en moi-même, toujours prête à voir de la gentillesse en chacun. Même Paul-Marie n'a pas réussi à détruire son optimisme chronique. Elle s'estime en partie responsable du comportement de son mari. Il est d'une nature profondément faible : elle aurait dû lui tenir tête il y a longtemps. Quant à Caro Clairmont et à ses acolytes, elle les juge d'un sourire. « Elles sont seulement bêtes », m'explique-t-elle avec sagesse.

Un cœur si simple... Elle est sereine à présent, en paix avec le monde. Je me surprends pour ma part à l'être de moins en moins, dans un esprit de contradiction pervers. Pourtant je l'envie. Il a fallu si peu de chose pour qu'elle accède à cette plénitude. Un peu de chaleur, quelques vêtements d'emprunt, la sécurité d'une chambre d'amis... Comme une fleur, elle se dresse vers la lumière, sans réfléchir au processus qui l'y pousse. J'aimerais pouvoir agir de même.

Je me surprends à penser à la conversation que j'ai eue dimanche avec Reynaud. Ce qui le meut est toujours pour moi un aussi grand mystère. Ces derniers temps il y a en lui quelque chose de désespéré, alors qu'il travaille dans le cimetière, à biner et à sarcler avec acharnement — arrachant parfois des touffes entières d'arbrisseaux et de fleurs en même temps que les mauvaises herbes —, la sueur dégoulinant le long de son dos et dessinant un triangle foncé sur sa soutane. Il ne prend aucun plaisir à cet exercice. J'examine son visage tandis qu'il travaille, ses traits convulsés par l'effort. Il semble détester la terre qu'il laboure, détester les plantes contre lesquelles il se bat. Il a l'air d'un avare contraint à jeter dans un fourneau des pelletées de billets de banque : sur son visage se mêlent convoitise, dégoût et fascination rétive. Néanmoins, il n'abandonne jamais. En l'observant, j'éprouve un tiraillement de peur que je connais bien, mais j'en ignore la raison. Cet homme, mon ennemi, est comme une machine. Sous son œil insistant, je me sens étrangement mise à nu. Il me faut réunir tout mon courage pour croiser son regard, pour sourire, pour simuler la nonchalance… À l'intérieur de moi, il y a une chose qui hurle et qui se débat frénétiquement pour s'échapper. Ce n'est pas seulement l'histoire du festival du chocolat qui met Reynaud hors de lui, j'en suis aussi intimement convaincue que si j'avais décrypté ses lugubres pensées. C'est mon existence même qui le rend fou de rage. Pour lui, je suis une insulte personnifiée. De son jardin inachevé, je le vois maintenant qui m'observe en catimini, le regard glissant vers ma fenêtre puis revenant à son travail avec une satisfaction sournoise. Nous ne nous sommes pas parlé depuis dimanche, et il pense qu'il a marqué un point contre moi. Armande n'est pas revenue à La Praline, et je lis dans les yeux de Reynaud qu'il s'imagine en être la cause. Qu'il se l'imagine donc, si ça lui fait plaisir…

Anouk me raconte qu'il est venu à l'école hier. Il a expliqué aux enfants la signification de Pâques — des trucs inoffensifs, même si ça me donne un peu froid dans le dos de m'imaginer ma fille sous sa garde —, leur a lu une histoire et promis de revenir. J'ai demandé à Anouk s'il lui avait parlé.

« Oh oui ! me répondit-elle gaiement. Il est gentil. Il a dit que je pouvais venir voir son église si j'en avais envie. Voir saint Francis et tous les petits animaux…

— Et tu en as envie ?

— Peut-être », dit Anouk en haussant les épaules.

Je me répète en moi-même — au petit matin, quand tout semble possible et que mes nerfs se mettent à grincer comme les gonds mal huilés de la girouette —, je me répète que ma peur est irrationnelle. Que pourrait-il nous faire ? Comment pourrait-il nous atteindre, quand bien même ce serait son intention ? Il ne sait rien. Il ne peut rien savoir de nous. Il n'a aucun pouvoir.

Bien sûr qu'il a du pouvoir, dit en moi la voix de ma mère. *C'est l'Homme Noir.*

Anouk se retourne nerveusement dans son sommeil. Sensible à mes humeurs, elle sait quand je suis réveillée et, à travers un labyrinthe de rêves, elle s'applique elle aussi à sortir du sommeil. Je respire profondément en attendant qu'elle retrouve la paix.

L'Homme Noir est une fiction, me répété-je avec fermeté. L'incarnation de peurs diverses sous une tête de carnaval. Un conte pour les nuits sans lune. Des ombres dans une chambre inconnue.

En guise de réponse, je revois cette image, aussi lumineuse qu'une diapositive : Reynaud, immobile, au chevet d'un vieil homme, les lèvres remuant comme s'il priait, un feu brûlant dans son dos à la manière du soleil à travers un vitrail. Ce n'est pas une image rassurante. Le prêtre a une attitude vaguement prédatrice, une certaine ressemblance unit ces deux visages rougis, les flammes qui brillent entre eux ont des reflets menaçants. J'essaie d'utiliser mes connaissances en psychologie. C'est une image de l'Homme Noir figurant la Mort, un archétype qui traduit ma crainte de l'inconnu. Cette interprétation n'est pas réellement convaincante. La partie de moi qui dépend encore de ma mère s'exprime avec plus d'éloquence.

Tu es ma fille, Vianne, me dit-elle inexorablement. *Tu sais ce que cela signifie.*

Cela signifie reprendre la route dès que le vent tourne, lire l'avenir au revers d'une carte, mener une existence qui n'est qu'une fugue infinie.

« Je n'ai rien d'extraordinaire. » Je me suis à peine rendu compte que j'ai parlé tout haut.

« Maman ? » La voix d'Anouk, pâteuse de sommeil.

« Chh, fis-je. Ce n'est pas encore le matin. Dors encore un peu.

— Chante-moi une chanson, maman, murmure-t-elle, tendant sa main vers moi dans l'obscurité. Chante-moi encore une fois la chanson du vent. »

Alors je me mets à chanter, écoutant ma propre voix se mêler aux couinements de la girouette :

> *V'là l'bon vent, v'là l'joli vent*
> *V'là l'bon vent, ma mie m'appelle*
> *V'là l'bon vent, v'là l'joli vent*
> *V'là l'bon vent, ma mie m'attend.*

Au bout de quelque temps, la respiration d'Anouk a retrouvé un rythme régulier, et je comprends qu'elle s'est rendormie. Sa main repose toujours dans la mienne, toute molle de sommeil. Quand Roux aura terminé les travaux dans la maison, ma fille disposera à nouveau d'une chambre à elle, et nous aurons l'une et l'autre moins de mal à dormir. Cette nuit s'apparente trop à ces chambres d'hôtel que nous partagions, ma mère et moi, imprégnées de la moiteur de nos deux respirations, avec la buée qui se condensait sur les fenêtres et, dehors, le bruit incessant de la circulation.

V'là l'bon vent, v'là l'joli vent…

Mais pas cette fois… je m'en fais la promesse en silence. Cette fois, nous resterons. Quoi qu'il arrive. Pourtant, en me replongeant dans le sommeil, je me surprends à envisager cette idée, bien sûr avec envie, mais aussi avec scepticisme.

31

Mercredi 19 mars

Ces jours-ci, il semble y avoir moins d'affluence à la boutique de la nommée Vianne Rocher. Armande Voizin a cessé de s'y rendre, et pourtant je l'ai aperçue plusieurs fois depuis son rétablissement, qui marchait d'un pas résolu en s'aidant à peine de sa canne. Elle est fréquemment accompagnée de Guillaume Duplessis, qui traîne toujours derrière lui ce petit chien efflanqué, quant au jeune Luc Clairmont, il descend aux Marauds tous les jours. En apprenant que son fils voit Armande en secret, Caroline Clairmont a poussé un léger grognement de contrariété.

« Je ne peux rien en faire ces derniers temps, mon père, se plaint-elle. Un garçon qui peut être tellement *sage* un jour, tellement obéissant, et puis le lendemain... » En un geste théâtral, ses mains manucurées se portèrent à sa poitrine.

« Je lui ai seulement dit — de la manière la plus douce possible — qu'il aurait peut-être dû me dire qu'il allait voir sa grand-mère. » Elle soupira. « Comme s'il s'imaginait que j'allais désapprouver, le petit imbécile... Bien sûr que je suis d'accord, lui ai-je dit. C'est merveilleux que tu t'entendes aussi bien avec elle : après tout, un jour, tu hériteras de tout… Et d'un seul coup voilà qu'il se met à crier et à dire qu'il se moque bien de l'argent, que la raison pour laquelle il ne voulait pas que je sois au courant, c'était parce qu'il savait que je gâcherais tout, que j'étais une grenouille de bénitier qui se mêlait de tout… Ses mots *à elle*, mon père, j'en mettrais ma tête à couper. » Elle s'essuya les yeux d'un délicat revers de la main, prenant garde à ne pas endommager son impeccable maquillage.

« Qu'est-ce que j'ai fait de mal, mon père ? demanda-t-elle, implorante. J'ai tout fait pour ce gamin, je lui ai tout donné. Et le voir se détourner de moi, me jeter tout cela à la figure à cause de cette femme… » Sous les larmes, sa voix était dure. « Ah, l'ingratitude des enfants…, gémit-elle. Vous ne pouvez imaginer, mon père, ce que c'est pour une mère.

— Oh, vous n'êtes pas la seule à avoir pâti des bonnes intentions de Mme Rocher. Regardez autour de vous les changements qu'elle a provoqués rien qu'en quelques semaines.

— Les bonnes intentions ! répéta Caroline, le nez pincé. Vous êtes trop gentil, mon père. C'est une femme dangereuse, voilà la vérité. Elle a failli tuer ma mère, elle a retourné mon fils contre moi… »

Je l'encourageai de la tête.

« Sans parler de ce qu'elle a fait au couple Muscat, continua Caroline. Je n'en reviens pas que vous ayez montré tant de patience, mon père. Je n'en reviens vraiment pas. » Ses yeux étincelaient de dépit. « Je suis étonnée que vous n'ayez pas usé de votre influence.

— Oh, je ne suis qu'un curé de campagne, répondis-je en haussant les épaules. Je n'ai pas tant d'influence. Je peux désapprouver, mais…

— Vous pouvez faire bien plus que désapprouver ! s'écria Caroline, les nerfs à vif. Nous aurions dû vous écouter dès le début, mon père. Nous n'aurions jamais dû tolérer sa présence ici.

— C'est facile à dire avec le recul, protestai-je. Vous-même avez fréquenté sa boutique, si je me souviens... »

Elle rougit. « Eh bien, maintenant, nous pourrions vous aider. Paul Muscat, Georges, les Arnauld, les Drou, les Prudhomme... Nous pourrions nous serrer les coudes. Faire passer le mot. Nous pourrions retourner l'opinion contre elle, même maintenant.

— Pour quelle raison ? Cette femme n'a pas enfreint la loi. On ne verrait là que de la malveillance, et vous ne seriez pas plus avancée qu'avant. »

Caroline eut un mince sourire. « Une chose est sûre, nous pourrions saboter son fameux festival...

— Tiens donc ?

— Évidemment. » L'exaltation la rend laide. « Georges voit beaucoup de monde. C'est un homme riche. Muscat, lui aussi, a de l'influence. Il voit des gens. Il est persuasif ; l'Association des résidents... »

Bien sûr qu'il est persuasif. Je repense à son père, l'été des gitans de la rivière.

« Si elle perd de l'argent avec ce festival — et je me suis laissé dire qu'elle a déjà englouti de grosses sommes pour le préparer —, alors on pourra peut-être faire pression sur elle...

— Peut-être, acquiesçai-je avec douceur. Évidemment, je ne pourrais pas participer officiellement à ce boycott. Ça risquerait de paraître... disons, peu charitable. »

Je devinai à son expression qu'elle comprenait parfaitement.

« Bien sûr, mon père. » Sa voix est pleine d'ardeur et de méchanceté. L'espace d'une seconde, j'éprouve un mépris absolu pour cette femme, haletante et servile comme une chienne en chaleur, mais c'est souvent avec des outils aussi méprisables, mon père, que notre mission s'accomplit.

Après tout, vous devez bien le savoir.

32

Vendredi 21 mars

La mansarde est presque terminée, le plâtre est encore humide par endroits, mais la nouvelle fenêtre, ronde et dotée d'une bordure de laiton comme un hublot de bateau, est en place. Demain, Roux posera les lattes du plancher et, aussitôt que le parquet aura été ciré et vitrifié, nous installerons le lit d'Anouk dans sa nouvelle chambre. Il n'y a pas de porte. La seule entrée est constituée par une trappe, à laquelle on accède par une douzaine de marches. Déjà Anouk est tout excitée. Elle passe le plus clair de son temps la tête à travers la trappe, à surveiller les travaux et à donner à Roux des directives précises sur ce qui doit être fait. Le reste du temps, elle le passe avec moi dans la cuisine, à observer les préparatifs de Pâques. Jeannot est souvent avec elle. Ils s'assoient ensemble près de la porte de la cuisine, parlant tous les deux en même temps. Je suis obligée de leur donner des friandises pour qu'ils s'en aillent. Depuis la maladie d'Armande, Roux semble redevenu à peu près comme avant, il sifflote alors qu'il met la dernière main à la chambre d'Anouk. Il a fait un excellent travail, bien qu'il regrette la perte de ses outils. Ceux qu'il utilise, loués au chantier de

Clairmont, sont, selon lui, de qualité inférieure. Dès qu'il pourra, il s'en achètera d'autres.

« Il y a un endroit à Agen qui vend de vieilles péniches, m'a-t-il confié aujourd'hui pendant que nous dégustions un chocolat chaud accompagné d'éclairs. Je pourrais acheter un vieux rafiot et le remettre en état pendant l'hiver. Je pourrais en faire un truc à la fois joli et confortable.

— De combien d'argent auriez-vous besoin ? »

Il haussa les épaules. « Peut-être cinq mille francs pour commencer, peut-être quatre. Ça dépend.

— Armande vous les prêterait.

— Non. » Il est intraitable sur cette question. « Elle en a déjà assez fait. » Il suivit le rebord de sa tasse du bout de son index. « Narcisse m'a proposé un emploi. À la pépinière. Et puis il faudrait que j'aide aux vendanges pendant la saison, ensuite il y aura les pommes de terre, les haricots, les concombres, les aubergines… Largement de quoi m'occuper jusqu'en novembre.

— C'est bien. » Une soudaine bouffée d'émotion devant son enthousiasme, devant sa bonne humeur retrouvée. Il a aussi meilleure allure physiquement, il semble plus détendu, et il n'a plus cette épouvantable expression d'hostilité et de suspicion qui fermait son visage comme les volets d'une maison hantée. Il a passé ces quelques dernières nuits chez Armande, à la demande de la vieille dame.

« Au cas où j'aurais une nouvelle crise », déclare-t-elle sérieusement, tout en me lançant un regard comique derrière son dos. Tromperie ou non, je suis heureuse de sa présence là-bas.

Ce n'est pas le cas de Caro Clairmont : elle est venue à La Praline mercredi matin avec Joline Drou, sous prétexte de parler d'Anouk. Roux était installé au comptoir, à boire du moka. Joséphine, qui semble toujours avoir peur de Roux, emballait des chocolats dans la cuisine. Anouk était en train de terminer son petit déjeuner : son bol jaune de chocolat au lait et un demi-croissant reposaient sur le comptoir devant elle. Les deux femmes adressèrent des sourires mielleux à Anouk, et regardèrent Roux avec un dédain empreint de méfiance. Roux les dévisagea de son œil insolent.

« J'espère ne pas arriver à un moment qui vous dérange ? » Caroline a une voix suave et exercée, toute de sollicitude et de sympathie. Au-dessous, néanmoins, on ne perçoit que de l'indifférence.

« Pas du tout. Nous étions en train de prendre notre petit déjeuner. Désirez-vous boire quelque chose ?

— Non, non. Je ne déjeune jamais. »

Un regard de sainte-nitouche vers Anouk, que ma fille, la tête dans son bol, ne remarqua pas.

« Je me demandais si je pourrais vous parler, dit onctueusement Joline. En privé.

— Eh bien, vous pourriez, lui répondis-je. Mais je suis sûre que ce n'est pas indispensable. Vous pouvez bien parler ici, non ? Je suis sûre que cela ne gênera pas Roux. »

Roux eut un large sourire, et Joline se rembrunit. « C'est que c'est un peu délicat…

— Dans ce cas, êtes-vous sûre que je sois l'interlocutrice qui convient ? Je pense que le curé Reynaud serait mieux choisi…

— Non, c'est à vous et à personne d'autre que je désire parler, insista Joline, les lèvres serrées.

— Oh. » Poliment : « Et de quoi ?

— Cela concerne votre fille, m'annonça-t-elle avec un sourire crispé. Comme vous le savez, je suis chargée de sa classe à l'école.

— Je le sais. » Je servis à Roux un autre moka. « Qu'est-ce qui ne va pas ? Est-ce qu'elle a du mal à suivre ? Est-ce qu'elle a des problèmes ? »

Je sais pertinemment qu'Anouk n'a pas de problèmes. Elle lit avec voracité depuis qu'elle a quatre ans et demi. Elle parle l'anglais presque aussi bien que le français, héritage de notre époque new-yorkaise.

« Non, non, m'assure Joline. C'est une petite fille très brillante. » Elle hasarde un coup d'œil dans la direction d'Anouk, mais ma fille est apparemment trop occupée à terminer son croissant. Subrepticement, parce qu'elle pense que je ne regarde pas, elle dérobe une souris en chocolat et l'enfonce dans son croissant pour imiter un pain au chocolat.

« Il s'agit de sa conduite, alors ? demandé-je avec une inquiétude exagérée. Elle est turbulente ? Désobéissante ? Impolie ?

— Non, non. Bien sûr que non. Rien de ce genre.

— Alors quoi ? »

Caro me contemple avec une expression acide. « Le curé Reynaud est venu plusieurs fois à l'école cette semaine, m'explique-t-elle. Pour parler de Pâques aux enfants, de la signification de cette fête religieuse, etc. »

Je hochai la tête pour l'encourager. Joline me gratifia encore d'un de ses sourires compatissants.

« Eh bien, il semble qu'Anouk soit — un regard faussement attendri dans la direction d'Anouk —, euh, pas exactement *turbulente*, mais elle a posé au curé de très étranges questions. » Son sourire se pinça entre deux parenthèses de désapprobation. « De *très* étranges questions, répéta-t-elle.

— Eh bien, voyez-vous, fis-je d'un ton léger, elle a toujours été curieuse. Je suis sûre que vous ne voudriez pas décourager la soif de connaissances chez vos élèves. Et d'ailleurs, ajoutai-je perfidement, ne me dites pas qu'il existe un seul sujet auquel M. Reynaud ne soit pas en mesure de répondre.

— Cela bouleverse les autres enfants, madame, protesta Joline en minaudant.

— Ah bon ?

— Il semble qu'Anouk ait affirmé aux autres que Pâques n'était pas réellement une fête chrétienne, et que Notre-Seigneur était… — elle marqua une pause, gênée —, que la résurrection de Notre-Seigneur renvoyait à quelque dieu du blé. Quelque déité de la fertilité datant de l'époque païenne. » Elle se força à rire, mais sa voix était glaciale.

« Oui. » Je caressai brièvement les boucles d'Anouk. « C'est une petite fille cultivée, n'est-ce pas, Nanou ?

— Je lui ai seulement posé des questions sur Éostre, se défendit vaillamment Anouk. Le curé Reynaud prétend que plus personne ne le célèbre, et je lui ai dit que *nous* on le célébrait… »

Je camouflai mon sourire derrière ma main. « Je ne pense pas qu'il comprenne, mon cœur. Peut-être ne devrais-tu pas poser autant de questions, si ça trouble le curé Reynaud.

— Ça trouble les enfants, madame, rectifia Joline.

— Pas du tout, riposta Anouk. Jeannot dit que nous devrions faire un feu de joie quand le moment viendra, et allumer des bougies rouges et blanches, et tout le reste. Jeannot dit… »

Caroline l'interrompit. « On dirait que Jeannot a dit beaucoup de choses, fit-elle remarquer.

— Il doit tenir de sa mère », répliquai-je.

Joline parut offensée. « Vous n'avez pas l'air de prendre la chose très au sérieux », observa-t-elle, son sourire faiblissant un peu.

Je haussai les épaules. « Je ne vois pas le problème, lui dis-je avec douceur. Ma fille participe aux discussions. N'est-ce pas ce que vous êtes en train de m'expliquer ?

— Il y a certains sujets qui ne devraient pas donner matière à discussion », dit sèchement Caro. L'espace d'un instant, sous cette douceur pastel, je reconnus sa mère, impérieuse et tyrannique. Elle me plut davantage de manifester ainsi un peu de caractère. « Certaines choses devraient être acceptées en toute bonne foi, et si cette fillette avait un tant soit peu de notions morales… » Elle s'arrêta, confuse. « Loin de moi l'idée de vous apprendre comment élever votre enfant…, acheva-t-elle d'une voix blanche.

— C'est préférable, fis-je avec un sourire. J'aurais eu horreur de me disputer avec vous. » Les deux femmes me considérèrent avec la même expression d'animosité perplexe.

« Êtes-vous sûres que vous ne voulez pas une tasse de chocolat ? »

Les yeux de Caro se posèrent avec envie sur les bouchées, les truffes, les amandines et les nougats, les éclairs, les florentins, les cerises à la liqueur, les dragées.

« Je m'étonne que les dents de cette enfant ne soient pas cariées », dit-elle d'une voix tendue.

Anouk fit alors un grand sourire, dévoilant les objets du litige. La blancheur de ses dents sembla ajouter au mécontentement de Caro. « Nous perdons notre temps ici », lança-t-elle à Joline d'un ton froid.

Je ne dis rien, et Roux pouffa de rire. Dans la cuisine j'entendais la petite radio de Joséphine. Pendant quelques secondes, il n'y eut pas d'autre bruit que la voix grinçante du speaker qui résonnait, métallique, sur le carrelage.

« Allez, viens ! » fit Caro à son amie Joline, qui paraissait hésiter.

« *Viens*, je t'ai dit ! » Avec un geste d'agacement, elle sortit majestueusement de la boutique, traînant Joline dans son sillage. « Ne croyez pas que je n'aie pas compris à quoi vous jouiez ! » siffla-t-elle en guise d'au revoir. Puis elles disparurent toutes les deux, leurs hauts talons claquant sur les pavés tandis qu'elles traversaient la place en direction de l'église.

Le lendemain nous trouvâmes le premier tract. Quelqu'un l'avait froissé en boule puis jeté sur la chaussée, et Joséphine, en balayant le trottoir, l'avait ramassé et rapporté dans la boutique. Une seule page tapée à la machine, photocopiée sur du papier rose puis pliée en deux. Le tract n'était pas signé, mais le style dans lequel il était rédigé trahissait la patte de son auteur.

Il avait pour titre « Pâques et le Retour à la Foi ». Je parcourus rapidement la feuille. Le texte était en grande partie prévisible. Il était question de réjouissance et d'autopurification, du péché et des joies de l'absolution et de la prière. Néanmoins, à mi-page, en caractères plus gras que le reste, figurait un sous-titre qui attira mon attention.

LES NOUVEAUX REVIVALISTES

Ils corrompent l'Esprit de Pâques

Il y aura toujours une petite minorité de gens qui essaieront d'**exploiter nos Saintes Traditions pour leur profit personnel.** Les fabricants de cartes de vœux. Les chaînes de supermarchés. Mais plus **redoutables** encore sont ces gens qui **prétendent**

ressusciter des traditions anciennes, entraînant nos **enfants** dans des **pratiques païennes** sous couvert d'amusement. Nous sommes trop nombreux à voir là une chose inoffensive, et à la considérer d'un œil tolérant. Autrement, pourquoi notre communauté aurait-elle permis à un prétendu **festival du chocolat** de se tenir en dehors de notre église le matin même du dimanche de Pâques ? Pareille chose tourne en **dérision** tout ce que Pâques représente. Nous vous incitons à **boycotter** ce prétendu Festival et toutes les manifestations analogues, afin de préserver l'innocence de vos enfants.

L'ÉGLISE, pas la GOURMANDISE, constitue le VÉRITABLE MESSAGE DE PÂQUES !

« L'Église, pas la gourmandise, répétai-je en riant. En vérité, c'est un très bon slogan. Vous ne trouvez pas ? »

Joséphine paraissait inquiète. « Je ne vous comprends pas, dit-elle. Vous n'avez pas l'air de vous tracasser le moins du monde.

— Pourquoi devrais-je me tracasser ? répondis-je en haussant les épaules. Ce n'est qu'un tract. Et je n'ai aucun doute quant à l'identité de son auteur. »

Elle hocha la tête. « Caro, fit-elle d'un ton énergique. Caro et Joline. C'est exactement leur style. Tout ce baratin sur l'innocence de leurs enfants. » Elle eut un grognement de dérision. « Mais les gens les écoutent, Vianne. Cela risque de dissuader les clients. Joline est notre institutrice. Et Caro est membre de l'Association des résidents.

— Ah bon ? » Je ne savais même pas qu'il existait une Association des résidents. Une bande de bigots suffisants qui raffolaient des cancans. « Et que peuvent-ils faire ? Arrêter tout le monde ? »

Joséphine secoua la tête. « Paul fait partie de ce comité, lui aussi, dit-elle à voix basse.

— Et alors ?

— Alors vous savez ce dont il est capable ! » s'écria-t-elle avec désespoir. J'ai remarqué que, dans les moments de tension, Joséphine retrouve ses anciennes manies, elle recommence à enfoncer ses pouces dans son sternum. « Il est fou, vous savez qu'il est fou. Ce n'est qu'un… »

Elle s'interrompit, éperdue, les poings serrés. Une fois encore, j'eus l'impression qu'elle voulait me dire quelque chose, qu'elle savait quelque chose. Je lui touchai la main, m'efforçant de lire ses pensées, mais je ne vis rien d'autre que ce que j'avais déjà vu : de la fumée, grise et épaisse, dans un ciel empourpré.

De la fumée ! Ma main se crispa autour de la sienne. De la fumée ! Maintenant que j'avais compris ce que je voyais, je pouvais distinguer des détails : le visage de Muscat dessinant une tache claire dans l'obscurité, son affreux sourire triomphant. Elle me regarda en silence, les yeux assombris par ce qu'elle savait.

« Pourquoi ne me l'avez-vous pas dit ? demandai-je enfin.

— Vous ne pouvez pas le prouver, répondit Joséphine. Je ne vous ai rien dit.

— Vous n'avez pas eu besoin. Est-ce pour cela que vous avez peur de Roux ? À cause de ce que Paul a fait ? »

Elle redressa son menton d'un air têtu. « Je n'ai pas peur de lui.

— Mais vous évitez de lui parler. Vous évitez même de rester dans la même pièce que lui. Vous ne pouvez pas le regarder dans les yeux. »

Joséphine croisa les bras à la manière de quelqu'un qui n'a plus rien à ajouter.

« Joséphine ? » Je tournai son visage vers le mien, la forçant à me regarder. « Joséphine ?

— D'accord… » Sa voix était dure et maussade. « J'étais au courant, d'accord ? J'étais au courant de ce que Paul allait faire. Je l'ai averti que je le dirais s'il tentait quoi que ce soit, que je les préviendrais. C'est à ce moment-là qu'il m'a frappée. » Elle me lança un regard plein de venin, la bouche à moitié déformée par les larmes qu'elle se retenait de verser. « Eh oui, je suis lâche ! déclara-t-elle d'une voix forte et sans timbre. Maintenant vous savez ce que je suis ; je ne suis pas courageuse comme vous, je suis une menteuse et une lâche. Je l'ai laissé faire ça, quelqu'un aurait pu être tué, Roux aurait pu être tué ou Zézette ou son bébé et tout aurait été *ma faute* ! » Elle prit une longue aspiration laborieuse.

« Ne le dites pas à Roux, m'implora-t-elle. Je ne pourrais pas le supporter.

— Ce n'est pas moi qui vais le lui dire, la rassurai-je avec douceur. C'est vous qui allez le faire. »

Elle secoua frénétiquement la tête. « Non. Non. Je ne pourrais pas.

— Ce n'est pas grave, Joséphine, lui dis-je, enjôleuse. Ce n'était pas votre faute. Et personne n'a été tué, pas vrai ?

— Je ne pourrais pas, répéta-t-elle, têtue. Je ne peux pas.

— Roux n'est pas comme Paul. Il vous ressemble plus que vous ne l'imaginez.

— Je ne saurais pas quoi dire. » Elle se tordait les mains. « J'aimerais tout simplement qu'il s'en aille, reprit-elle d'un ton farouche. J'aimerais simplement qu'il empoche son argent et qu'il parte ailleurs.

— Non, ce n'est pas vrai. Et de toute façon, il ne le fera pas. » Je lui répétai ce qu'il m'avait confié à propos de son emploi chez Narcisse, et du bateau qu'il projetait d'acheter à Agen. « Il mérite au moins de savoir qui est responsable, insistai-je. De cette manière, il comprendra que ce qui est arrivé est uniquement le fait de Muscat, et que personne d'autre ne le déteste ici. Vous devriez comprendre ça, Joséphine. Vous savez l'effet que ça fait, d'éprouver ce qu'il ressent. » Joséphine soupira.

« Pas aujourd'hui, dit-elle. Je lui dirai, mais une autre fois. D'accord ?

— Ce ne sera pas plus facile un autre jour, l'avertis-je. Est-ce que vous voulez que je vienne avec vous ? »

Elle me fixa du regard. « En principe, il doit faire une pause bientôt, expliquai-je. Vous pourriez lui apporter une tasse de chocolat. »

Un silence. Son visage était pâle et sans expression. Ses mains d'ordinaire si prestes tremblaient le long de ses flancs. M'emparant d'un rocher noir sur une pile à côté de moi, je le fourrai dans sa bouche entrouverte avant qu'elle n'ait le temps de protester.

« Pour vous donner du courage, précisai-je, en me retournant pour verser dans une grande tasse le chocolat de Roux. Alors, allez-y. Mâchez. » Je l'entendis émettre un petit grognement : elle riait à moitié. Je lui tendis la tasse. « Prête ?

— Je suppose, répondit-elle, la voix pleine de chocolat. Je vais essayer. »

Je les laissai seuls. Je relus le tract que Joséphine avait trouvé dans la rue. *L'Église, pas la gourmandise.* C'était vraiment très drôle. L'Homme Noir découvre enfin le sens de l'humour.

Il faisait chaud dehors malgré le vent. Les Marauds scintillaient sous le soleil. Je descendis lentement en direction de la Tannes, me délectant de la chaleur de ses rayons sur mon dos. Le printemps est arrivé presque sans prélude, comme une superbe vallée dans laquelle on débouche au détour d'un sentier rocailleux : les jardins et les plates-bandes se sont brusquement couverts de fleurs, ils débordent de jonquilles, d'iris, de tulipes. Même les maisons délabrées des Marauds sont rehaussées de touches de couleur, mais ici les jardins bien tenus ont cédé la place à une exubérance débridée : un sureau surgissant du balcon d'une maison surplombant la rivière ; un toit tapissé de pissenlits ; des violettes émergeant d'une façade écroulée. Des plantes jadis cultivées ont retrouvé leur état sauvage : de petits géraniums aux longues tiges se faufilent entre les ombelles des ciguës, des coquelicots apparaissent par-ci par-là, leur rouge originel dégénérant en orange ou en mauve très pâle. Quelques jours de soleil suffisent pour les tirer délicatement de leur sommeil ; après la pluie, ils s'étirent et dressent leur tête vers la lumière. Arrachez une poignée de ces prétendues mauvaises herbes et vous trouvez de la sauge et des iris, des œillets mignardise et des pieds de lavande sous les patiences et les jacobées. Je flânai au bord de la rivière suffisamment longtemps pour que Joséphine et Roux puissent s'expliquer, puis je rentrai tranquillement à la maison en empruntant les petites rues du village, remontant la ruelle des Frères-de-la-Révolution et la rue des Poètes, avec ses murs sombres tellement rapprochés et quasi aveugles, uniquement égayés par les cordes à linge qui s'étiraient sans façon d'un balcon à l'autre, ou par une malheureuse jardinière esseulée d'où dégringolaient de vertes guirlandes de volubilis.

Je les trouvai ensemble dans la boutique, une chocolatière à moitié vide entre eux sur le comptoir. Joséphine avait les yeux rouges mais semblait soulagée, presque heureuse. Roux riait d'une remarque qu'elle avait faite, un son étrange et insolite, exotique tant il était rare. L'espace d'une seconde, j'éprouvai quelque chose qui ressemblait vaguement à de la jalousie et je me dis : *Ils sont faits l'un pour l'autre.*

J'en touchai un mot à Roux, quand Joséphine fut sortie faire quelques courses. S'il prend soin de ne rien révéler lorsqu'il parle d'elle, il y a toujours une lueur qui pétille dans son regard, comme un sourire sur le point de naître. Apparemment, il soupçonnait déjà Muscat.

« Elle a bien fait de se tirer des pattes de ce salaud, dit-il avec hargne. Les choses qu'il a faites… » Un instant, il semble gêné : il se détourne, déplace sans raison une tasse sur le comptoir, la remet où elle était. « Un homme pareil, ça ne mérite pas d'être marié, marmonne-t-il.

— Qu'allez-vous faire ? lui demandé-je.

— Il n'y a rien à faire, répond-il avec résignation. Il niera tout. Cela n'intéresse pas la police. D'ailleurs, j'aimerais autant que la police ne s'en mêle pas. »

Il ne s'étend pas sur le sujet. J'en déduis qu'il y a des choses dans son passé qu'il vaut mieux ne pas déterrer.

Toujours est-il que, depuis lors, Joséphine et lui se sont parlé à de nombreuses reprises. Elle lui apporte du chocolat et des biscuits lorsqu'il fait une pause dans son travail, et je les entends souvent qui rient tous les deux. Elle a perdu son expression préoccupée et apeurée. Je remarque qu'elle a commencé à s'habiller avec plus de coquetterie. Ce matin, elle a même annoncé qu'elle voulait retourner au café récupérer certaines affaires.

« Je vais vous accompagner », proposai-je.

Joséphine refusa.

« Il faut que je me débrouille toute seule. » Elle paraissait heureuse, presque euphorique, d'avoir pris cette décision. « Du reste, si je n'affronte pas Paul… » Elle s'interrompit, vaguement embarrassée. « Je me suis seulement dit que j'irais, voilà tout. » Elle avait le visage tout rouge, entêté. « J'ai des livres, des vêtements… Je veux les récupérer avant que Paul ne décide de les jeter. »

J'acquiesçai. « Quand aviez-vous prévu d'y aller ?

— Dimanche, répondit-elle sans hésitation. Il sera à l'église à ce moment-là. Avec un peu de chance je pourrai entrer et sortir du café sans même le rencontrer. Ça ne prendra pas longtemps.

— Vous êtes sûre que vous ne voulez pas que je vous accompagne ?

— Non. Ce ne serait pas bien, d'une certaine façon. »

Son air compassé me fit sourire, mais, n'importe, je savais ce qu'elle voulait dire. C'était le territoire de Muscat — *leur* territoire — et il portait les marques indélébiles de leur existence commune. Je n'avais pas ma place là-bas.

« Tout se passera bien, Vianne, reprit-elle en souriant. Je sais comment m'y prendre avec lui. J'ai une certaine expérience.

— J'espère que ça n'en arrivera pas là.

— Ne vous inquiétez pas. » De manière absurde, ce fut elle qui me prit la main, comme pour me rassurer. « Je vous promets que ça n'en arrivera pas là. »

33

Dimanche 23 mars
FÊTE DES RAMEAUX

La sonnerie de la cloche se répercute sourdement sur les murs des maisons et des magasins. Les pavés mêmes résonnent de ce carillon ; je perçois son bourdonnement étouffé à travers les semelles de mes chaussures. Narcisse a fourni les rameaux, ces croix de verdure que je distribue à la fin de l'office et qui demeureront sur les revers de veste, sur les manteaux de cheminée, sur les tables de chevet, jusqu'à la fin de la semaine sainte. Je vous en apporterai un aussi, mon père, ainsi qu'un cierge à allumer à votre chevet ; je ne vois pas pourquoi vous n'y auriez pas droit. Les filles de salle me considèrent avec un amusement à peine dissimulé. Seule la crainte respectueuse que leur inspire mon habit les empêche de s'esclaffer. Leurs visages poupins semblent rayonner d'un rire intérieur. Dans le couloir, leurs voix puériles s'élèvent et retombent, formant des phrases que la distance et l'acoustique de l'hôpital rendent difficilement intelligibles :

Il s'imagine qu'il l'entend... oh oui... il s'imagine qu'il va se réveiller... Non, vraiment ?... Non !... Si, si, il lui parle, ma chère... je l'ai entendu une fois... il priait...

Puis des rires d'écolières — *hihihihihi !* — comme des perles dégringolant sur le carrelage.

Bien sûr, elles n'osent pas se moquer de moi en face. Elles pourraient être des religieuses, avec leurs uniformes d'un blanc immaculé, leurs cheveux ramassés sous leurs bonnets amidonnés, leurs yeux baissés. De petites couventines, répondant avec respect — *oui, mon père, non, mon père* —, le cœur rempli d'une joie secrète. Mes paroissiens eux aussi ont cet esprit d'enfant qui fait l'école buissonnière — un petit regard en coulisse pendant le sermon, une hâte malséante en se rendant tout de suite après à la chocolaterie — mais aujourd'hui ils sont disciplinés. Ils me saluent avec respect, presque avec crainte. Narcisse s'excuse du fait que les rameaux ne soient pas de véritables branches de palmier, mais du cèdre, entortillé et tressé de manière à imiter du mieux possible le feuillage traditionnel.

« Le palmier n'est pas un arbre d'ici, mon père, explique-t-il de sa voix bourrue. Il a du mal à pousser par ici. Le gel le fait crever. »

Je lui tapote l'épaule d'un geste paternel. « Ne vous en faites pas, mon fils. » Leur retour au sein de l'Église a adouci à tel point mon humeur que je regorge de bienveillance et d'indulgence. « Ne vous en faites pas. »

Caroline Clairmont me serre la main de ses doigts gantés. « Un merveilleux office. » Sa voix est chaude. « Un office *absolument* merveilleux. » Georges fait écho aux paroles de sa femme. Luc se tient à ses côtés, l'air maussade. Derrière lui, les Drou, avec leur fils, bien sage avec son col marin. Je ne discerne pas Muscat dans la masse des fidèles qui s'éloignent, mais je suppose qu'il doit être là.

Caroline Clairmont m'adresse un sourire complice. « On dirait que nous avons réussi, déclare-t-elle avec satisfaction. Nous avons une pétition avec plus d'une centaine de signatures…

— Le festival du chocolat », coupé-je à voix basse, contrarié par son bavardage. C'est un lieu trop public pour discuter de ce sujet, mais elle ne comprend pas le sous-entendu.

« Bien sûr ! s'écrie-t-elle d'une voix stridente qui vibre d'excitation. Nous avons distribué deux cents tracts. Nous avons recueilli les signatures de la moitié des habitants de Lansquenet. Nous avons frappé à presque toutes les portes. » Elle sourit d'un air narquois. « À quelques exceptions près, cela va de soi.

— Je vois, dis-je d'un ton délibérément glacial. Eh bien, peut-être pourrions-nous en discuter une autre fois. »

Je la vois qui accuse le coup de cette rebuffade. Elle rougit. « Bien sûr, mon père. »

Elle n'a pas tort, évidemment. L'effet de la campagne a été considérable. La confiserie a été quasi désertée ces jours derniers. Dans une communauté aussi fermée, la réprobation de l'Association des résidents n'est pas à prendre à la légère, pas plus que la réprobation tacite de l'Église. Acheter, bambocher, se *goinfrer* malgré cette réprobation… il faut un plus grand courage, un plus grand esprit de révolte que ne leur en suppose cette Vianne Rocher. Après tout, depuis combien de temps vit-elle ici ? La brebis égarée rejoint toujours le troupeau, mon père. D'instinct. Cette femme constitue pour eux une brève distraction, rien d'autre. Et en fin de compte, le naturel reprend toujours le dessus. Je ne me berce pas d'illusions en m'imaginant qu'ils agissent ainsi par quelque noble sentiment de contrition ou de spiritualité — les moutons ne sont pas de grands penseurs —, mais leur instinct, nourri en eux depuis la petite enfance, ne manque pas de sagesse. Leurs pieds les reconduisent au bercail, même lorsque leur esprit s'est égaré. J'éprouve une soudaine bouffée d'amour pour eux aujourd'hui, eux mes ouailles, mes fidèles. J'ai envie de sentir leurs mains dans les miennes, de toucher leur chair chaude et stupide, de me repaître de leur admiration et de leur confiance.

Est-ce là ce pour quoi j'ai prié, mon père ? Est-ce là la leçon que j'étais censé apprendre ? Je scrute à nouveau la foule pour repérer Muscat. Il vient toujours à l'église le dimanche, et aujourd'hui, ce dimanche si particulier, il est impossible qu'il ne soit pas venu... Pourtant, l'église se vide et je ne le vois toujours pas. Je ne me rappelle pas l'avoir vu communier. Or, à coup sûr, il ne serait jamais parti sans échanger quelques mots avec moi. Peut-être attend-il à l'intérieur de l'église, me dis-je en guise d'explication. La situation avec sa femme l'a énormément perturbé. Peut-être a-t-il besoin de conseils supplémentaires.

À côté de moi, la pile de rameaux diminue. À chacun, une branche trempée dans l'eau bénite, une bénédiction murmurée, une imposition de la main. Luc Clairmont se dérobe à mon contact avec un grognement de colère. Sa mère le rabroue faiblement, m'adressant un petit sourire au-dessus des têtes penchées. Toujours aucun signe de Muscat. Je regarde à l'intérieur : hormis quelques fidèles toujours agenouillés devant l'autel, l'église est vide. Saint Francis se tient à la porte, ridiculement jovial pour un saint, entouré de ses pigeons de plâtre, le visage radieux plus proche de celui d'un fou ou d'un ivrogne que de celui d'un saint. Je ressens un pincement de contrariété à l'encontre de l'individu qui a placé la statue à cet endroit, si près de l'entrée. Le saint à qui je dois mon nom devrait, me semble-t-il, posséder davantage d'autorité, davantage de dignité. Au contraire, cet idiot maladroit et souriant a l'air de se moquer de moi, tendant la main en signe de molle bénédiction, et l'autre tenant avec délicatesse l'oiseau de plâtre contre sa bedaine, comme s'il rêvait de pigeon en croûte. J'essaie de me rappeler si le saint se trouvait au même endroit quand nous avons quitté Lansquenet. Est-ce que vous vous souvenez, mon père, ou a-t-il été déplacé entretemps, peut-être par des gens jaloux cherchant à se moquer de moi ? Saint Jérôme, en hommage à qui cette église a été construite, attire moins l'attention : dans son alcôve sombre avec cette peinture à l'huile toute noircie derrière lui, il est plongé dans l'ombre, à peine visible, et le marbre ancien dans lequel il fut jadis taillé, enfumé par des milliers de cierges, paraît aujourd'hui d'un jaune de vieux mégot. Saint Francis, en revanche, demeure d'un blanc de champignon en dépit de l'humidité du plâtre qui continue à s'effriter joyeusement sans se soucier le moins du monde de la réprobation tacite de son collègue. Mentalement, je prends note de le faire installer au plus vite à un emplacement mieux approprié.

Muscat n'est pas dans l'église. Je vérifie, croyant encore à moitié qu'il m'y attend, mais il n'y a aucun signe de lui. Peut-être est-il malade, me dis-je. Seule une maladie grave pourrait empêcher un fidèle assidu d'assister à l'office le dimanche des Rameaux. Changeant mes vêtements de cérémonie pour ma soutane de tous les jours, je laisse mon surplis dans la sacristie. Par précaution, je mets sous clé le calice et la patène. À votre époque, mon père, il n'y aurait eu aucune raison d'agir ainsi, mais en ces temps incertains on ne peut se fier à rien. Les vagabonds et les gitans — sans parler de certaines personnes du village — pourraient prendre plus au sérieux la perspective d'un magot en liquide que celle de la damnation éternelle.

Je me dirige vers les Marauds d'un pas rapide. Muscat s'est montré fort peu expansif depuis la semaine dernière, et je ne l'ai vu qu'en passant, mais il a le teint terreux et malade, et il se tient voûté comme un pénitent, les yeux à demi cachés sous les plis gonflés de ses paupières. Peu de gens fréquentent le café désormais : tout le monde a peur de l'air hagard de Muscat et de ses sautes d'humeur. Je suis allé là-bas vendredi ; le bar était presque désert. Le sol n'avait pas été balayé depuis le départ de Joséphine. On marchait sur les mégots de cigarettes et les emballages de bonbons. Des verres vides encombraient toutes les surfaces disponibles. Quelques sandwiches ainsi qu'une chose rougeâtre ratatinée qui était peut-être une tranche de pizza reposaient misérablement dans le comptoir-vitrine. À côté, une pile des tracts de Caroline, maintenue par une chope sale. Sous la puanteur des gauloises, on distinguait de vagues relents de vomi et aussi de moisi.

Muscat était saoul. « Ah, c'est vous. » Son ton était morose, à la limite de l'agressivité. » Vous êtes encore venu me dire de tendre l'autre joue, c'est ça ? » Il aspira une longue bouffée de la cigarette mouillée de salive et qu'il serrait entre ses dents. « Vous devriez être content. Ça fait des jours que je ne me suis pas approché de cette garce.

— Il ne faut pas être amer, lui dis-je en secouant la tête.

— Je peux être ce que je veux dans mon propre

bar ! répliqua Muscat de sa voix bredouillante et hargneuse. C'est bien mon bar, n'est-ce pas, mon père ?
Je veux dire, vous n'allez pas en plus lui faire cadeau
de mon bar, quand même ? »

Je lui dis que je comprenais ce qu'il devait ressentir. Il tira une nouvelle fois sur sa cigarette et il
me rit au nez, son rire avait une puanteur de vieille
bière.

« C'est bien, mon père. » Son haleine était brûlante et fétide, comme celle d'un animal. « C'est très
bien. Bien sûr que vous comprenez. Bien sûr que
oui. À vous, l'Église vous a coupé les couilles quand
vous avez prononcé vos vœux. Alors, ça va de soi que
vous ne vouliez pas que moi je garde les miennes.

— Vous êtes saoul, Muscat, fis-je d'un ton sec.

— Bien vu, mon père, grogna-t-il. Il n'y a pas
grand-chose qui vous échappe, on dirait ? » De sa
main qui tenait la cigarette, il effectua un geste
ample. « Il ne manquerait plus qu'elle voie le bar
dans cet état, dit-il durement. Il ne manquerait plus
que ça maintenant pour la faire jubiler. De savoir
qu'elle m'a ruiné — il était au bord des larmes à
présent, pleurant sur son sort comme le font les
ivrognes —, de savoir que par sa faute notre mariage
est devenu l'objet de la risée générale... » Il émit un
son immonde, moitié sanglot moitié rot. « De savoir
qu'elle a brisé mon putain de cœur ! » Il renifla et
s'essuya le nez du dos de la main.

« Ne croyez pas que j'ignore ce qui se passe là-bas,
dit-il en baissant la voix. Entre la garce et ses amis
louches. Je sais ce qu'ils fabriquent. » Son ton grimpait à nouveau et, regardant autour de moi d'un air
gêné, je vis ses trois ou quatre ultimes clients qui le
contemplaient avec curiosité. Je lui pressai le bras en
signe d'avertissement.

« Ne perdez pas espoir, Muscat, l'implorai-je, combattant mon dégoût à me trouver si près de lui. Ce n'est pas de cette façon que vous allez la reconquérir. Souvenez-vous que beaucoup de couples mariés traversent des périodes de doute, mais… »

Il ricana. « Alors, c'est du doute, hein ? » Nouveau ricanement. « Je vais vous dire, mon père. Donnez-moi cinq minutes seul avec elle, et ce problème-là, il sera réglé pour elle définitivement. Putain, oui, je saurai la reconquérir, ça, aucun doute ! »

Il avait l'air cruel et stupide ; ses mots se formaient avec difficulté sur son sourire de requin. Je le pris par les épaules et articulai clairement, espérant qu'au moins une partie de mon discours pénétrerait son esprit. « Pas question ! lui criai-je à la figure, sans tenir compte des buveurs sidérés au comptoir. Vous allez vous conduire avec décence, Muscat, si vous voulez réagir, vous allez suivre la procédure qui convient, et vous ne vous approcherez pas de ces deux-là ! Compris ? »

Mes mains agrippaient ses épaules. Muscat se cabra, proféra des obscénités d'un ton geignard. « Je vous préviens, Muscat ! J'ai fait preuve de beaucoup de tolérance à votre égard, mais ce genre de… brutalités… il n'est pas question que je les tolère. Vous me comprenez ? »

Il marmonna quelque chose, excuse ou menace, je n'en savais trop rien. Sur le moment, je crus qu'il disait *Je suis désolé*, mais en y repensant il pouvait tout aussi bien avoir dit *Vous le regretterez*, avec ses yeux qui brillaient méchamment sous ses larmes d'ivrogne.

Désolé… Mais *qui* allait être désolé ? Et de quoi ?

Descendant à toute vitesse la colline en direction des Marauds, je me demandai une nouvelle fois si j'avais mal interprété les signes. Était-il capable d'attenter à sa vie ? Pouvais-je, dans mon désir d'éviter d'autres ennuis, être passé à côté de la vérité, n'avoir pas vu que ce type avait touché le fond du désespoir ? Lorsque j'atteignis le Café de la République, celui-ci était fermé, mais il y avait un petit attroupement devant la porte, et les gens semblaient lever les yeux sur les fenêtres du premier étage. Je reconnus Caro Clairmont et Joline Drou parmi les badauds. Duplessis était là également, petite silhouette pleine de dignité avec son chapeau de feutre et son chien qui gambadait à ses pieds. Par-dessus la clameur des voix, je crus percevoir un son plus aigu qui montait et retombait à des cadences variées, et qui, de temps en temps, composait presque des mots, des phrases, un hurlement...

« Père. » La voix de Caro était haletante, son visage enflammé. Son expression était celle de ces créatures aux yeux écarquillés et à la bouche éternellement ouverte qu'on peut voir sur certains magazines disposés tout en haut des étagères, et cette pensée me fit rougir.

« Qu'y a-t-il ? dis-je d'une voix tendue. Muscat ?

— C'est Joséphine, dit Caro avec excitation. Il est avec elle là-haut dans la chambre, mon père, et elle pousse des hurlements. »

Alors même qu'elle parlait, une autre salve sonore — combinant cris, injures braillées et bruit de projectiles fracassés — nous parvint de la fenêtre, et une pluie de débris s'écrasa sur les pavés. Un cri de femme retentit, perçant à en briser le verre : selon moi, il ne s'agissait pas d'un cri de terreur mais d'un cri de rage, d'une rage pure et déchaînée, suivi presque aussitôt d'une nouvelle explosion de projectiles. Des livres, des torchons, des disques, des bibelots de cheminée... l'artillerie prosaïque des querelles domestiques.

Je criai en direction de là fenêtre : « Muscat ? Vous m'entendez ? *Muscat !* »

Une cage à serins déserte fendit l'air.

« Muscat ! »

De l'intérieur de la maison ne me parvient aucune réponse. Les sons émis par les deux adversaires ont quelque chose d'inhumain — un troll et une harpie — et l'espace d'un instant je me sens presque mal à l'aise, comme si le monde avait basculé un peu plus dans la pénombre, élargissant le croissant de ténèbres qui nous sépare de la clarté. Si j'ouvre la porte, sur quoi risqué-je de tomber ?

Durant une seconde épouvantable, je replonge dans le passé et j'ai à nouveau seize ans : j'ouvre la porte de cette vieille annexe de l'église que certains continuent à appeler le presbytère, j'abandonne le demi-jour de la chapelle pour rejoindre une obscurité plus épaisse, je progresse quasi sans un bruit sur le plancher bien lisse, tandis que résonnent à mes oreilles les grondements bizarres d'un monstre invisible. Le cœur battant la chamade, les poings serrés, les yeux écarquillés, je pousse la porte... et sur le sol devant moi je vois cette bête pâle et cambrée, dont les proportions me sont quelque peu familières mais étrangement dédoublées, et deux visages tendus vers moi, avec des expressions pétrifiées de rage, d'horreur et de désarroi.

Maman ! Père !

C'est ridicule, je sais. Les deux choses n'ont aucun rapport. Et pourtant, en regardant le visage moite et fiévreux de Caroline Clairmont, je me demande si par hasard elle n'est pas en proie à une émotion analogue, ce frisson érotique au creux du ventre que suscite la violence, cet instant de puissance qu'on éprouve quand l'allumette s'enflamme, quand le coup s'abat, quand l'essence prend feu...

Ce n'était pas simplement votre trahison, mon père, qui me glaça le sang et me tira la peau sur les tempes comme celle d'un tambour. Je me représentais le péché — le péché de chair — comme une sorte d'abstraction répugnante, équivalant à se rouler dans la fange. Qu'il puisse y avoir du *plaisir* dans cet acte me semblait incompréhensible. Et pourtant vous et ma mère — brûlants, enfiévrés, vous *acharnant* de cette façon mécanique, vous frottant l'un contre l'autre et vous graissant mutuellement le corps comme deux pistons, pas entièrement nus, non, mais d'autant plus obscènes du fait de ce reste d'habillement : chemisier, jupe froissée, soutane relevée... Non, ce n'était pas la chair qui me dégoûtait tellement, car je contemplais la scène avec une indifférence distante et écœurée. J'étais dégoûté parce que je m'étais *compromis* pour vous, mon père, seulement deux semaines auparavant, j'avais compromis mon âme pour vous : la bouteille d'essence toute poisseuse dans ma main, cette sensation exquise du pouvoir légitime, ce soupir d'extase alors que la bouteille s'envole dans les airs puis explose, s'écrasant sur le pont de la misérable péniche dans un magnifique crépitement de flammes dévorantes, des flammes qui grésillent contre la bâche desséchée, qui chuintent contre le bois fendillé, qui lèchent le bateau tout entier avec une joie malsaine. On soupçonna un incendie criminel, mon père, mais jamais le fils Reynaud, ce brave gamin si paisible qui chantait dans le chœur de l'église et restait sans bouger tellement pâle et tellement sage pendant les sermons. Non, pas le petit Francis si pâle, qui n'avait même jamais cassé un carreau. Muscat, peut-être. Le vieux Muscat et son casse-cou de fils, c'étaient sûrement eux les coupables. Pendant quelque temps, ils furent l'objet d'une certaine froideur et de diverses suppositions fort désagréables. Cette fois, les choses étaient allées trop loin. Or le père et le fils protestèrent avec véhémence et, après tout, il n'y avait pas de preuves. Les victimes n'étaient pas des nôtres. Personne n'établit le lien entre l'incendie et les changements survenus dans la famille Reynaud, la séparation des parents, le départ du fils pour une école pour jeunes privilégiés dans le nord du pays… J'avais fait cela pour vous, mon père. Pour l'amour de vous. Le bateau en flammes sur les laisses de vase illumine la nuit brune, des gens se précipitent, poussent des hurlements, raclent les berges arides de la Tannes desséchée, certains essaient désespérément de remplir à la rivière quelques seaux d'eau boueuse pour les jeter sur le bateau en feu, et moi j'attends dans les buissons, la bouche sèche, le ventre empli d'une joie brûlante.

Je ne pouvais pas savoir qu'il y avait des gens qui dormaient dans la péniche… Plongés si profond dans leur sommeil d'ivrognes que même l'incendie ne les réveilla pas. Je ne cessai de rêver d'eux par la suite, carbonisés l'un dans l'autre, fondus en un seul corps tels des amants parfaits. Pendant des mois, je hurlai dans la nuit, voyant leurs bras suppliants qui se tendaient vers moi, entendant leurs voix à l'haleine de cendres qui prononçaient mon nom de leurs lèvres blanchies.

Mais vous m'avez absous, mon père. Rien qu'un ivrogne avec sa traînée, m'avez-vous assuré. De pauvres déchets flottant sur la rivière immonde.

Vingt *Notre Père* et autant d'*Ave,* tel fut le prix de leurs deux existences. Ces voleurs qui avaient profané notre église, insulté notre prêtre, ne méritaient pas mieux. J'étais un jeune garçon avec devant lui un avenir brillant, doté de parents aimants qui seraient accablés de chagrin, qui seraient atrocement malheureux s'ils apprenaient la vérité. En outre, il pouvait tout à fait s'agir d'un accident, aviez-vous ajouté de manière persuasive. Il n'y avait aucun moyen d'être sûr. Peut-être Dieu avait-il *voulu* qu'il en soit ainsi.

Je crus à ce discours. Ou je fis semblant d'y croire. Et j'en suis encore reconnaissant.

On m'effleure le bras. Je sursaute, effrayé. Le regard rivé au fond du puits de mes souvenirs, je me trouve un instant saisi de vertige. Armande Voizin se tient derrière moi, ses yeux brillants d'intelligence fixés sur moi. Duplessis est à ses côtés.

« Est-ce que vous allez faire quelque chose, Francis, ou est-ce que vous allez laisser cette brute de Muscat commettre un meurtre ? » Sa voix est froide et cassante. Une de ses vieilles mains agrippe sa canne, l'autre indique la porte fermée d'un geste de sorcière.

« Ce n'est pas... » Ma voix a une tonalité aiguë et enfantine, pas du tout ma voix normale. « Ce n'est pas à moi d'interv...

— Foutaises ! » Elle me frappe sur les doigts avec sa canne. « Je vais mettre un terme à ce raffut, Francis. Viendrez-vous avec moi, ou resterez-vous planté là toute la journée à bayer aux corneilles ? »

Sans attendre ma réponse, elle essaie de pousser la porte du café.

« Elle est fermée à clé », dis-je d'un ton piteux.

Elle hausse les épaules. Un simple coup avec la

poignée de sa canne suffit à briser un des carreaux de la porte vitrée.

« La clé est dans la serrure, dit-elle d'un ton vif. Attrapez-la-moi, Guillaume. »

La porte s'ouvre au premier tour de clé. Je la suis dans l'escalier. Les hurlements et les bruits de verre cassé sont amplifiés par l'acoustique de la cage d'escalier. Muscat se tient à la porte de la chambre du haut, son corps massif bloquant à moitié le palier. La chambre est barricadée ; une petite brèche entre la porte et le jambage projette sur les marches une étroite bande de lumière. Tandis que je contemple la scène, Muscat s'élance contre la porte ; quelque chose se renverse dans un fracas énorme, et Muscat, grognant de satisfaction, se précipite dans la chambre.

Une femme pousse un cri strident. Elle est adossée au mur opposé de la pièce. Les meubles — une coiffeuse, une armoire, des chaises — ont été entassés contre la porte, mais Muscat a fini par forcer le passage. Elle n'a pas réussi à déplacer le lit, un meuble bien lourd en fer forgé, mais le matelas la protège encore tandis qu'elle s'accroupit, un petit tas de projectiles à portée de main. Elle a résisté pendant toute la durée de l'office, pensai-je, émerveillé. J'observe les signes de la lutte qu'elle a menée : le verre brisé dans l'escalier, les marques de pied-de-biche sur la porte verrouillée, la petite table qu'il a utilisée comme bélier... Sur le visage de Muscat aussi, tandis qu'il le dirige vers moi, je vois les marques des griffures désespérées qu'elle lui a infligées, la tempe tachée de sang, le nez tuméfié, la chemise déchirée. Il y a du sang sur les marches, une goutte, plusieurs, une traînée rouge. Des empreintes de mains ensanglantées contre la porte.

« Muscat ! » Ma voix est haut perchée, chevrotante. « *Muscat !* »

Il se tourne vers moi, hébété. Ses yeux sont comme deux trous d'aiguille dans de la pâte à pain.

Armande est à côté de moi, la canne brandie comme une épée. On dirait le plus vieux héros de chevalerie qui puisse exister. Elle crie à Joséphine : « Est-ce que ça va, ma petite ?

— Faites-le *sortir* d'ici ! Dites-lui de *s'en aller* ! »

Muscat me montre ses mains ensanglantées. Il a l'air fou de rage mais en même temps confus, épuisé, comme un petit enfant forcé à se bagarrer avec des garçons beaucoup plus âgés que lui. « Je n'avais pas raison, mon père ? dit-il, pleurnichard. Qu'est-ce que je vous avais dit ? Je n'avais pas raison ? »

Armande me bouscule pour passer. « Vous ne pouvez pas gagner, Muscat. » À sa voix, elle paraît plus jeune et plus forte que moi, et je dois faire un effort pour me rappeler qu'elle est vieille et malade. « Les choses ne peuvent pas recommencer comme avant. Reculez et laissez-la partir. »

Muscat crache alors sur Armande ; il n'en revient pas quand Armande lui crache dessus à son tour avec la vitesse et la précision d'un cobra. Il s'essuie la figure, bafouillant : « Ça alors, espèce de vieille… »

Guillaume se poste devant elle, ridiculement protecteur. Son chien pousse des jappements aigus, mais elle les contourne tous les deux en riant. « N'essaie pas de jouer au dur avec moi, Paul-Marie Muscat, dit Armande, cinglante. Je me souviens de l'époque où tu n'étais qu'un petit morveux qui se cachait aux Marauds pour échapper à son ivrogne de père. Tu n'as pas tant changé que ça, à part qu'aujourd'hui tu es plus costaud et plus moche. Maintenant *recule* ! »

Abasourdi, Muscat bat en retraite. Un instant il semble sur le point de m'appeler à la rescousse.

« Mon père, dites-lui. » On dirait qu'il s'est frotté les yeux avec du sel. « Vous savez de quoi je veux parler, n'est-ce pas ? »

Je fais semblant de ne pas entendre. Il n'y a rien qui nous unisse, cet homme et moi. Aucune comparaison possible. Son odeur me frappe les narines, la puanteur de sa chemise crasseuse, les relents de bière éventée de son haleine. Il m'attrape le bras. « Vous comprenez, mon père, répète-t-il d'un ton désespéré. Je vous ai dépanné, avec les gitans. Vous vous souvenez ? Je vous ai aidé. »

Elle est peut-être à moitié aveugle mais elle voit tout, la vieille rosse. *Tout.* Ses yeux viennent soudain se poser sur mon visage. « Tiens, tiens ? » Elle pouffe de son rire vulgaire. « On fait la paire, hein, curé ?

— Je ne vois pas de quoi vous parlez, mon brave, dis-je d'une voix crispée. Vous êtes saoul, complètement ivre.

— Mon père — cherchant ses mots, la figure déformée, violette —, mon père, vous avez dit vous-même... »

Implacable : « Je ne vous ai rien dit. »

Il ouvre la bouche à nouveau comme un pauvre poisson échoué sur les bancs de sable de la Tannes en été.

« Rien ! »

Armande et Guillaume emmènent Joséphine, le bras de la vieille dame lui enserrant les épaules. Joséphine Muscat me lance un drôle de regard brillant qui me fait presque peur. Elle a le visage zébré de crasse et les mains en sang, mais, en cet instant précis, elle est belle, troublante. Elle me regarde comme si, l'espace d'une seconde, elle était capable de me percer à jour. J'essaie de lui dire de ne pas m'en vouloir. Je ne suis pas comme lui, pas un *homme*, mais un *prêtre*, une espèce différente... mais cette pensée est grotesque, proche de l'hérésie.

Puis Armande l'entraîne avec elle et je me retrouve seul avec Muscat, ses larmes dans mon cou, ses bras brûlants autour de moi. Un instant, je suis désorienté, me noyant avec lui dans le bourbier de mes souvenirs. Puis je me dégage, d'abord avec délicatesse mais pour finir avec une violence croissante, repoussant son ventre flasque avec mes paumes, mes poings, mes coudes. Et, durant tout ce corps-à-corps, criant, par-dessus ses suppliques, d'une voix qui n'est pas la mienne, une voix haut perchée, amère : « Ne me touche pas, espèce de salopard, tu as tout gâché, tu as... »

Francis, je suis désolé, je...

« *Père...* »

« Tout gâché — *tout* — fiche le camp ! » Grognant sous l'effort et me soustrayant finalement à sa brûlante et robuste étreinte, me dégageant avec une joie aussi subite que désespérée — enfin libre ! —, je dévale l'escalier, je me tords la cheville sur le tapis mal fixé, tandis que ses sanglots, ses gémissements stupides, me poursuivent à la manière d'un enfant perdu qui s'accroche à vous...

Plus tard, j'eus l'occasion de parler à Caro et à Georges, mais pas à Muscat. D'ailleurs, on raconte qu'il est déjà parti, qu'il a chargé ce qu'il a pu dans sa vieille auto et qu'il a filé. Le café est fermé, seule la vitre cassée témoigne de ce qui s'est passé ce matin. Je suis allé là-bas à la nuit tombée, et je suis resté planté un long moment devant la vitrine. Le ciel au-dessus des Marauds était frais, d'un vert sépia, barré à l'horizon d'un unique filament laiteux. La rivière était sombre et silencieuse.

J'ai annoncé à Caro que l'Église ne soutiendrait pas sa campagne contre le festival du chocolat. Il n'est pas question que je la soutienne. Ne comprend-elle pas ? L'Association ne saurait avoir la moindre crédibilité après ce que Muscat a fait. L'esclandre a été trop public cette fois-ci, trop brutal. Les témoins avaient forcément vu son visage comme je l'avais vu, écarlate de haine et de fureur. Savoir qu'un homme bat sa femme — le savoir en secret — est une chose. Mais contempler un tel acte dans toute sa laideur… Non. Il n'y survivra jamais. Déjà, Caro est en train de raconter aux autres que, pour sa part, elle n'a jamais été dupe de Muscat, qu'elle s'est toujours méfiée de lui. Elle se désolidarise du mieux qu'elle peut — *Pauvre femme fut-elle jamais trompée à ce point !* — tout comme moi. Nous avons été trop proches, lui expliqué-je. Nous nous sommes servis de lui quand il fallait. Mais il ne faut plus désormais qu'on nous voie traiter avec lui. Pour notre propre sauvegarde, nous devons prendre nos distances. Je n'évoque pas la deuxième affaire qui me préoccupe, celle des gens de la rivière, pourtant elle me hante, elle aussi. Armande a des soupçons. Par malveillance, elle risque de parler. Et puis, il y a cette *autre* histoire, oubliée depuis si longtemps mais toujours vivante dans la tête de ce vieux chameau. Non. Décidément, je suis coincé. Pis, je vais même devoir faire mine de considérer ce festival du chocolat d'un œil indulgent. Autrement, les langues vont se déchaîner, et qui sait où pourront mener les commérages ? Demain, il faudra que je prêche la tolérance, que je renverse le mouvement que j'ai moi-même provoqué et que j'influence mes paroissiens dans l'autre sens.

Les tracts qui restent, je vais les brûler. Les affiches, destinées à être placardées partout de Lansquenet à Montauban, devront également être détruites. Cela me brise le cœur, mon père, mais que puis-je faire d'autre ? Le scandale me tuerait.

C'est la semaine sainte. Plus que sept jours avant son festival. Et elle a gagné, mon père. Elle a gagné. Seul un miracle pourrait désormais nous sauver.

34

Mercredi 26 mars

Toujours aucun signe de Muscat. Joséphine est restée à La Praline presque toute la journée de lundi,
mais hier matin elle a décidé de retourner au café.
Cette fois, Roux l'a accompagnée, mais là-bas ils
n'ont rien trouvé d'autre qu'une immense pagaille.
Il semble que les rumeurs soient vraies. Muscat est
parti. Roux, qui a terminé la nouvelle chambre
d'Anouk dans le grenier, a déjà entrepris les travaux
du café. Il a posé de nouvelles serrures sur la porte,
arraché du sol le vieux linoléum et ôté des fenêtres
les rideaux noirs de crasse. Il pense qu'avec quelques
efforts — une couche de chaux sur les murs bruts, un
petit coup de pinceau sur le mobilier délabré, beaucoup de savon et d'eau — le bar pourrait devenir un
endroit lumineux et accueillant. Il a proposé d'effectuer ce travail gratis, mais Joséphine ne veut pas
en entendre parler. Muscat a évidemment vidé leur
compte commun, mais Joséphine possède un peu
d'argent à elle, et elle est convaincue que le nouveau
café va marcher à merveille. L'enseigne décolorée
qui indiquait Café de la République depuis trente-
cinq ans a enfin été enlevée. Elle a été remplacée par
une éclatante marquise rouge et blanc — jumelle

de la mienne — ainsi qu'une enseigne peinte à la main de chez Clairmont où l'on peut lire : Café des Marauds. Narcisse a planté des géraniums dans les jardinières de fer forgé et ils dégringolent le long du mur, leurs boutons rouge vif s'ouvrant sous la chaleur soudaine. De son jardin au pied de la colline, Armande observe la métamorphose d'un air approbateur.

« C'est une brave fille, me confie-t-elle de sa manière un peu brusque. Elle va s'en sortir maintenant qu'elle est débarrassée de l'ivrogne qu'elle a épousé. »

Roux occupe provisoirement une des chambres libres du café, et Luc a pris sa place sous le toit d'Armande, à la grande contrariété de sa mère.

« Ce n'est pas un endroit pour toi », dit-elle d'une voix perçante. Je me tiens sur la place tandis qu'ils sortent de l'église, lui dans son costume du dimanche, elle dans un de ses innombrables tailleurs pastel, un foulard de soie noué sur les cheveux.

Luc, inflexible, répond avec politesse : « Seulement jusqu'à la f-fête. Il n'y a personne là-bas pour s'occuper d'elle. E-elle risque d'av-oir une autre autre cr-crise.

— Quelle blague ! s'écrie sa mère d'un ton plus que sceptique. Je vais te dire ce qu'elle fait. Elle essaie de nous séparer. Je t'interdis, je t'interdis catégoriquement d'habiter chez elle cette semaine. Et pour ce qui est de cette fête ridicule…

— Je ne crois pas que tu devrais me l'int-erdire, m-maman.

— Et pourquoi pas ? Tu es mon fils, bon sang de bois, tu ne peux pas être là et m'annoncer comme ça que tu préfères obéir à cette vieille folle plutôt qu'à moi ! » Les yeux de Caroline s'emplissent de larmes de colère. Sa voix tremblote.

« Ce n'est pas grave, maman, s'entête Luc, insensible à cette démonstration, mais lui passant tout de même un bras autour de l'épaule. Ce ne sera pas pour longtemps. Seulement jusqu'à la fête. Je te p-promets. Tu es invitée aussi, tu sais. Ça lui ferait plaisir si tu v-venais.

— Je ne *veux* pas y aller ! » Sa voix est hargneuse et larmoyante, comme celle d'un enfant fatigué.

« Alors, n'y va pas, dit-il en haussant les épaules. Mais n-n'espère pas après ça qu'elle écoute ce que toi, tu peux vouloir d'elle.

— Qu'est-ce que tu veux dire par là ?

— Je veux dire, je pourrais lui p-parler. La p-persuader. » Il connaît bien sa mère, ce petit futé. Il la comprend mieux qu'elle ne l'imagine. « Je p-pourrais la convaincre. Mais si tu ne veux pas e-essayer...

— Je n'ai pas dit ça. » Prise d'un élan soudain, elle le serre dans ses bras. « Tu es mon petit futé..., dit-elle, recouvrant son sang-froid. Tu pourrais y arriver, n'est-ce pas ? » Elle lui plante un baiser retentissant sur la joue et il se soumet patiemment. « Mon *gentil* petit *futé* », répète-t-elle d'un ton caressant, et ils s'éloignent tous les deux, bras dessus bras dessous, le garçon d'ores et déjà plus grand que sa mère et la couvant de ce regard attentif que peut poser un parent tolérant sur un petit enfant débordant de vitalité.

Ah oui, il a tout compris...

Joséphine étant accaparée par ses propres affaires, elle ne m'a pas beaucoup aidée pour mes préparatifs de Pâques ; par chance, j'ai presque terminé, et il reste seulement quelques douzaines de boîtes à faire. Je travaille le soir à confectionner les gâteaux et les truffes, les cloches en pain d'épice et les pains d'épice fantaisie. La main délicate de Joséphine me manque pour les emballages et les décorations, mais Anouk m'aide du mieux qu'elle peut, faisant bouffer les papillotes de cellophane et agrafant des roses de soie sur d'innombrables sachets.

Comme je suis en train de mettre au point la vitrine de dimanche, j'ai camouflé la devanture. La façade de la boutique, avec sa vitre recouverte de papier argenté, ressemble beaucoup à ce qu'elle était lors de notre arrivée. Pour égayer un peu le gris de cet écran, Anouk a découpé des œufs de Pâques et des animaux dans du papier de couleur, et on a disposé au milieu une grande affiche annonçant :

GRAND FESTIVAL DU CHOCOLAT
Dimanche, place Saint-Jérôme.

Maintenant que les vacances scolaires ont commencé, la place bourdonne sans cesse d'enfants, qui collent leur nez à la vitre dans l'espoir d'apercevoir ce que je prépare. J'ai déjà enregistré pour plus de huit mille francs de commandes — certaines d'aussi loin que Montauban, et même Agen — et les clients continuent à affluer, de sorte que la boutique est rarement déserte. La campagne de tracts menée par Caro semble avoir progressivement cessé. Guillaume m'a appris que Reynaud avait assuré à ses fidèles que, malgré les rumeurs répandues par quelques mauvaises langues, le festival du chocolat bénéficiait de son soutien absolu. Il n'en demeure pas moins que je le vois de temps en temps m'observer de sa petite fenêtre, avec des yeux avides et pleins de haine. Je sais qu'il me veut du mal mais, d'une manière que j'ignore, son poison a été neutralisé. Je m'efforce d'interroger Armande, qui en sait beaucoup plus qu'elle n'en dit, mais elle se contente de secouer la tête.

« Tout ça s'est passé il y a longtemps, me dit-elle, délibérément évasive. Ma mémoire n'est plus ce qu'elle était. » Au lieu de ça, elle veut connaître chaque détail du menu que j'ai prévu pour sa fête, se régalant de tout à l'avance. Elle déborde de suggestions : brandade truffée, vol-au-vent aux trois champignons, dans une sauce au vin et à la crème avec, en garniture, des chanterelles sauvages, langoustines grillées accompagnées de roquette, plusieurs gâteaux au chocolat — les cinq variétés qu'elle préfère —, une glace au chocolat maison... Ses yeux étincellent de plaisir et d'espièglerie.

« Je n'ai jamais fait de fêtes quand j'étais jeune fille, explique-t-elle. Jamais. Je suis allée une fois à un bal, à Montauban, avec un garçon des îles. *Ouaou !* » Elle fit un geste obscène des plus éloquents. « Il avait la peau dorée comme le miel, et aussi sucrée. Nous avons bu du champagne en mangeant du sorbet à la fraise, nous avons dansé... » Elle soupira. « Vous auriez dû me voir en ce temps-là, Vianne... C'est difficile à imaginer aujourd'hui... Il disait que je ressemblais à Greta Garbo, le flatteur, et nous avons tous les deux fait comme si c'était vrai... » Elle pouffa doucement. « Bien sûr, il n'était pas du genre à se marier, dit-elle avec philosophie. Ils ne le sont jamais. »

J'ai des insomnies presque toutes les nuits désormais, je vois des friandises danser devant mes yeux. Anouk dort dans sa nouvelle chambre sous les toits, et moi je rêve, sans m'endormir, je m'assoupis, je me réveille, je rêve, je m'assoupis, jusqu'à ce que mes paupières commencent à cligner de fatigue et que la chambre se mette à tanguer autour de moi comme un bateau sous la houle. Encore un jour, me dis-je. Encore un jour.

La nuit dernière, je me suis levée et j'ai sorti mes cartes de leur boîte, où je m'étais promis qu'elles resteraient. Elles étaient fraîches sous mes doigts, fraîches et lisses comme l'ivoire, leurs couleurs se déployant en éventail entre mes mains — bleu, violet, vert, noir —, leurs images familières défilant dans mon champ de vision comme des fleurs pressées entre des plaques de verre noires. La Tour. La Mort. Les Amants. La Mort. Le Six d'Épée. La Mort. L'Hermite. La Mort. Je me répète que ça n'a aucune signification. Ma mère y croyait, et où est-ce que ça l'a menée ? À fuir, toujours fuir. La girouette au sommet de Saint-Jérôme est à présent silencieuse, d'une tranquillité inquiétante. Le vent s'est arrêté. En fait, cette accalmie me trouble plus que le grincement du fer rouillé. L'air est chaud et délicieusement chargé des parfums de l'été approchant. L'été survient à toute allure à Lansquenet, dans le sillage des vents de mars, et il flotte une odeur de cirque, une odeur de sciure et de pâte qui frit, de bois vert et d'excréments animaux. Ma mère, à l'intérieur de moi, chuchote : *il est temps de changer…* Il y a de la lumière dans la maison d'Armande ; d'où je suis, j'aperçois le petit carré jaune de sa fenêtre, projetant sur la Tannes sa lumière quadrillée. Je me demande ce qu'elle fabrique. Elle ne m'a plus reparlé directement de son projet depuis cette fois-là. Elle préfère discuter avec moi de recettes de cuisine, de la meilleure façon d'alléger un gâteau de Savoie, de la proportion sucre-alcool à respecter pour réussir les meilleures cerises à l'eau-de-vie. J'ai cherché sa maladie dans le dictionnaire médical. Le jargon utilisé constitue un autre genre de fuite, obscur et hypothétique comme les images figurant sur les cartes. Il semble inconcevable que ces mots-là puissent s'appliquer à quelqu'un de réel. La vue d'Armande décline : des îlots de ténèbres flottent devant ses yeux, et ce qu'elle voit est bigarré, moucheté, presque totalement obscurci. En attendant le noir complet.

Je comprends sa situation. Pourquoi devrait-elle se battre pour prolonger un état de choses dont l'issue est tellement inévitable ? La notion de *gaspillage* — une notion de ma mère, découlant de toutes ces années d'économie et d'incertitude — n'est sûrement pas adaptée à cette situation. Mieux vaut le geste extravagant, le superbe gueuleton, l'énorme nouba et ensuite l'obscurité soudaine. Et pourtant il y a quelque chose en moi qui gémit puérilement : *c'est injuste !* Continuant peut-être à espérer le miracle. Une notion de ma mère, là encore. Mais Armande n'a pas cette naïveté.

Au cours des dernières semaines — la morphine commençait à lui voler tous les instants et elle avait les yeux perpétuellement vitreux —, ma mère pouvait perdre le sens des réalités pendant des heures, voguant d'une fantaisie à l'autre comme un papillon voltige d'une fleur à l'autre. Certaines de ces fantaisies étaient douces : elle flottait, elle rêvait de lumières, de rencontres extra-corporelles avec des stars de cinéma disparues et des êtres éthérés. Certaines étaient imprégnées de paranoïa. Dans ces rêves-là, l'Homme Noir n'était jamais loin, tapi au coin des rues, installé près de la fenêtre d'un petit restaurant, derrière le comptoir d'un bazar. Parfois, il était chauffeur de taxi, son véhicule était un corbillard noir pareil à ceux qu'on trouve à Londres, il portait une casquette de base-ball enfoncée sur les yeux. Elle disait qu'il y avait le mot *dodgers* écrit sur sa casquette, et c'était parce qu'il la guettait, qu'il nous guettait, qu'il guettait tous ceux qui avaient réussi à l'éviter dans le passé, mais qui n'y arriveraient pas éternellement, non, c'était impossible, disait-elle en secouant la tête d'un air sage. Au cours d'une de ces phases morbides, elle était allée chercher un portefeuille en plastique jaune qu'elle m'avait montré. Il était bourré de coupures de journaux, datant en majorité de la fin des années soixante et du début des années soixante-dix. La plupart étaient en français, mais certaines étaient en italien, en allemand, en grec. Toutes traitaient de kidnappings, de disparitions, d'agressions commises contre des enfants.

« C'est tellement facile, m'avait-elle dit, les yeux immenses et vagues. Les grandes villes. Tellement facile de perdre un enfant. Tellement facile de *perdre* une enfant comme toi. » Ses yeux voilés clignotaient en me regardant. Je lui tapotai la main pour la rassurer.

« Tout va bien, maman, lui dis-je. Tu as toujours été prudente. Tu as toujours fait attention à moi. Je ne me suis jamais perdue. »

Elle eut un nouveau battement de paupières. « Ah, mais si, tu étais perdue, dit-elle avec un large sourire. Tu étais pe-erdue. » Elle regarda un moment dans le vide après ça, le sourire grimaçant, la main pareille à un bouquet de brindilles dans la mienne. « *Pe-eee-rdue* », répéta-t-elle d'un ton malheureux, et elle se mit à pleurer. Je la réconfortai de mon mieux, tout en replaçant les articles de journaux dans leur portefeuille jaune. En les rangeant, je remarquai que plusieurs d'entre eux traitaient de la même affaire, la disparition à Paris d'une fillette de dix-huit mois qui s'appelait Sylviane Caillou. Sa mère l'avait laissée attachée sur son siège de voiture pendant deux minutes, le temps de s'arrêter chez le pharmacien, et quand elle était revenue, le bébé avait disparu. Avaient également disparu le sac aux vêtements de rechange et les joujoux de l'enfant, un éléphant en peluche rouge et un nounours marron.

Me voyant parcourir l'article, ma mère sourit à nouveau. « Je crois que tu avais deux ans à l'époque, dit-elle d'une voix mystérieuse. Ou presque deux ans. Et elle était bien plus claire de cheveux que toi. Ça n'aurait pas pu être toi, n'est-ce pas ? Et puis, de toute façon, j'étais une bien meilleure mère que cette femme.

— Évidemment ! m'écriai-je. Tu étais une bonne mère, une mère merveilleuse. Ne t'inquiète pas. Tu n'aurais jamais rien fait qui me mette en danger. »

Ma mère se balançait en souriant. « Quelle imprudence ! reprit-elle d'une voix douce. Quelle affreuse imprudence ! Elle ne méritait pas une gentille petite fille comme ça, n'est-ce pas ? »

Je fis signe que non, soudain glacée de froid.

D'un ton enfantin : « Je n'ai pas été méchante, hein, Vianne ? »

Je frissonnai. Les feuilles de journaux avaient une consistance râpeuse sous mes doigts. « Non, l'assurai-je. Tu n'as pas été méchante.

— Je me suis bien occupée de toi, n'est-ce pas ? Je n'ai jamais renoncé à toi. Même quand ce prêtre a dit... quand il a dit ce qu'il a dit. Jamais.

— Non, maman. Tu n'as jamais renoncé à moi. »

Le froid me paralysait à présent, et j'avais un mal fou à réfléchir. Tout ce que j'avais en tête c'était ce nom, si semblable au mien, ces dates... Et n'avais-je pas le souvenir de ce nounours, de cet éléphant, avec sa peluche rouge usée jusqu'à la trame, que j'avais trimballés inlassablement de Paris à Rome, de Rome à Vienne ?

Bien sûr, il pouvait s'agir d'une de ses hallucinations. Il y en avait d'autres, comme le serpent sous les draps et la femme dans les miroirs. Il pouvait s'agir d'une invention pure et simple. Une grande partie de la vie de ma mère n'était pas autre chose. Et d'ailleurs... après si longtemps, quelle importance ?

À trois heures, je me levai. Le lit était brûlant et plein de bosses, le sommeil à des millions de kilomètres. J'allumai une bougie et me rendis dans la chambre qu'avait occupée Joséphine. Les cartes, qui se trouvaient à leur place habituelle dans la boîte de ma mère, se logèrent avec avidité dans le creux de mes mains. *Les Amoureux. La Tour. L'Hermite. La Mort.* Assise en tailleur sur le plancher nu, je les battis avec une émotion qui allait au-delà du seul désœuvrement. La Tour, avec ces gens en train de tomber et ces murs qui s'écroulaient, j'arrivais à comprendre. Cette carte traduisait la peur constante que j'avais du déplacement, la peur du voyage, de la perte. Avec sa capuche et sa lanterne, l'Hermite ressemble beaucoup à Reynaud, le visage blême et sournois à demi invisible dans la pénombre. La Mort, je la connais très bien, et j'effectuai machinalement vers la carte le geste ancestral des cornes — *arrière !* — pour conjurer le sort. Mais les Amoureux ? Je pensai à Roux et Joséphine, tellement pareils sans le savoir, et ne pus réprimer un pincement de jalousie. Néanmoins, en dépit des apparences, j'éprouvai la soudaine conviction que la carte n'avait pas encore livré tous ses secrets. Une odeur de lilas flottait dans la pièce. Peut-être un des flacons de ma mère était-il mal fermé... J'avais chaud malgré la fraîcheur de la nuit, des doigts brûlants s'insinuaient tout au fond de mon ventre. *Roux* ? Roux ?

En hâte, je retournai la carte, avec des doigts tremblants. Encore une journée. Quel que soit le problème, il pourra attendre encore une journée. Je battis à nouveau les cartes, mais je n'ai pas l'habileté de ma mère, et elles m'échappèrent et glissèrent sur le parquet. L'Hermite tomba côté face. À la lueur vacillante de la chandelle, il ressemblait plus que jamais à Reynaud. Son visage semblait afficher dans l'ombre un sourire plein de méchanceté. *Je trouverai un moyen*, promettait-il d'un air fourbe. *Tu t'imagines que tu as gagné, mais je trouverai quand même un moyen.* Je sentais sa perfidie sous le bout de mes doigts.

Ma mère aurait appelé ça un signe.

Soudain, sur une impulsion que je ne compris qu'à moitié, je m'emparai de l'Hermite et le brandis dans la flamme de la bougie. Un instant, la flamme caressa timidement la carte rigide, puis des bulles commencèrent à apparaître en surface. Le visage blême esquissa une grimace et se mit noircir.

« Je te montrerai, chuchotai-je. Essaie d'intervenir et je... »

Une flamme grandit tout à coup de manière alarmante, et je laissai tomber la carte sur le parquet. La flamme s'éteignit, dispersant des flammèches et des cendres sur les lattes de bois.

Je jubilais. *Qui fait tourner le mécanisme à présent, maman ?*

Et pourtant ce soir, je n'arrive pas à me débarrasser de la sensation que, d'une manière ou d'une autre, j'ai été manipulée, poussée à découvrir ce qu'il aurait mieux valu ne jamais déterrer. Je n'ai rien fait de mal, me répété-je. Mes intentions n'étaient pas mauvaises.

Il n'empêche que, ce soir, je n'arrive pas à m'ôter cette idée de la tête. Je me sens légère, aérienne comme une graine de pissenlit. Prête à m'envoler à la première brise venue.

35

Vendredi 28 mars
VENDREDI SAINT

Je devrais être auprès de mes ouailles, mon père.
Je le sais. Baignée de parfums d'encens, l'église,
colorée de violet et de noir, a un aspect funèbre,
sans la moindre touche argentée, sans la moindre
couronne de fleurs. Je devrais être là-bas. Ce jour est
pour moi le plus important, mon père : il déborde
de solennité, de piété, les accords de l'orgue retentissent comme une énorme cloche sous-marine,
alors que les vraies cloches demeurent, comme il
se doit, silencieuses, pleurant le Christ crucifié.
Revêtu de noir et de violet, j'entonne la prière
d'une voix mélodieuse. Mes fidèles me contemplent
avec d'immenses yeux sombres. Même les renégats
sont présents aujourd'hui, costume noir et cheveux
brillantinés. Leur besoin, leur attente emplit le vide
que je ressens en moi. L'espace d'un très bref instant, j'éprouve réellement de l'amour, de l'amour
pour leurs péchés, pour leur rédemption ultime,
pour leurs soucis dérisoires, pour leur insignifiance.
Je sais que vous comprenez, car vous avez été leur
père, vous aussi. Dans un sens très concret, vous êtes
mort pour eux autant que Notre-Seigneur. Pour les
protéger de vos péchés ainsi que des leurs. Ils n'ont

jamais su, n'est-ce pas, mon père ? Je ne leur en ai jamais soufflé mot. Mais quand je vous ai surpris avec ma mère dans le presbytère... Une attaque foudroyante, au dire du médecin. Le choc avait sans doute été trop violent. Vous avez battu en retraite. Vous vous êtes retiré en vous-même, mais je sais que vous m'entendez, je sais que vous voyez plus clair que jamais. Et je sais qu'un jour vous nous reviendrez. J'ai jeûné et j'ai prié, mon père. Je me suis mortifié. Et pourtant, je me sens indigne. Il me reste encore une chose à faire.

Après l'office, une enfant, Mathilde Arnauld, s'est approchée de moi. Glissant sa main dans la mienne, elle m'a chuchoté, avec un sourire : « Est-ce qu'elles vont vous apporter des chocolats à vous aussi, monsieur le curé ?

— Qui ça, elles ? ai-je demandé, sans comprendre.

— Mais les *cloches*, bien sûr ! s'est-elle écriée, impatiente, avant de pouffer de rire. Les cloches volantes !

— Ah oui, les cloches... Bien sûr ! »

J'étais interloqué et pendant un moment je n'ai su que répondre. Tirant sur ma soutane, elle a insisté : « Vous savez, les cloches. Qui volent jusqu'à Rome pour voir le pape et qui rapportent des chocolats. »

C'est devenu une obsession. Un refrain constitué d'un seul mot, un écho murmuré ou hurlé qui accompagne chaque pensée. Je ne pus empêcher ma voix de rugir sous le coup de la colère, et les traits de la fillette se décomposèrent de terreur et de désarroi. « *Comment se fait-il que personne ici ne puisse penser à autre chose qu'aux chocolats ?* » tempêtai-je, et la fillette s'enfuit et, en pleurnichant, traversa la place, où la confiserie, avec sa vitrine aux allures de paquet-cadeau, semblait m'adresser un sourire triomphant. Je rappelai la gamine, mais trop tard.

Ce soir auront lieu la reconstitution des derniers instants de Notre-Seigneur par les enfants de la paroisse et l'allumage des cierges au déclin du jour. C'est en général un des instants les plus intenses de l'année pour moi, l'instant pendant lequel ils m'appartiennent, ils sont *mes* enfants, austères et tout de noir vêtus. Mais cette année, penseront-ils à la Passion du Christ, à la solennité de l'eucharistie, ou bien auront-ils l'eau à la bouche à l'idée des délices qui les attendent ? Les histoires de cette femme — des histoires de cloches volantes et de bombance — possèdent un charme pénétrant. Je m'efforce de rehausser mon sermon des attraits qui nous sont propres, mais les obscures splendeurs de l'Église ne sauraient soutenir la comparaison avec les promenades en tapis volant que fait miroiter cette femme.

J'ai rendu visite à Armande Voizin cet après-midi. C'est son anniversaire, et la maison était en effervescence. Bien sûr, je savais qu'il devait y avoir une espèce de fête, mais je ne soupçonnais absolument rien de semblable. Si Caro m'en a parlé une fois ou deux — elle rechigne à y aller, mais espère utiliser cette occasion pour faire la paix avec sa mère une fois pour toutes —, je ne crois pas qu'elle s'attende pour autant à un événement d'une ampleur pareille. Vianne Rocher était dans la cuisine, où elle avait passé la plus grande partie de la journée à préparer le banquet. Joséphine Muscat avait proposé que la cuisine de son café serve d'annexe à celle d'Armande, car la maison de la vieille dame est trop petite pour faire face à des préparatifs d'une telle envergure et, lorsque je suis arrivé, un bataillon entier d'assistants étaient en train d'apporter chez Armande plats, casseroles et soupières en provenance du café. Une somptueuse odeur de sauce au vin s'échappait par la fenêtre ouverte, et à mon corps défendant je me mis à saliver. Dans le jardin, Narcisse était occupé à attacher des plantes sur une sorte de tonnelle édifiée entre la maison et le portail. L'effet obtenu est saisissant : clématites, belles-de-jour, lilas et seringats semblent dégringoler le long du treillage de bois, formant sur le dessus un chaume coloré, à travers lequel filtrent délicatement les rayons du soleil. Je ne voyais Armande nulle part.

Troublé par cet excès d'animation, je rebroussai chemin. C'est bien d'elle d'avoir choisi le vendredi saint pour ces festivités ! Toute cette profusion — les fleurs, les victuailles, les caisses de champagne livrées à la porte et enveloppées de glace pour garder les bouteilles au frais — est presque sacrilège, une raillerie jetée à la face du dieu sacrifié. Il faudra que j'en touche un mot à Armande demain. J'étais sur le point de partir quand j'aperçus Guillaume Duplessis de l'autre côté du mur, en train de caresser un des chats de la vieille dame. Il souleva poliment son chapeau.

« Alors, comme ça, on donne un coup de main ? m'enquis-je.

— J'avais proposé mon aide, reconnut-il. Il y a encore beaucoup de choses à faire avant ce soir.

— Je suis stupéfait que vous acceptiez de participer à ça, lui dis-je sèchement. Et un jour comme aujourd'hui, en plus ! Vraiment, je trouve que cette fois Armande va trop loin. Tant de dépenses, sans tenir compte du manque de respect que cela dénote envers l'Église… »

Guillaume haussa les épaules. « Elle a bien droit à une petite fête, objecta-t-il avec douceur.

— Elle risque surtout de se tuer avec un festin pareil, répliquai-je d'un ton cassant.

— Je pense qu'elle est assez grande pour faire ce qui lui plaît », riposta Guillaume.

Je l'examinai d'un œil réprobateur. Il a changé depuis qu'il fréquente cette Vianne Rocher. Cet air d'humilité accablée a disparu de son visage, remplacé par une expression volontaire, presque provocante.

« Je n'aime pas la façon dont la famille d'Armande essaie de gouverner sa vie à sa place, poursuivit-il avec obstination.

— Je suis étonné que vous, entre tous, vous rangiez ainsi de son côté.

— La vie est pleine de surprises », conclut Guillaume.

Si seulement c'était vrai.

36

Vendredi 28 mars
VENDREDI SAINT

Dans le feu de l'action, très vite, j'oubliai la signification de cette fête et commençai à bien m'amuser.
Pendant qu'Anouk jouait aux Marauds, j'orchestrai
les préparatifs en vue du repas le plus copieux et
le plus somptueux dont je me sois jamais occupée,
me perdant dans une foule de détails succulents.
Je disposais de trois cuisines : les énormes fours
de La Praline pour cuire les gâteaux, le Café des
Marauds en haut de la rue pour les fruits de mer, et
la minuscule cuisine d'Armande pour la soupe, les
légumes, les sauces et les garnitures. Joséphine offrit
à Armande de lui prêter les couverts et la vaisselle
supplémentaires dont elle pourrait avoir besoin,
mais Armande secoua la tête avec un sourire.

« Tout est prévu », répondit-elle. Et c'était vrai ; de
bonne heure jeudi matin, une camionnette était arrivée portant le nom d'une grande société de Limoges,
et elle avait livré deux caisses de verres et d'argen-
terie, sans oublier une caisse de porcelaine, le tout
protégé par du papier froissé. Le livreur sourit tandis
qu'Armande signait le reçu des marchandises.

« Une de vos petites-filles se marie, c'est ça ? fit-il
d'un ton joyeux.

— Ça se pourrait, s'esclaffa Armande. Ça se pourrait. »

D'une humeur excellente, elle passa ce vendredi soi-disant à surveiller les opérations mais surtout à les gêner. Telle une enfant espiègle, elle trempait ses doigts dans les sauces, soulevait les couvercles des plats et des casseroles, tant et si bien que je finis par supplier Guillaume de l'emmener chez le coiffeur à Agen pendant deux heures, histoire de ne plus l'avoir dans les pattes. À son retour elle était transformée : elle avait les cheveux élégamment coupés sous un chapeau neuf d'un style assez canaille, des gants neufs, des chaussures neuves. Chaussures, gants et chapeau étaient tous de la même teinte rouge cerise, la couleur préférée d'Armande.

« J'y vais progressivement, m'annonça-t-elle avec satisfaction en s'installant dans son rocking-chair pour observer la manœuvre. À la fin de la semaine, j'aurai peut-être le courage d'acheter franchement une robe rouge. Vous m'imaginez, entrant dans l'église avec… *Ouaou !*

— Reposez-vous un peu, lui dis-je d'un ton sévère. Vous devez assister à une fête ce soir. Je ne veux pas que vous vous endormiez au beau milieu du dessert.

— N'ayez crainte », répondit-elle, mais elle accepta de faire une petite sieste d'une heure sous le soleil déclinant, pendant que je dressais la table et que les autres rentraient chez eux se délasser et se changer pour la soirée. La table de la salle à manger est grande, ridiculement grande pour la taille de la pièce, et avec un peu d'application elle nous accueillerait tous. Lourde pièce de chêne noir, il fallut quatre personnes pour la déplacer jusqu'à la tonnelle de Narcisse, où elle trônait à présent sous un dais de feuillage et de fleurs. Damassée et garnie d'une fine lisière de dentelle, la nappe embaume la lavande dans laquelle Armande l'avait rangée après son mariage : un cadeau lui venant de sa propre grand-mère et dont elle ne s'est jamais servie. Les assiettes de Limoges sont blanches avec une minuscule bordure de fleurs jaunes courant sur le pourtour ; les verres — trois tailles différentes — sont en cristal, véritables nids de soleil projetant des mouchetures arc-en-ciel sur le blanc du tissu. Au centre de la table, un bouquet de fleurs printanières composé par Narcisse, à côté de chaque assiette, des serviettes impeccablement pliées. Sur chaque serviette, une petite carte où est inscrit le nom du convive : *Armande Voizin, Vianne Rocher, Anouk Rocher, Caroline Clairmont, Georges Clairmont, Luc Clairmont, Guillaume Duplessis, Joséphine Bonnet, Julien Narcisse, Michel Roux, Blanche Dumand, Cerisette Plançon.*

Je ne reconnus pas immédiatement ces deux derniers noms, puis je me souvins de Blanche et de Zézette dont les péniches étaient toujours amarrées en amont à attendre. Je m'aperçus que je n'avais jamais entendu le prénom de Roux : j'avais imaginé qu'il s'agissait d'un surnom, sans doute à cause de ses cheveux.

Les invités commencèrent à arriver à huit heures. J'avais quitté ma cuisine une heure avant pour prendre une douche rapide et me changer et, lorsque je revins, le bateau était déjà amarré en contrebas de la maison, et les nomades de la rivière se pressaient à la porte. Blanche avait une robe-tablier rouge avec un chemisier en dentelle, Zézette une vieille robe du soir noire, ses bras étaient tatoués au henné et un rubis était piqué dans son sourcil, Roux un jean propre et un tee-shirt blanc, et tous apportaient avec eux des cadeaux, enveloppés de bouts de papier peint ou de bouts de tissu. Arrivèrent ensuite Narcisse dans son costume du dimanche, puis Guillaume, une fleur jaune à la boutonnière, puis les Clairmont, résolument joyeux, Caro contemplant les nomades d'un œil soupçonneux, mais s'apprêtant néanmoins, puisqu'un tel sacrifice était nécessaire, à bien profiter de sa soirée. Durant l'apéritif, servi avec des pignons salés et de petits biscuits, nous regardâmes Armande déballer ses cadeaux : de la part d'Anouk, un dessin de chat dans une enveloppe rouge, de la part de Blanche, un pot de miel, de Zézette, des sachets de lavande brodés de la lettre B — « Je n'ai pas eu le temps d'en faire un à votre initiale, expliqua-t-elle avec une insouciance joyeuse, mais je promets de le faire l'année prochaine » —, de Roux, une feuille de chêne en bois sculpté, aussi délicate qu'une vraie feuille, avec quelques glands accrochés à la tige, de Narcisse, un gros panier de fruits et de fleurs. Les Clairmont avaient apporté des présents plus luxueux : un foulard de la part de Caro — pas un Hermès, remarquai-je, mais en soie tout de même — ainsi qu'un vase en argent et, de la part de Luc, une enveloppe de papier gaufré contenant une chose rouge vif, qu'il dissimule du mieux qu'il peut à sa mère sous un tas de papiers-cadeaux abandonnés. Armande esquisse un sourire enchanté et me lance un grand « *Ouaou !* » silencieux derrière sa main. Joséphine lui offre un petit médaillon en or, sourit d'un air d'excuse en précisant : « Il n'est pas neuf… »

Armande le met autour de son cou, serre brutalement Joséphine dans ses bras, offre du Saint-Raphaël à tout le monde d'une main libérale. J'entends la conversation depuis la cuisine. Préparer un tel repas n'est pas une mince affaire : je dois y consacrer toute mon attention, mais je saisis quelques bribes de ce qui se passe à côté. Caro est affable, disposée à ne pas bouder son plaisir ; Joséphine ne dit rien ; Roux et Narcisse se sont découvert une passion commune pour les arbres fruitiers exotiques. Zézette entonne une chanson folklorique de sa voix flûtée, son bébé négligemment calé au creux de son bras. Je remarque qu'il a lui aussi été consciencieusement barbouillé de henné, si bien qu'avec sa peau dorée constellée de taches et ses yeux gris-vert il ressemble à un joli petit melon nantais.

Ils rejoignent la table. Armande, pleine d'entrain, mène la conversation. Je reconnais les inflexions basses et plaisantes de Luc, qui commente un livre qu'il a lu. La voix de Caro se fait un peu plus perçante : je soupçonne Armande de s'être resservie un verre de Saint-Raphaël.

« Maman, tu sais que tu ne devrais pas… », s'écrie-t-elle, mais Armande se contente d'éclater de rire.

« C'est moi qui reçois, déclare-t-elle d'un ton joyeux. Je ne tolérerai pas que quelqu'un soit malheureux à ma fête. Et surtout pas moi. »

Pour l'instant, le sujet est clos. J'entends Zézette qui flirte avec Georges. Roux et Narcisse discutent de prunes.

« La Belle du Languedoc, déclare ce dernier avec sérieux. À mon sens, c'est la meilleure. Petite et sucrée, avec une peau veloutée comme l'aile d'un papillon. »

Roux est inflexible. « La mirabelle, dit-il fermement. La seule prune jaune qui vaille la peine. La mirabelle. »

Je retourne à mes fourneaux et, pendant quelque temps, je n'entends plus rien. C'est un talent d'autodidacte, la cuisine, le résultat d'une obsession.

Personne ne m'a appris à faire la cuisine. Ma mère confectionnait des potions et des philtres, j'ai sublimé le tout pour en faire une plus douce alchimie. Nous ne nous sommes jamais beaucoup ressemblé, elle et moi. Elle rêvait de voyages éthérés, de rencontres astrales et d'essences secrètes : je décortiquais les recettes et les menus chipés à des restaurants où nous n'aurions jamais les moyens de dîner. Gentiment, elle se moquait de mes préoccupations terre à terre.

« C'est bien que nous n'ayons pas l'argent qu'il faut, me disait-elle toujours. Autrement, tu deviendrais grasse comme une oie. » Pauvre maman. Elle était complètement rongée par le cancer, et elle était encore assez vaniteuse pour se réjouir de perdre du poids. Alors, pendant qu'elle se tirait les cartes et marmonnait dans son coin, je parcourais ma collection de fiches de cuisine, psalmodiant les noms de plats jamais goûtés, telles des paroles magiques, des formules secrètes de la vie éternelle. *Bœuf en daube. Champignons farcis à la grecque. Escalopes à la reine. Crème caramel. Schokoladentorte. Tiramisu.* En imagination, je les réalisais toutes en secret, je les expérimentais, je les goûtais, ajoutant à ma collection de recettes partout où nous allions, les collant dans mon album comme des photos de vieux amis. Ces coupures en papier glacé donnaient du poids à mes vagabondages : entre les pages maculées de mon album, elles étaient les splendides panneaux indicateurs qui jalonnaient notre itinéraire vagabond.

Je les retrouve aujourd'hui tels des amis qu'on a longtemps perdus de vue. Soupe de tomates à la gasconne, servie avec du basilic frais et une part de tartelette méridionale, faite d'une pâte brisée fine comme du biscuit et surmontée d'une garniture mêlant somptueusement le goût des merveilleuses tomates locales, de l'huile d'olive et de l'anchois, parsemée d'olives et rôtie très lentement pour produire une concentration de saveurs qui semble presque impossible à réaliser. Je sers le chablis 85 dans de grands verres. Dans le sien, Anouk déguste de la citronnade avec un air de sophistication exagérée. Narcisse exprime de l'intérêt pour les ingrédients de la tartelette, loue les vertus de la tomate roussette et de ses formes bizarres, par opposition à l'uniformité insipide de la vulgaire tomate européenne. Roux allume les braseros de chaque côté de la table et les asperge de citronnelle pour faire fuir les insectes. Je surprends Caro qui lorgne Armande d'un œil réprobateur. Je mange peu. Ayant baigné presque toute la journée dans les effluves des plats en train de mijoter, ce soir j'ai l'impression de planer, et mes sens exaltés sont tellement à fleur de peau qu'en sentant la main de Joséphine m'effleurer la jambe pendant le repas, je sursaute et manque de pousser un cri. Le chablis est frais et acidulé, et j'en bois plus que de raison. Les couleurs commencent à me paraître plus éclatantes, les sons revêtent la fine clarté du cristal taillé. J'entends Armande qui chante les louanges de ma cuisine. J'apporte une salade aux herbes pour nettoyer les papilles, puis du foie gras sur des toasts chauds. Je remarque que Guillaume a amené son chien, et qu'il lui donne subrepticement à manger sous la nappe empesée. La conversation navigue de la situation politique aux séparatistes basques et à la mode féminine, en passant par la meilleure façon de cultiver la roquette et la supériorité de la laitue sauvage sur la laitue de serre. Le chablis coule à flots. Viennent ensuite les vol-au-vent, aussi légers qu'une brise estivale, puis un sorbet à la fleur de sureau suivi d'un plateau de fruits de mer composé de langoustines, de crevettes grises et de bouquets, d'huîtres, de berniques, d'araignées et de ces énormes tourteaux qui peuvent sectionner les doigts d'un homme aussi facilement que je pourrais couper une tige de romarin, de bigorneaux, de palourdes, le tout surmonté d'un homard noir gigantesque trônant royalement sur son lit d'algues. Chatoyant de rouges, de roses, de verts d'eau, de blancs nacrés et de violets, l'immense plateau, telle la cachette aux trésors d'une sirène, exhale de nostalgiques parfums iodés qui évoquent l'enfance et le bord de mer. Nous distribuons des casse-noix pour les pinces des crabes, de minuscules fourchettes pour les crustacés, des raviers contenant des morceaux de citron et des jattes de mayonnaise. Impossible de ne pas se prendre au jeu avec un tel plat : il réclame de l'attention, de la simplicité. Les verres et les couverts étincellent à la lueur des lampions qui pendent du treillage au-dessus de nos têtes. La nuit est imprégnée de l'odeur des fleurs et de la rivière. Les doigts d'Armande sont agiles comme ceux d'une dentellière ; devant elle, les coquilles vides s'amoncellent tranquillement. Je rapporte du chablis ; les yeux pétillent, les joues rosissent sous l'effort consistant à extraire des crustacés la chair récalcitrante. C'est un mets qu'il faut mériter, un mets qui exige du temps. Joséphine commence à se détendre un peu, elle parle même à Caro, qui se débat avec une patte de crabe. La main de Caro dérape, une giclée d'eau salée jaillit du crabe et vient lui atterrir dans l'œil. Joséphine éclate de rire. Caro ne tarde pas à l'imiter. Je me surprends à bavarder moi aussi. Le vin est pâle et traître, son pouvoir enivrant dissimulé sous sa douceur. Caro est déjà un peu ivre, son visage est cramoisi et des mèches de ses cheveux dégringolent. Georges me fait du pied sous la nappe et me décoche un clin d'œil polisson. Blanche parle voyages ; nous avons des endroits en commun, elle et moi. Nice, Vienne, Turin. Le bébé de Zézette commence à vagir ; elle trempe un doigt dans le chablis pour le lui faire têter. Armande discute de Musset avec Luc, qui bégaie moins au fur et à mesure qu'il boit. Enfin, je débarrasse le plateau mis à sac, dont il ne subsiste que des décombres nacrés répartis sur une douzaine d'assiettes. Des coupelles d'eau citronnée pour se rincer les doigts et de la salade pour se rafraîchir le palais. J'enlève les verres, les remplace par les coupes à champagne. Caro prend de nouveau un air affolé. Tandis que je retourne dans la cuisine une fois encore, je l'entends qui s'adresse à Armande d'une voix basse et insistante.

Armande la fait taire. « Tu m'en parleras plus tard. Ce soir, je veux faire la fête. »

Elle accueille le champagne avec un gloussement de satisfaction.

Le dessert est une fondue au chocolat. Préparez-la un jour de beau temps — un temps couvert ternit le brillant du chocolat fondu — avec du chocolat à soixante-dix pour cent de cacao, du beurre, un peu d'huile d'amande, de la crème fraîche ajoutée à la toute dernière minute et réchauffée à feu doux. Embrochez des morceaux de gâteaux et de fruits et trempez dans le mélange chocolaté. J'ai réuni ce soir tous leurs gâteaux préférés, même si seul le gâteau de Savoie est destiné à être trempé. Caro prétend qu'elle ne peut plus rien avaler, mais se sert quand même deux tranches de la roulade bicolore aux deux chocolats. Armande prend un peu de tout : elle est à présent écarlate et devient de plus en plus expansive à chaque minute. Joséphine explique à Blanche pourquoi elle a quitté son mari. Georges me sourit d'un air libidineux derrière ses doigts enduits de chocolat. Luc taquine Anouk qui est à moitié endormie sur sa chaise. Le chien, pour jouer, mordille le pied de la table. Zézette, sans l'ombre d'un complexe, se met à donner le sein à son bébé. Caro paraît sur le point de faire une réflexion, puis elle hausse les épaules et ne dit rien. Je débouche une autre bouteille de champagne.

« Tu es sûre que ça va ? demande doucement Luc à sa grand-mère. Je veux dire, tu ne te sens pas malade ni rien ? Tu as pris tes médicaments ?

— Tu te fais trop de souci pour un garçon de ton âge, répond-elle en riant. Tu devrais au contraire faire les quatre cents coups, en faire voir de toutes les couleurs à ta mère. Au lieu de surveiller ta grand-mère. » Elle est toujours pétulante, mais elle a les traits un peu fatigués à présent. Cela fait presque quatre heures que nous sommes à table. Il est minuit moins dix.

« Je sais, répond-il avec un sourire. Mais je ne suis pas pressé d'hé-d'hériter, en tout cas pas encore. »

Elle lui tapote la main et lui sert un autre verre. Sa main n'est pas très sûre, et elle verse un peu de vin à côté. « Ne t'en fais pas, dit-elle gaiement. Il en reste plein d'autre. »

Nous terminons le repas avec ma glace au chocolat, ainsi que des truffes et du café dans de minuscules tasses à moka, avec un calvados en digestif, dégusté dans la tasse encore chaude afin d'en rehausser la saveur florale. Anouk réclame son canard, un morceau de sucre humecté de quelques gouttes de la liqueur en question, puis elle en exige un deuxième pour Pantoufle. Les tasses sont vidées, les assiettes débarrassées. Les braseros brûlent avec moins de puissance. J'observe Armande, qui continue à parler et à rire, mais de façon moins animée qu'avant, les yeux mi-clos, tenant la main de Luc sous la table.

« Quelle heure est-il ? demande-t-elle.

— Presque une heure du matin, répond Guillaume.

— L'heure pour moi d'aller au lit, déclare-t-elle dans un soupir. Je ne suis plus toute jeune, vous savez. »

Elle se redresse avec effort, en profitant pour ramasser sous sa chaise une brassée de cadeaux. Je vois Guillaume qui l'examine attentivement. Il sait. Elle lui lance un sourire d'une douceur singulière où affleure une certaine ironie.

« Ne croyez pas que je vais faire un discours, s'écrie-t-elle avec une brusquerie amusante. Je ne supporte pas les discours. Je voulais juste vous remercier tous — absolument *tous* — et vous dire quel excellent moment j'ai passé. Le meilleur que je me rappelle. Le meilleur que j'aie jamais passé, je crois. Les gens s'imaginent toujours qu'on cesse de s'amuser quand on vieillit. Eh bien, non... » Acclamations de Roux, Georges et Zézette. Armande hoche la tête d'un air entendu. « Ne venez pas me voir top tôt demain matin, malgré tout, prévient-elle avec une grimace. Je ne crois pas avoir tant bu depuis mes vingt ans, et j'ai besoin de récupérer... » Elle me décoche un bref coup d'œil, presque un avertissement. « Besoin de récupérer », répète-t-elle d'un ton vague, en commençant à s'éloigner de la table.

Caro se leva pour l'aider, mais Armande la chassa d'un geste péremptoire. « Pas de chichis, ma fille. Tu as toujours été comme ça. Toujours à faire des chichis. » Elle me lança un de ses regards rayonnants. « Vianne peut m'aider, déclara-t-elle. Le reste pourra attendre jusqu'au matin. »

Je la conduisis dans sa chambre pendant que les invités s'en allaient sans se presser, toujours riant et bavardant. Caro s'accrochait au bras de Georges, Luc la soutenait de l'autre côté. Ses cheveux, à présent entièrement dénoués, la rajeunissaient et lui adoucissaient les traits. Comme j'ouvrais la porte de la chambre d'Armande, je l'entendis qui disait : « … a pour ainsi dire *promis* qu'elle irait aux Mimosas… voilà qui m'ôte un sacré poids… » Armande l'entendit elle aussi et poussa un gloussement endormi. « Ce ne doit pas être facile, d'avoir une mère délinquante, dit-elle. Mettez-moi au lit, Vianne. Avant que je ne m'écroule. » Je l'aidai à se déshabiller. Une chemise de nuit de lin était déployée à côté de l'oreiller. Je pliai ses vêtements pendant qu'elle l'enfilait.

« Les cadeaux…, fit Armande. Posez-les là, que je puisse les voir. » Un geste vague en direction de la commode. « Hmm… C'est parfait. »

J'exécutai ses directives dans une sorte de brouillard hébété. Peut-être, moi aussi, avais-je bu plus que je ne le pensais, car je me sentais tout à fait calme. Je savais, d'après le nombre d'ampoules qui restaient dans le frigo, qu'Armande avait cessé depuis deux jours de prendre son insuline. J'avais envie de lui demander si elle était sûre, si elle savait réellement ce qu'elle faisait. Au lieu de cela, je drapai le cadeau de Luc — une combinaison de soie d'un rouge irréfutable, aussi somptueux qu'impudent — sur le dossier de la chaise, pour qu'elle le voie bien. Elle gloussa à nouveau, étendant la main pour caresser le tissu.

« Vous pouvez partir maintenant, Vianne. » Sa voix était douce mais ferme. « C'était merveilleux. »

J'hésitai. Pendant une seconde, je nous aperçus toutes les deux dans le miroir de la coiffeuse. Avec ses cheveux fraîchement coupés, elle ressemblait au vieillard de ma vision, mais ses mains formaient une tache cramoisie et elle souriait. Elle avait fermé les yeux.

« Laissez la lumière, Vianne. » Elle me congédiait. « Bonne nuit. »

Je l'embrassai doucement sur la joue. Elle sentait la lavande et le chocolat. Je me rendis dans la cuisine pour terminer la vaisselle.

Roux était resté pour me donner un coup de main. Les autres invités étaient partis. Anouk était endormie sur le canapé, un pouce enfoncé dans sa bouche. Nous fîmes la vaisselle en silence, puis je rangeai les assiettes et les verres tout neufs dans les placards d'Armande. Une fois ou deux, Roux essaya d'entamer une conversation, mais j'étais incapable de lui répondre ; seuls les petits tintements de la porcelaine et du cristal ponctuaient notre silence.

« Vous allez bien ? » demanda-t-il enfin. Sa main reposait avec tendresse sur mon épaule. Ses cheveux flamboyaient comme des gaillardes dans la lumière.

Je dis la première chose qui me vint à l'esprit : « Je pensais à ma mère. » De façon assez bizarre, je me rendis compte que c'était vrai. « Elle aurait adoré ça. Elle adorait... les feux d'artifice. »

Il me regarda. Dans la faible lumière un peu jaune de la cuisine, ses yeux bleu horizon si étranges s'étaient assombris pour devenir presque violets. J'aurais aimé pouvoir lui avouer la vérité au sujet d'Armande.

« Je ne savais pas que vous vous appeliez Michel, dis-je enfin.

— Les noms n'ont pas d'importance.

— Vous êtes en train de perdre votre accent, constatai-je avec surprise. Vous aviez un accent marseillais particulièrement prononcé, maintenant... »

Il esquissa un de ses rares sourires si pleins de douceur. « Les accents n'ont pas d'importance non plus. »

Il plaça ses mains autour de mon visage. Elles étaient douces pour des mains d'ouvrier, pâles et douces comme celles d'une femme. Je me demandai si toutes les choses qu'il m'avait dites étaient vraies. Pour l'instant, manifestement, cela n'avait guère d'importance. Je l'embrassai. Il sentait bon la peinture, le savon et le chocolat. Sa bouche avait le goût du chocolat et je pensai à Armande. J'avais toujours cru qu'il s'intéressait à Joséphine. Alors même que je l'embrassais, je le savais pertinemment bien, mais c'était la seule magie dont nous disposions entre nous pour combattre la nuit. La magie la plus sommaire, la flammerole que les sorcières descendent des hauteurs de Beltane, cette année un peu en avance. Ces petites félicités qui permettent de braver les ténèbres... Les mains de Roux cherchèrent mes seins sous mon chandail.

Une seconde, j'hésitai. Il y a eu tellement d'hommes le long de ma route, des hommes comme lui, des hommes bien pour qui j'avais de l'affection mais que je n'aimais pas. Si j'avais raison, et que Joséphine et lui étaient faits l'un pour l'autre, quelles seraient les conséquences pour eux ? Pour moi ? Sa bouche était légère, son contact spontané. Flottant sur le souffle des braseros, des effluves de lilas envahirent la pièce.

« Dehors, lui dis-je doucement. Dans le jardin... »

Il jeta un coup d'œil à Anouk, toujours endormie sur le canapé, et acquiesça de la tête. Ensemble, nous sortîmes à pas feutrés sous le ciel violet semé d'étoiles.

Il faisait encore chaud dans le jardin où rougeoyaient les braseros. Les seringats et les lilas de la tonnelle de Narcisse nous enveloppaient de leur parfum. Nous nous allongeâmes sur l'herbe comme des enfants. Nous n'échangeâmes aucune promesse, ne prononçâmes aucun mot d'amour bien qu'il se montrât tendre ; presque impassible, il promena ses lèvres avec une lente douceur le long de mon corps, léchant ma peau à petits coups de langue furtifs. Au-dessus de sa tête le ciel était noir-violet comme ses yeux, et la large bande de la Voie lactée semblait tracer comme une route autour du monde. Je savais que l'union de ce soir serait la seule que nous connaîtrions, et cette pensée ne provoquait en moi qu'une vague mélancolie. À la place, une profonde sensation de *présence*, de joie d'être comblée, m'envahissait de plus en plus, engloutissant ma solitude, voire mon chagrin pour Armande. Il serait toujours temps de s'affliger plus tard. Pour l'heure, j'étais tout bonnement émerveillée : émerveillée de me trouver allongée nue sur l'herbe, d'avoir à mes côtés cet homme silencieux, de contempler cette immensité au-dessus de moi et de la sentir aussi à l'intérieur de moi. Nous restâmes longtemps sans bouger, Roux et moi, jusqu'à ce que nous ressentions la fraîcheur et que des petits insectes nous courent sur la peau ; du parterre de fleurs s'étalant à nos pieds, nous respirions la lavande et le thym et, la main dans la main, nous regardions le ciel qui tournait avec une lenteur insupportable.

Tout bas, j'entendais Roux fredonner une petite chanson :

V'là l'bon vent, v'là l'joli vent
V'là l'bon vent, ma mie m'appelle

La tempête était en moi à présent, me tiraillant implacablement les entrailles. Au creux de mon ventre subsistait un petit espace paisible, miraculeusement serein, et qui s'accompagnait de la sensation presque familière de quelque chose de *nouveau*. Ça aussi, c'est une sorte de magie, une magie que ma mère n'était jamais arrivée à comprendre, et pourtant je suis plus certaine de cette chose-là — de cette chaleur vivante et miraculeuse qui vient de naître à l'intérieur de moi — que de tout ce que j'ai pu faire avant. Désormais, je comprends pourquoi j'avais tiré la carte des Amoureux ce soir-là. Forte de cette conviction toute fraîche, je fermai les yeux et m'appliquai à rêver d'elle, comme je l'avais fait dans ces mois qui avaient précédé la naissance d'Anouk, une petite étrangère aux joues roses et aux yeux noirs pétillant de vivacité.

Quand je me réveillai, Roux était parti, et le vent avait changé à nouveau.

37

Samedi 29 mars
VEILLE DE PÂQUES

Aidez-moi, mon père. N'ai-je pas suffisamment prié ? Suffisamment souffert pour nos péchés ? Ma pénitence a été exemplaire. J'ai la tête qui tourne du manque de nourriture et de sommeil. N'est-ce pas le temps de la rédemption, où tous les péchés sont lavés ? Les ciboires d'argent sont de nouveau sur l'autel, les cierges déjà allumés. Des fleurs, pour la première fois depuis le début du carême, ornent la chapelle. Même ce fou de saint Francis porte une couronne de lis, dont le parfum évoque la chair bien propre. Nous avons attendu tellement longtemps, vous et moi, depuis votre première attaque. Même à ce moment-là vous refusiez de me parler, alors que vous parliez à d'autres. Et puis, l'année dernière, la deuxième attaque. Les médecins m'expliquent que vous êtes inaccessible, mais je sais qu'il s'agit d'une feinte, que vous attendez votre heure. Vous vous réveillerez quand vous serez prêt à le faire.

On a trouvé Armande Voizin ce matin. Toute raide dans son lit, mon père, mais le sourire aux lèvres ; encore une qui nous a échappé. Je lui ai administré les derniers sacrements, mais elle ne m'aurait pas remercié, quand bien même elle aurait entendu.

Peut-être suis-je le seul à tirer encore du réconfort de ces choses-là.

Elle avait *l'intention* de mourir hier soir, elle avait tout prévu dans le moindre détail, la bonne chère, l'alcool, la compagnie. Sa famille autour d'elle, trompée par ses promesses de réforme. Sa satanée arrogance ! Elle va dire vingt messes, trente messes, promet Caro. Priez pour elle. Priez pour nous. Je m'aperçois que je tremble encore de rage. Je suis incapable de lui répondre calmement. Les obsèques ont lieu mardi. Je l'imagine en ce moment, majestueusement étendue à la morgue de l'hôpital, des pivoines sur la tête et ce sourire toujours figé sur ses lèvres pâles, et cette pensée m'emplit non pas de pitié ni même de satisfaction mais d'une fureur terrible et impuissante.

Bien sûr, nous savons qui est derrière tout ça. Cette Vianne Rocher. Oh, Caro m'en a parlé. C'est elle la mauvaise influence, mon père, le parasite qui a envahi notre jardin. J'aurais dû écouter mon instinct. L'arracher à l'instant même où j'ai posé les yeux sur elle. Elle qui m'a contrecarré systématiquement, se moquant de moi derrière sa vitrine masquée, envoyant partout les braves idiots qu'elle a conquis semer la corruption. J'ai été stupide, mon père. Armande Voizin est morte du fait de ma stupidité. Le mal vit avec nous. Le mal affiche un sourire charmeur et des couleurs vives. Quand j'étais enfant, j'écoutais toujours avec terreur l'histoire de la maison en pain d'épice, de la sorcière qui attirait les petits enfants chez elle et qui les mangeait. Je regarde sa boutique, toute décorée de papiers éclatants comme un cadeau attendant d'être déballé, et je me demande combien de personnes, combien d'âmes, elle a soumises à la tentation de manière irrémédiable. Armande Voizin.

Joséphine Muscat. Paul-Marie Muscat. Julien Narcisse. Luc Clairmont. Il faut absolument la mettre en déroute. Sa gamine aussi. Par tous les moyens possibles. Trop tard pour finasser, mon père. Mon âme est déjà compromise. J'aimerais avoir à nouveau douze ans. J'essaie de ressusciter la sauvagerie de mes douze ans, le talent d'invention du garçon que je fus jadis. Ce garçon qui avait lancé la bouteille enflammée, et qui avait tiré un trait sur cette histoire. Mais ce temps-là est révolu. Il faut que je fasse preuve d'ingéniosité. Il ne faut pas que je déshonore ma fonction. Et pourtant si j'échoue…

Que ferait Muscat ? Oh, il est brutal, méprisable à sa façon. Et pourtant il avait flairé le danger bien avant moi. Que ferait-il ? Je dois prendre Muscat comme modèle, Muscat le porc, brutal certes, mais roublard comme un porc.

Que ferait-il ?

Le festival du chocolat commence demain. De cet événement dépend la réussite de Vianne Rocher ou son échec. Trop tard pour retourner l'opinion publique contre elle. Je dois paraître irréprochable. Derrière la vitrine camouflée, des milliers de chocolats attendent d'être vendus. Des œufs, des animaux, des nids de Pâques enveloppés de rubans, des boîtes-cadeaux, des petits lapins dans de magnifiques bouillons de cellophane… Demain une centaine d'enfants se réveilleront au son des cloches de Pâques, et leur première pensée ne sera pas : *Il est ressuscité !* mais : *Des chocolats ! Des chocolats de Pâques !*

Mais : s'il n'y avait *pas* de chocolats ?

Cette pensée me pétrifie. L'espace d'une seconde, une joie brûlante m'envahit. Le cochon malin qui est en moi sourit et se pavane. Je pourrais entrer par effraction dans sa maison, me suggère-t-il. La porte de derrière est vieille et à moitié pourrie. Je pourrais l'ouvrir avec un levier. M'introduire dans la boutique armé d'un gourdin. Le chocolat est une matière friable, fragile. Cinq minutes au milieu de ses boîtes-cadeaux suffiraient. Elle dort au dernier étage. Elle n'entendrait pas. D'ailleurs, je ferais vite. Je pourrais également porter un masque : ainsi, si elle me surprenait... Tout le monde soupçonnerait Muscat, une opération de représailles. Muscat n'est pas là pour le nier, et de toute façon...

Père, est-ce que vous avez bougé ? J'ai cru un instant que votre main s'était contractée, que vous aviez plié vos deux premiers doigts comme pour me bénir. Encore une fois, ce spasme, comme un tireur au revolver revivant ses batailles passées. Un signe.

Le Seigneur soit loué. Un signe.

38

Dimanche 30 mars
DIMANCHE DE PÂQUES

4 heures du matin.

J'ai à peine dormi cette nuit, sa fenêtre est restée allumée jusqu'à deux heures du matin, et même à ce moment-là je n'ai pas osé bouger, au cas où elle serait restée allongée dans le noir sans dormir. Dans le fauteuil, j'ai somnolé pendant deux heures : j'avais mis le réveil pour le cas où je me serais endormi profondément. Je n'aurais pas dû m'inquiéter. Le peu de sommeil que j'eus fut traversé de petits rêves si fugitifs que je m'en souviens à peine, bien qu'ils suffissent à me réveiller. Je crois que j'ai rêvé d'Armande — une Armande *jeune*, même si évidemment je ne l'ai jamais connue jeune — courant à travers champs là-bas derrière les Marauds avec une robe rouge, les cheveux noirs volant au vent. À moins qu'il ne se fût agi de Vianne, et que je les eusse de quelque manière confondues. Puis j'ai rêvé de l'incendie aux Marauds, de la souillon et de son homme, des rives rouges de la Tannes et de vous, père, avec ma mère dans le presbytère… Tout le vin amer de cette année-là s'insinuait dans mes rêves, et moi, comme le porc cherchant les truffes, je dénichais inépuisablement ces délicieux tubercules à la saveur pourrie, et je m'en goinfrais, je m'en gorgeais sans répit.

À quatre heures je me lève de mon fauteuil. J'ai dormi tout habillé, mais je m'étais dépouillé de ma soutane et de mon col. L'Église n'a rien à voir avec cette histoire. Je me prépare du café, très fort, mais sans sucre, même si, en principe, ma pénitence est terminée. Je dis bien en principe. Dans mon cœur, je sais que Pâques n'est pas encore arrivé. Il n'est pas encore ressuscité. Si je réussis aujourd'hui, *alors* Il ressuscitera.

Je m'aperçois que je tremble. Je mange du pain sec pour me donner du courage. Le café est brûlant et amer. Lorsque j'aurai accompli ma tâche, je me promets un bon repas ; des œufs, du jambon, des pains au lait de chez Poitou. J'en ai l'eau à la bouche rien que d'y penser. Je règle la radio sur une fréquence qui diffuse de la musique religieuse. « Tu es mon berger. » Ma bouche se tord en un rictus méprisant. L'heure n'est pas aux pastorales. C'est l'heure du cochon, du cochon malin. J'éteins la musique.

Il est cinq heures moins cinq. En regardant par la fenêtre, j'entrevois la toute première lueur de l'aube à l'horizon. J'ai largement le temps. Le bedeau sera là à six heures pour sonner les cloches de Pâques ; j'ai plus de temps qu'il n'en faut pour mener à bien mon entreprise secrète. J'enfile le passe-montagne que j'avais mis de côté pour mon projet ; dans le miroir, j'ai un aspect différent, inquiétant. Une tête de saboteur. Cette pensée me fait sourire à nouveau. Sous le masque, ma bouche paraît dure et cynique. Je souhaite presque qu'elle me voie.

5 h 10.

La porte n'est pas verrouillée. Je n'en reviens pas de ma chance. Ce détail souligne l'assurance qu'elle a, sa conviction insolente que personne ne peut lui résister. Je range le gros tournevis qui devait me servir à forcer la porte, et saisis à deux mains le lourd morceau de bois — un fragment de linteau, mon père, qui s'est écroulé pendant la guerre. La porte s'ouvre sur le silence de la maison. Un autre de ses sachets rouges se balance au-dessus de l'encadrement ; je l'arrache et le laisse tomber avec dédain sur le sol. Un moment je suis désorienté. L'endroit a changé depuis l'époque de la boulangerie, et de toute façon je ne connais pas aussi bien l'arrière-boutique. Seule une très faible lumière se reflète sur les surfaces carrelées, et je me félicite d'avoir pensé à apporter une lampe électrique. Je l'allume et, un instant, me trouve presque aveuglé par la blancheur des surfaces émaillées : dans l'étroit rayon de la torche, les tables, les éviers, les vieux fourneaux brillent tous d'une clarté lunaire. Il n'y a aucun chocolat en vue. Bien sûr. Cette pièce n'est que l'endroit où ils sont fabriqués. Je ne sais trop pourquoi, je suis étonné de trouver l'endroit si propre ; j'avais imaginé que cette femme était une souillon, laissant traîner dans l'évier des casseroles mal lavées et des piles d'assiettes sales, et faisant tomber de longs cheveux noirs dans la pâte à gâteaux. Au lieu de cela, elle se révèle scrupuleusement ordonnée : les casseroles sont alignées par ordre de taille sur les étagères, le cuivre avec le cuivre, l'émail avec l'émail, les saladiers de porcelaine sont rangés à portée de main et les ustensiles — les cuillères, les poêlons — accrochés aux murs blanchis à la chaux. Sur la vieille table balafrée se trouvent plusieurs moules à pain. Au centre, un vase de fleurs jaunes projette autour de lui une ombre broussailleuse. Pour une raison étrange, ces fleurs me mettent hors de moi. De quel droit a-t-elle des fleurs, alors qu'Armande Voizin est morte ? Le porc qui est en moi renverse le bouquet sur la table, avec un sourire triomphant. Je ne le retiens pas. J'ai besoin de sa férocité animale pour la tâche qui m'attend.

5 h 20.

Les chocolats doivent se trouver dans la boutique. Sans bruit, je traverse la cuisine, puis j'ouvre l'épaisse porte en bois de pin qui mène au-devant de la maison. Sur ma gauche, des marches conduisent aux appartements. Sur ma droite, le comptoir, les étagères, les marchandises exposées, les boîtes... J'avais beau m'y attendre, l'odeur de chocolat est stupéfiante. L'obscurité semble l'avoir intensifiée à un point tel que, l'espace d'une seconde, l'odeur se confond littéralement avec l'obscurité, m'enveloppant et m'étouffant comme une riche poudre brune. Le rayon de ma lampe repère des zones de clarté, du papier d'aluminium, des rubans, des bouillons de cellophane aux reflets étincelants. Je suis dans la caverne d'Ali Baba. Un frisson me parcourt tout le corps. Être ici, dans la maison de la sorcière, tel un intrus insoupçonné. Toucher ses affaires en secret pendant qu'elle dort. J'éprouve un désir irrépressible de voir la vitrine, d'arracher l'écran de papier qui la dissimule et d'être le premier à la contempler. Cet élan est absurde, étant donné que j'ai l'intention de tout saccager. Mais il m'est impossible de résister à ce désir. J'avance à pas feutrés sur mes semelles de caoutchouc, portant d'une main molle le lourd morceau de bois. J'ai tout le temps. Suffisamment de temps pour assouvir ma curiosité, si j'en ai envie. D'ailleurs, cet instant est trop précieux pour être gaspillé. Je tiens à le savourer.

5 h 30.

Tout doucement je tire sur le fin crépon qui recouvre la vitrine. Il se détache avec un petit bruit de papier qu'on déchire, et je le pose de côté, l'oreille à l'affût du moindre signe d'activité à l'étage au-dessus. Je n'en discerne aucun. Ma lampe électrique illumine la vitrine et, l'espace d'un instant, j'en oublie presque pourquoi je suis ici. C'est un amoncellement de merveilles : des fruits glacés, des fleurs en massepain, des montagnes de chocolats de toutes les formes et de toutes les couleurs, des lapins, des canards, des poules, des poussins, des agneaux me contemplant avec des yeux en chocolat à la fois joyeux et graves, telles les armées de terre cuite de l'ancienne Chine, et surplombant cet ensemble, une statue de femme, ses bras gracieux et bronzés tenant une gerbe de blé en chocolat, les cheveux ondoyants. Les détails sont magnifiquement restitués, sa chevelure est faite d'un chocolat très noir, ses yeux rehaussés de chocolat blanc. L'odeur de chocolat est presque suffocante, son parfum riche et sensuel laisse dans la gorge une exquise traînée de douceur. La femme à la gerbe de blé sourit très légèrement, comme si elle contemplait des mystères.

Testez-moi. Goûtez-moi. Savourez-moi.

Le chant diabolique résonne plus fort que jamais, ici, dans l'antre même de la tentation. Je pourrais tendre la main dans n'importe quelle direction et cueillir un de ces fruits défendus, en goûter la chair secrète. Je me sens transpercé de mille aiguillons à cette pensée.

Testez-moi. Goûtez-moi. Savourez-moi.

Personne ne serait au courant.

Testez-moi. Goûtez-moi. Savourez...

Pourquoi pas ?

5 h 40.

Je prendrai la première chose que rencontreront mes doigts. Il faut que j'évite de perdre la tête. Un seul chocolat — pas précisément un vol, mais un *sauvetage* ; seul parmi tous ses frères, il échappera au massacre. Ma main s'attarde malgré elle comme une libellule planant au-dessus d'un amas de douceurs. Un plateau en plexiglas muni d'un couvercle protège ces friandises ; le nom de chacune est inscrit sur le couvercle en fines lettres cursives. Elles portent des noms enchanteurs. *Craquelin aux oranges amères. Rouleau de massepain à l'abricot. Cerisette russe. Truffe au rhum blanc. Manon blanc. Tétons de Vénus.* Je me sens rougir sous le masque. Comment diantre peut-on commander une chose qui porte un nom pareil ? Pourtant, ils ont l'air merveilleux, ces tétons de Vénus, blancs et dodus sous le faisceau de ma lampe, avec une pointe de chocolat plus foncé. J'en prends un sur le dessus du plateau. Je l'élève sous mes narines ; il sent la crème et la vanille. Personne ne saura. Je me rends compte que je n'ai pas mangé de chocolat depuis mon enfance, il y a tant d'années que je ne m'en souviens plus, et encore, il s'agissait d'un chocolat à croquer bon marché, à quinze pour cent de cacao, avec un arrière-goût pâteux de graisse et de sucre. Une fois ou deux, je m'étais acheté du Suchard au supermarché, mais, cinq fois plus cher que l'autre, c'était un luxe que je pouvais rarement m'offrir. Mais là, c'est totalement différent : la brève résistance de la coquille chocolatée au contact des lèvres, la pâte moelleuse à l'intérieur… Je découvre plusieurs saveurs, comme le bouquet d'un grand vin : une légère amertume, un arôme aussi riche que du café moulu… La chaleur de ma bouche accentue cet arôme démoniaque qui, m'emplissant les narines, me fait gémir de plaisir.

5 h 45.

Après ce chocolat, j'en goûte un autre, me persuadant que cela n'a pas d'importance. À nouveau, je m'attarde sur les noms. *Crème de cassis. Grappe aux trois noix.* Je choisis une pépite noire sur un plateau indiquant *Voyage en Orient.* Du gingembre confit dans une coque de sucre, libérant une giclée de liqueur comme une concentration d'épices, une sorte de cocktail aromatique où le santal, la cannelle et le citron vert le disputent au cèdre et au myrte piment. J'en prends un autre, sur un plateau indiquant *Pêche au miel millefleurs.* Une tranche de pêche macérée dans le miel et l'eau-de-vie puis enrobée de chocolat, avec sur le dessus une petite écorce confite. Je regarde ma montre. J'ai encore du temps.

Je sais que je ferais mieux de m'atteler sérieusement à ma juste tâche. Les marchandises exposées dans la boutique, bien qu'en quantités ahurissantes, ne suffiront pas à honorer les centaines de commandes qu'elle a reçues. Il doit y avoir un autre endroit où elle entrepose ses boîtes-cadeaux et le plus gros de ses réserves. Les articles qui se trouvent ici ne sont que des articles de démonstration. Attrapant une amandine, je la fourre dans ma bouche pour m'aider à réfléchir. Puis j'attrape un fondant au caramel. Puis un Manon blanc, tout gorgé de crème fraîche et de poudre d'amande. Si peu de temps, alors qu'il reste une telle abondance de merveilles à goûter… Ma tâche pourra être accomplie en cinq minutes, peut-être moins. Dès que j'aurai trouvé la cachette. Je vais prendre encore un chocolat, histoire de me porter chance, avant de me mettre à chercher. Juste encore un. Un petit.

5 h 55.

On dirait un de mes rêves. Je ne sais plus où donner de la tête. Je m'imagine dans un champ de chocolats, sur une plage de chocolats, et je me vautre dedans, je fourrage dedans, je m'en empiffre. Je n'ai pas le temps de lire les étiquettes ; j'enfourne les chocolats sans discrimination. Le porc perd toute ingéniosité devant tant de délices, il redevient un porc, et quelque chose au fond de moi a beau me crier d'arrêter, je n'y arrive pas. Maintenant que j'ai commencé, plus moyen d'arrêter. Cela n'a rien à voir avec la faim ; j'engloutis les chocolats, la bouche pleine, les mains pleines. L'espace d'une terrible seconde, j'imagine Armande qui revient me hanter, peut-être pour m'affliger du mal singulier dont elle souffre ; condamné à mourir de gourmandise. J'entends les bruits que je fais en mangeant, des geignements d'extase et de désespoir, comme si le porc que j'ai en moi avait enfin réussi à s'exprimer.

6 heures du matin.

Il est ressuscité ! Le son des cloches me tire de l'enchantement où j'étais plongé. Je constate que je suis assis par terre… il y a des chocolats partout autour, comme si je m'étais effectivement roulé dedans. Le gourdin gît oublié à côté de moi. J'ai retiré le masque qui m'entravait. Dépouillée de son emballage, la vitrine, sous les premiers rayons du matin pâle, est comme une bouche béante.

Il est ressuscité ! Titubant, je me remets debout. D'ici à cinq minutes, les premiers fidèles vont commencer à arriver pour la messe. Déjà, on a dû remarquer mon absence. Les doigts gluants de chocolat fondu, j'empoigne mon gourdin. Tout à coup, je sais où elle range son stock. La vieille cave, fraîche et sèche à la fois, où l'on entreposait jadis les sacs de farine… Je peux y aller. Je sais que je peux.

Il est ressuscité !

La massue à la main, je me retourne : j'ai absolument besoin de temps, rien qu'un peu de temps…

Elle est là, elle m'observe derrière le rideau de perles. Je n'ai aucun moyen de savoir depuis combien de temps elle m'épie. Un minuscule sourire se dessine sur ses lèvres. Très délicatement, elle me débarrasse du gourdin. Entre ses doigts, elle tient quelque chose qui ressemble à un bout de papier calciné. Une carte à jouer, peut-être.

Voilà comment elle m'a surpris, mon père,

accroupi dans les décombres de sa vitrine, le visage barbouillé de chocolat, les yeux hagards. Les gens semblaient accourir de toutes parts au secours de cette femme. Duplessis, la laisse de son chien dans une main, montait la garde à la porte. Vianne Rocher, quant à elle, se tenait à la porte de derrière avec mon gourdin coincé sous son bras. Poitou, le voisin d'en face, levé de bonne heure pour faire cuire son pain, ameutait les curieux pour qu'ils viennent admirer le spectacle. Les Clairmont, telles des carpes échouées sur le rivage, avaient les yeux écarquillés. Narcisse brandissait le poing. Et ces rires. Mon Dieu ! Ces rires… Et puis, tout du long, les cloches qui retentissent, proclament à travers la place Saint-Jérôme : *Il est ressuscité.*

Il est ressuscité.

39

Lundi 31 mars
LUNDI DE PÂQUES

J'ai renvoyé Reynaud à son église lorsque les cloches ont cessé de sonner. Il n'a jamais dit la messe. Au lieu de cela, il s'est enfui sans un mot en direction des Marauds. Rares sont ceux qui regrettèrent son départ. Du coup, nous avons inauguré le festival en avance, avec du chocolat chaud et des gâteaux devant La Praline, pendant que je me dépêchais de ranger le désordre. Par chance, ce n'était pas trop grave ; quelques centaines de chocolats étaient éparpillés sur le sol, mais aucune de nos boîtes-cadeaux n'était endommagée. Une ou deux petites rectifications à la vitrine et elle paraissait aussi belle qu'avant.

Le festival a été à la hauteur de nos espérances. Des stands artisanaux, des fanfares, l'orchestre de Narcisse — chose étonnante, il joue du saxophone avec une virtuosité pleine de désinvolture —, des jongleurs, des avaleurs de feu. Les nomades de la rivière sont revenus — pour la journée du moins — et les rues s'animaient de leurs silhouettes bigarrées. Certains ont dressé des stands à eux, où ils vendent de la confiture et du miel, enfilent des perles sur les cheveux, dessinent des tatouages au henné ou disent la bonne aventure. Roux vendait des poupées qu'il avait sculptées dans des morceaux de bois ramassé dans la rivière. Il ne manquait que les Clairmont, mais dans ma tête je ne cessais de me représenter Armande, comme si, en une telle circonstance, il m'était impossible de l'imaginer absente. Une femme avec un foulard rouge, la courbe ronde d'un dos voûté dans une robe-tablier grise, un chapeau de paille, joyeusement décoré de cerises, dansant au-dessus de la foule festive. Elle me donnait l'impression d'être partout. De manière assez bizarre, je m'aperçus que je n'éprouvais aucun chagrin. Simplement la conviction croissante qu'à tout moment elle allait apparaître, soulevant le couvercle des boîtes pour voir ce qu'elles contenaient, se léchant avidement les doigts ou poussant des cris de joie devant le vacarme et la gaieté de la scène. À un moment, alors que je me penchais pour attraper un paquet de raisins au chocolat, j'ai même été persuadée d'entendre sa voix s'écrier *Ouaou !* juste à côté de moi, or, quand je me suis retournée, il n'y avait que du vide. Ma mère aurait compris.

J'ai remis aux clients toutes les commandes qu'ils m'avaient passées et j'ai vendu le dernier cornet de chocolats à quatre heures et quart. La chasse aux œufs de Pâques a été remportée par Lucie Prud-homme, mais tous les participants ont eu droit à des surprises, qui renfermaient des chocolats et des trompettes d'enfant, des tambourins et des serpentins. Un unique char, orné de vraies fleurs, faisait la réclame pour la pépinière de Narcisse. Certains jeunes osè-rent se mettre à danser sous le regard sévère de saint Jérôme, et le soleil a brillé toute la journée.

Et pourtant, tranquillement assise avec Anouk dans notre maison silencieuse, un livre de contes de fées dans une main, je me sens mal à l'aise. Je me répète qu'il s'agit de la retombée qui survient forcément après un événement longtemps attendu. La fatigue, peut-être, l'anxiété, l'intrusion de Reynaud à la dernière minute, la chaleur du soleil, les gens... Et puis le chagrin pour Armande, qui surgit à présent que les échos de la fête diminuent, une tristesse colorée d'une foule de sensations contradictoires, la solitude, la perte, l'incrédulité, sans oublier une sorte de paisible sentiment de *justice*. Ma chère Armande. Vous auriez tellement adoré ça. Mais vous avez eu votre propre feu d'artifice, n'est-ce pas ? Guillaume est passé nous voir assez tard dans la soirée : nous avions fait disparaître depuis longtemps toutes les traces du festival. Anouk s'apprêtait à aller au lit, les yeux encore étincelants des lumières du carnaval.

« Je peux entrer ? » Son chien a appris à s'asseoir à son ordre, et il attend solennellement à la porte. Guillaume tient quelque chose à la main. Une lettre. « Armande avait dit que je devais vous donner ça. Vous savez. Après. »

Je prends l'enveloppe. À l'intérieur, quelque chose de petit et de dur cliquette contre le papier. « Merci.

— Je ne vais pas rester... » Il me dévisage un instant, puis il me tend la main, un geste guindé, mais étrangement touchant. Sa poignée de main est ferme et fraîche. J'ai les yeux qui me piquent ; une chose brillante tombe sur la manche du vieil homme : une larme tombée de ses yeux ou des miens, je ne saurais dire.

« Bonne nuit, Vianne.

— Bonne nuit, Guillaume. »

L'enveloppe contient une unique feuille de papier. Je la sors, et quelque chose roule sur la table : des pièces, me semble-t-il. L'écriture est grande et naturelle.

Chère Vianne,

Merci pour tout. Je sais ce que vous devez ressentir. Parlez à Guillaume si vous voulez — il comprend mieux que quiconque. Je regrette de n'avoir pas pu assister à votre festival, mais je me le suis représenté si souvent dans ma tête que ça n'a pas vraiment d'importance. Embrassez Anouk pour moi et donnez-lui une des choses ci-jointes — l'autre est pour le prochain, je pense que vous saurez ce que je veux dire.

Je suis fatiguée à présent, et je discerne dans l'air un changement tout proche. Je crois que le sommeil me fera du bien. Et qui sait, peut-être que nous nous retrouverons un jour.

Bien à vous,

Armande Voizin.

P.-S. — Ne vous embêtez pas à vous rendre à l'enterrement, toutes les deux. C'est Caro qui organise et je suppose qu'on peut lui accorder ça : c'est le genre de chose qu'elle aime. Invitez plutôt tous vos amis à La Praline et buvez un chocolat chaud en pensant à moi. Je vous aime tous.

A.

Une fois ma lecture terminée, je repose la feuille et cherche les pièces qui se sont échappées de l'enveloppe. J'en trouve une sur la table et l'autre sur une chaise : deux souverains en or qui luisent d'un rouge éclatant dans le creux de ma main. Un pour Anouk… et l'autre ? Instinctivement, je touche mon ventre et ce refuge douillet qu'il recèle, ce refuge secret dont je ne me suis pas encore tout à fait avoué l'existence.

La tête d'Anouk repose délicatement sur mon épaule. Presque endormie, elle fredonne un air pour Pantoufle tandis que je lui fais la lecture. Nous avons peu entendu parler de Pantoufle ces dernières semaines ; il a été supplanté par des compagnons de jeux plus tangibles. Il semble révélateur que l'animal refasse son apparition maintenant que le vent a changé. Quelque chose en moi perçoit que le changement est inéluctable. Ce fantasme de permanence que je me suis tellement appliquée à construire ressemble à ces châteaux de sable que nous édifiions autrefois sur la plage en attendant la marée haute. Même sans la mer, le soleil les érode ; le lendemain, ils ont quasi disparu. J'éprouve malgré tout une certaine colère, une certaine souffrance. Mais il n'en demeure pas moins que le parfum du carnaval m'attire irrésistiblement, le vent vagabond, le vent chaud qui vient de… qui vient d'où, déjà ? Du sud ? De l'est ? D'Amérique ? D'Angleterre ? Ce n'est qu'une question de temps. J'ignore pourquoi, mais Lansquenet, avec tout ce qui s'y associe, me paraît déjà moins réel, s'éloignant dans ma mémoire. La machine ralentit ; le mécanisme se tait. Peut-être est-ce la confirmation de ce que je soupçonnais depuis le début, que Reynaud et moi sommes liés, que l'un sert de contrepoids à l'autre et que sans lui je n'ai rien à faire ici. Toujours est-il que le dénuement qui affectait la ville a disparu ; une sorte de satisfaction lui a succédé, une satiété épanouie dans laquelle je n'ai plus ma place. Dans toutes les maisons de Lansquenet, les couples s'aiment, les enfants jouent, les chiens aboient, les téléviseurs hurlent. Sans nous. Guillaume caresse son chien et regarde

Casablanca. Seul dans sa chambre, Luc lit Rimbaud sans l'ombre d'un bégaiement. Roux et Joséphine, tout seuls dans leur maison repeinte de neuf, minutieusement, apprennent à se connaître petit à petit. Ce soir, Radio-Gascogne a diffusé un reportage sur le festival du chocolat, fièrement intitulé : *Le festival de Lansquenet-sous-Tannes, une charmante tradition locale*. Désormais, les touristes ne traverseront plus Lansquenet comme si ce lieu n'existait pas. J'ai fait figurer sur la carte une ville jusque-là invisible.

Le vent sent l'iode et la friture, il sent le bord de mer à Juan-les-Pins, il sent les crêpes et l'huile de noix de coco, le charbon de bois et la sueur. Il y a tellement d'endroits qui attendent que le vent change. Tellement de gens dans le besoin... Combien de temps cette fois-ci ? Six mois ? Un an ? Anouk blottit son visage contre mon épaule et je la serre contre moi, trop fort, car elle se réveille à moitié et murmure quelques mots accusateurs. La Céleste Praline redeviendra une boulangerie. Ou peut-être une confiserie-pâtisserie, avec des guimauves suspendues au plafond comme des colliers de saucisses aux couleurs pastel, et des boîtes de pains d'épice avec « Souvenir de Lansquenet-sous-Tannes » écrit au pochoir sur le couvercle. Au moins, nous avons de l'argent, plus qu'il nous en faut pour recommencer ailleurs. À Nice peut-être, ou bien Cannes, Londres ou Paris. Anouk marmonne dans son sommeil. Elle le sent, elle aussi.

Et pourtant nous avons progressé. C'en est fini pour nous de l'anonymat des chambres d'hôtel, des néons qui clignotent, des voyages du nord au sud à cause d'une carte de tarot. Enfin, Anouk et moi avons affronté l'Homme Noir, enfin nous l'avons vu pour ce qu'il est vraiment : une pauvre dupe, un masque de carnaval. Nous ne pouvons rester ici indéfiniment. Mais peut-être nous a-t-il préparé le chemin pour que nous puissions rester ailleurs. Une ville en bord de mer, peut-être. Ou un village près d'une rivière, avec des champs de maïs et des vignes. Nos noms changeront. Le nom de notre boutique, lui aussi, se modifiera. *La Truffe Enchantée*, peut-être. Ou bien *Tentations Divines*, en mémoire de Reynaud. Et puis, cette fois, nous emportons bien des souvenirs de Lansquenet. Je tiens le cadeau d'Armande dans le creux de ma main. Les pièces sont lourdes, compactes au toucher. L'or est rougeâtre, presque de la couleur des cheveux de Roux. À nouveau, je me demande comment elle a fait pour deviner, jusqu'où elle a pu voir l'avenir. Un autre enfant, et pas un enfant sans père cette fois-ci, mais l'enfant d'un homme bien, même si l'homme en question l'ignorera toujours. Je me demande si elle aura ses cheveux, ses yeux enfumés. Je suis déjà certaine que ce sera une fille. Je connais même son prénom.

Il y a aussi d'autres choses que nous laisserons derrière nous. L'Homme Noir est parti. Ma voix a désormais une sonorité différente à mes oreilles, plus audacieuse, plus puissante. Il y a un accent en elle, en écoutant bien, que je peux presque reconnaître. Une intonation de défi, voire de jubilation. Mes peurs ont disparu. Toi aussi tu as disparu, maman, mais je t'entendrai toujours me parler. Je n'ai plus à avoir peur de mon reflet dans la glace. Anouk sourit dans son sommeil. Je pourrais rester ici, maman. Nous avons un foyer, des amis. La girouette, devant ma fenêtre, pivote inlassablement. Imagine-toi l'entendre semaine après semaine, année après année, saison après saison... Imagine-toi regarder par la fenêtre, un matin d'hiver. La nouvelle voix qui est en moi s'esclaffe, et ce rire est quasi un retour au bercail. La nouvelle vie qui est moi remue avec douceur, sans aucune brusquerie. Anouk parle dans son sommeil, des syllabes dénuées de sens. Ses petites mains m'empoignent le bras.

« S'il te plaît. » Sa voix est étouffée par mon chandail. « Maman, chante-moi une chanson. » Elle ouvre les yeux. La Terre, quand on la regarde de très haut, a la même teinte vert-bleu.

« D'accord. »

Elle ferme à nouveau les yeux, et je me mets à chanter doucement :

> *V'là l'bon vent, v'là l'joli vent*
> *V'là l'bon vent, ma mie m'appelle*

En espérant que cette fois cette chanson demeurera une simple berceuse… Que cette fois le vent ne l'entendra pas. Que cette fois — *s'il vous plaît, rien que cette fois* — il s'en ira sans nous.

REMERCIEMENTS

Mes remerciements les plus chaleureux à tous ceux qui m'ont aidée à rendre ce livre possible : à ma famille pour son soutien, pour ses encouragements protecteurs et quelque peu perplexes ; à Kevin pour s'être chargé de toute la paperasserie assommante ; à Anouchka pour m'avoir prêté Pantoufle. Merci aussi à mon intraitable agent Serafina Clarke, à mon éditeur Francesca Liversidge, à Jennifer Luithlen, à Lora Fountain, et à Anouk Neuhoff pour la traduction, à Marie-Thérèse Caloni et à tous ceux de Quai Voltaire, qui m'ont aidée à me sentir tellement la bienvenue. Enfin, des remerciements tout particuliers à mon confrère écrivain Christopher Fowler pour m'avoir montré la voie.

DU MÊME AUTEUR

Aux Éditions Quai Voltaire

VIN DE BOHÈME, roman, 2001 (Folio n° 3751)

LES CINQ QUARTIERS DE L'ORANGE, roman, 2002 (Folio n° 4005)

VOLEURS DE PLAGE, roman, 2003 (Folio n° 4169)

L'ÉTÉ DES SALTIMBANQUES, roman, 2004

Aux Éditions Flammarion

DORS PETITE SŒUR, roman, 1999

CLASSE À PART, roman, 2006

Aux Éditions Charleston

CHOCOLAT, roman, 2000, 1ʳᵉ édition *Quai Voltaire*; réédition 2013 (Folio n° 5807)

DES PÊCHES POUR MONSIEUR LE CURÉ, roman, 2013 (Folio n° 5806)

Aux Éditions Baker Street

LE ROCHER DE MONTMARTRE, roman, 2008

COLLECTION FOLIO